POISON

DU MÊME AUTEUR
CHEZ LE MÊME ÉDITEUR

Lightning

Huit chevaux noirs

Manhattan Blues

ED McBAIN

POISON

PRESSES DE LA CITE
PARIS

Titre original :
POISON

Traduit de l'américain par Philippe Sabathé

La loi du 11 mars 1957 n'autorisant, aux termes des alinéas 2 et 3 de l'article 41, d'une part, que les « copies ou reproductions strictement réservées à l'usage privé du copiste et non destinées à une utilisation collective » et, d'autre part, que les analyses et les courtes citations dans un but d'exemple et d'illustration, « toute représentation ou reproduction intégrale, ou partielle, faite sans le consentement de l'auteur ou de ses ayants droit ou ayants cause, est illicite » (alinéa 1er de l'article 40).

Cette représentation ou reproduction, par quelque procédé que ce soit, constituerait donc une contrefaçon sanctionnée par les articles 425 et suivants du Code pénal.

© 1987 by HUI Corporation

© Presses de la Cité 1988 pour la traduction française

ISBN 2-258-02105-7

Le cadre de cette histoire est entièrement imaginaire. La ville, les personnages, les lieux ont été inventés.

Seules sont réelles les méthodes et les techniques employées par la police.

1

— Tu parles d'un bordel ! dit Monoghan.

— Tu parles d'une puanteur ! dit Monroe.

Les deux inspecteurs de la Criminelle lancèrent un regard dégoûté au corps étendu sur la moquette, puis s'avancèrent avec précaution en contournant Willis, qui examinait attentivement le cadavre, les mains posées sur ses hanches. Avec sa petite taille et son corps mince, presque fluet, Willis pouvait difficilement être considéré comme un individu encombrant. Monoghan et Monroe, qui étaient eux-mêmes bâtis comme des armoires à glace, se dirent qu'ils n'auraient pas aimé avoir pour équipier ce flic minuscule, largement en dessous des standards autrefois fixés pour entrer dans la police. Mais avec la disparition des autres pratiques discriminatoires, les standards avaient été abandonnés et n'importe quel nabot pouvait maintenant porter l'uniforme.

Monoghan et Monroe portaient tous les deux des costumes noirs avec des gilets, des pardessus et des chapeaux noirs. Leurs visages étaient encore rougis par le froid glacial de l'extérieur. Ils pressaient des mouchoirs sur leur nez pour se protéger de l'odeur épouvantable qui régnait dans l'appartement. Il était pratiquement impossible d'y faire un pas sans marcher sur des excréments ou des vomissures. En fait, il fallait avoir le cœur bien accroché pour ne pas vomir soi-même. Monoghan et Monroe haïssaient ce genre d'affaire. Ils préféraient de très loin les bons vieux coups de feu, ou les traditionnels coups de couteau, qui laissaient des victimes plus faciles à manipuler. La pièce puait aussi le cigare refroidi. Il y avait des cendriers sur tous les meubles, des mégots dans tous les cendriers. L'homme qui avait vécu là devait avoir fumé comme une brigade de sapeurs-pompiers.

Il était pour l'heure couché sur le dos, à côté de son lit, baignant dans une mare de matières organiques dont la seule vue donnait la nausée. Il était en sous-vêtements. Son téléphone était décroché. Sans doute parce qu'il avait essayé d'appeler au moment où il avait senti qu'il partait pour le grand voyage, pensa Monroe. Ou bien parce qu'il avait heurté le combiné en s'écroulant sur le tapis. Ses yeux bleus étaient grands ouverts, ses pupilles dilatées, son visage n'avait plus de couleur. L'assistant du médecin légiste agenouillé à côté de lui palpait ses mains pour essayer d'apprécier la rigidité cadavérique. Il ne semblait pas plus à l'aise que les policiers présents dans la pièce, peut-être même moins, du fait qu'il se trouvait plus près du corps et de ses horribles déjections. Deux techniciens du labo de la police photographiaient la scène sous tous les angles. Marchant à petits pas précis, comme un couple de danseurs mondains, Monoghan et Monroe s'éloignèrent du cadavre, leurs mouchoirs toujours plaqués contre leur visage.

— La dernière fois que j'ai vu une merde pareille, dit Monoghan, c'était une vieille dame qui était tombée dans sa baignoire et qui y était morte de faim. Je ne vous raconte pas le spectacle. Les gars de police secours ont dû la dégager à la pelle.

— C'était une affaire vraiment dégueulasse, admit Monroe.

L'adjoint du médecin légiste ne dit rien. Il estimait que ce qu'il avait sous les yeux n'était pas particulièrement plaisant non plus. Comme chaque fois qu'il se trouvait dans une situation semblable, il se demandait pourquoi il n'avait pas ouvert un cabinet privé à Sands Spit. Il pouvait imaginer l'immeuble impeccable où il aurait pratiqué, ainsi que la plaque rutilante apposée près de l'entrée : « Frank O'Neill. Médecine générale. » Au lieu de cela, il se retrouvait un lundi de mars, les mains plongées dans les fluides pestilentiels émanant d'un cadavre.

— Qu'est-ce que tu en penses ? demanda Willis.

O'Neill haussa les épaules.

— Empoisonnement ?

— Pourquoi pas une crise cardiaque ? demanda Monroe.

— C'est ça, ricana Monoghan, on nous tire du lit aux aurores pour un type qui s'est payé un infarctus !

— Il ne s'agit certainement pas d'un infarctus, affirma O'Neill.

Il aurait pu ajouter que personne n'avait été réveillé aux aurores. Le réveil posé sur la table de nuit de la victime indiquait neuf heures vingt. C'était le premier appel auquel Willis et Carella avaient eu à répondre en prenant leur service — une excellente manière de commencer la semaine. La femme de ménage du mort avait téléphoné à la police quand elle avait trouvé son employeur croupissant dans ses déjections. L'agent de service avait immédiatement prévenu le 87ᵉ district qu'il y avait un cadavre dans son secteur. Comme le décès ne semblait pas de prime abord avoir été provoqué par des causes naturelles, Willis et Carella avaient aussitôt appliqué la procédure légale en prévenant la brigade criminelle. Dans cette ville, l'usage voulait que les homicides et les suicides soient traités exactement de la même manière, et la présence de représentants de la Criminelle sur les lieux du drame était indispensable même si l'affaire devait être confiée en dernier ressort aux inspecteurs du commissariat le plus proche. Depuis son arrivée, Carella n'avait pas prononcé un mot.

C'était un homme de haute taille, aux cheveux noirs, aux yeux légèrement bridés et étirés vers les tempes, qui lui donnaient l'air d'un Oriental. Monroe pensait qu'il avait la carrure et la démarche d'un joueur de base-ball. Sans le porter dans son cœur, il avait plus de sympathie pour lui que la plupart de ses collègues du 87ᵉ. Les flics des commissariats avaient généralement tendance à dramatiser les choses, et c'était précisément ce que Carella était en train de faire. Il fixait le cadavre avec un air sérieux, peiné, presque comme s'il avait appartenu à sa propre famille.

— Qu'est-ce qu'on écrit dans la case « cause du décès » ? demanda Monoghan. Empoisonnement ?

— Cause inconnue, répliqua O'Neill. Jusqu'à l'autopsie.

— Inconnue mon œil ! dit Monroe en éclatant de rire. Ce mec s'est noyé dans sa merde !

— Il n'a jamais appris à faire sa toilette ! ajouta Monoghan en se mettant à rire à son tour.

— Tu as une idée de l'heure de la mort ? demanda Willis sans sourire.

— Pas avant l'autopsie, s'excusa O'Neill en refermant sa sacoche.

Il se redressa et se dirigea vers la porte.

— En attendant, je vous souhaite beaucoup de plaisir, les gars !

La femme de ménage noire qui avait découvert le corps était terrorisée. C'était la première fois de sa vie qu'elle était en contact avec la police, et elle s'imaginait que ses ennuis ne faisaient que commencer.

Elle était effondrée dans un fauteuil, à l'entrée de la pièce, surveillant d'un œil hagard les allées et venues des policiers autour du corps. Des flashes crépitaient toutes les trente secondes. Lorsque le médecin — l'homme qui portait une sacoche — franchit la porte, quelqu'un lui demanda s'il avait terminé. Il hocha la tête et eut un geste de la main qui signifiait qu'il n'était plus concerné. Un autre policier se mit alors à répandre une sorte de poudre autour du cadavre, afin de marquer la position dans laquelle il avait été découvert.

— Essayez de ne pas marcher dans le vomi, plaisanta Monoghan. C'est certainement un indice.

Il avait absolument raison. De la même manière que les excréments, le vomi allait être récupéré par les techniciens et analysé dans les salles du laboratoire de High Street. L'affaire puait dès le départ, c'était le moins qu'on pouvait dire.

— Vous n'avez plus besoin de nous, dit Monroe. On va aller respirer un peu d'air frais.

— Vous devriez ouvrir une fenêtre dès que les autres en auront fini avec leurs poudres, suggéra gentiment Monoghan.

Les deux inspecteurs rangèrent leurs mouchoirs dans leurs poches et se dirigèrent vers la porte, croisant un groupe d'agents de police secours qui portaient un brancard, une valise en caoutchouc et un sac en plastique.

L'interrogatoire de la femme de ménage ne dura guère plus de cinq minutes. Très rapidement, Willis et Carella acquirent la conviction qu'elle était totalement innocente, que son rôle s'était limité à prévenir la police après avoir découvert la dépouille d'un homme qu'elle connaissait sous le nom de Jérôme McKennon. Pendant que les techniciens s'activaient dans la pièce, relevant les empreintes, récupérant avec des aspirateurs les fibres et les cheveux, collectant les déjections qui souillaient le tapis, les deux inspecteurs se mirent en quête d'indices qui pouvaient conduire à une identification officielle du cadavre.

Sur la commode qui se dressait en face du lit, ils trouvèrent un portefeuille, un trousseau de clés, un peigne et des pièces de monnaie. Le portefeuille contenait cent vingt-huit dollars en billets, ainsi que des cartes de crédit et un permis de conduire au nom de Jérôme Edward McKennon. Ils fouillèrent également les poches de tous les vêtements accrochés dans le placard, mais n'y découvrirent qu'un canif oublié dans un blazer. Les tiroirs de la commode, comme le reste de la chambre, ne révélèrent aucun flacon vide qui aurait pu contenir un poison ou un médicament quelconque.

Dans un petit bureau installé dans une alcôve, étaient rangés plusieurs carnets de chèques portant le nom, le numéro de téléphone et l'adresse de McKennon, sur Silvermine Oval. Il semblait ne faire aucun doute que le corps qui venait d'être enlevé par les agents de police secours était bien celui de Jérôme Edward McKennon. Dans le tiroir supérieur du bureau, ils tombèrent sur un agenda usagé, qu'ils examinèrent rapidement avant de l'empocher pour l'étudier plus sérieusement au commissariat.

Dans la salle de bains, ils mirent la main sur plusieurs flacons de médicaments, dont aucun, à en croire les notices, n'aurait pu être mortel quelle que fût la dose ingérée. Ils les enfermèrent quand même dans des sacs en plastique et les confièrent aux spécialistes du labo.

Ils fouillèrent tout l'appartement sans découvrir la moindre trace apparente de poison. Il y avait un aérosol contre les cafards dans la cuisine, mais la capsule de sécurité en plastique n'avait même pas été enlevée.

— S'il s'est empoisonné lui-même, conclut Willis, je ne vois pas ce qu'il a pu utiliser.

Dans la chambre, les techniciens étaient toujours à l'œuvre.

— On peut utiliser le téléphone ? demanda Carella.

— Oui ! lança un des hommes, et Carella saisit le combiné.

— Qui appelles-tu ? s'enquit Willis.

— La morgue, dit Carella. Je veux avoir le rapport d'autopsie le plus rapidement possible...

Il s'interrompit en désignant une touche marquée « R » située à la base de l'appareil.

— C'est un truc qui sert à répéter automatiquement le dernier numéro composé.

— Essaye, suggéra Willis.

Carella pressa la touche. Il obtint la tonalité, puis deux ou trois sonneries, et enfin une voix féminine faussement enthousiaste.

« Salut ! Je suis... »

— Allô, dit-il.

« ... effectivement Marilyn. Je suis absente pour l'instant... »

— Un répondeur automatique, murmura-t-il à Willis.

« ... mais si vous me laissez vos coordonnées et l'heure de votre appel, je vous joindrai aussitôt que je le pourrai. Ne parlez pas avant d'avoir entendu le bip. »

Carella attendit le bip, puis déclina son nom et ses qualités et demanda à la femme d'appeler de toute urgence le 377-8024, le numéro de la permanence des inspecteurs du 87ᵉ.

— Elle a donné un nom ? demanda Willis.

— Seulement Marilyn.

— Un numéro ?

— Non.

— Il y a des piles dans cet engin ?

Carella ouvrit l'appareil et fit apparaître un compartiment contenant plusieurs piles.

— Oui, dit-il.

— Alors on le débranche et on l'emmène avec nous, déclara Willis.

Avant de quitter l'immeuble, ils durent encore accomplir une dernière tâche, profondément ennuyeuse mais essentielle pour la suite de l'enquête : frapper aux portes des voisins. Aucun des locataires qu'ils interrogèrent ne connaissait McKennon, ce qui n'était pas surprenant dans cette ville. Aucun ne savait de quelle manière il gagnait sa vie. Personne ne pouvait dire s'il avait eu de la visite la nuit précédente ou au début de la matinée. Le gérant leur apprit seulement qu'il habitait là depuis presque un an et qu'il n'avait jamais eu d'histoires avec les autres occupants. Ils regagnèrent la salle des inspecteurs aux environs de trois heures de l'après-midi, avec l'appareil téléphonique de McKennon et son agenda personnel. Il n'y avait aucune Marilyn dans le carnet du mort. Peut-être parce qu'il connaissait son numéro par cœur. Ou, à l'inverse, parce qu'elle n'était pas assez importante à ses yeux pour qu'il ait jugé utile de le noter.

La plupart des femmes seules de la ville ne faisaient inscrire dans l'annuaire téléphonique que leur nom de famille et les initiales de leurs prénoms, dans l'espoir de décourager les cambrioleurs et les amateurs d'appels obscènes. Cela ne suffisait pas toujours, certains individus obstinés ou relativement malins appelant systématiquement tous les numéros non accompagnés d'un prénom. Mais la Marilyn que McKennon avait vainement cherché à joindre n'avait strictement pris aucune précaution. Elle avait carrément avoué qu'elle vivait seule en disant « *je* vous joindrai ». Pour rendre les choses plus simples encore, elle avait signalé « je suis absente pour l'instant », donnant ainsi à un voleur éventuel le maximum de garanties qu'il pouvait espérer.

Une femme prudente se serait contentée d'enregistrer sur son répondeur quelque chose comme : « Allô, vous êtes bien au... (numéro de téléphone). Dès que vous entendrez le bip, veuillez laisser votre message. » Pas de prénom, simplement son numéro — que le correspondant connaissait déjà puisqu'il venait de le composer. Et aucune justification du fait qu'elle ne réponde pas directement. De manière que la personne qui appelait n'ait aucun moyen de savoir si le, la ou les occupants de l'appartement étaient absents, en train de dormir ou de prendre un bain. Cette incertitude était une sorte de fin de non-recevoir pour les casseurs potentiels, qui redoutaient plus que tout, après avoir forcé une porte, de se retrouver en face d'un locataire susceptible de se défendre ou de donner l'alarme.

Que ladite Marilyn n'ait pas donné son numéro représentait une difficulté supplémentaire pour les policiers. Tout ce dont ils disposaient, en dehors de son prénom, était un numéro inaccessible, enfoui dans la mémoire de l'appareil de McKennon. Un instant, Carella caressa l'espoir que l'ultime appel de celui-ci avait été interurbain, auquel cas la Compagnie des téléphones en aurait gardé une trace dans ses archives. Mais un coup de téléphone à la direction de la compagnie lui apprit que le dernier appel interurbain de la victime datait du 13 mars, onze jours avant son décès. A tout hasard, il composa le numéro qu'on lui avait donné et tomba sur une agence de vente par correspondance de vêtements masculins dont le siège social se trouvait en Californie.

Lorsqu'ils s'étaient posé le problème dans l'appartement du mort, Willis lui avait demandé de vérifier si l'appareil était équipé de piles. Un appareil simple, comme il en existait encore, se serait retrouvé avec une mémoire vierge dès l'instant où il aurait été débranché — ce qui aurait définitivement effacé le numéro de Marilyn. Mais la présence de piles dans son socle signifiait qu'il s'agissait d'un mécanisme relativement sophistiqué, qui pouvait conserver toutes ses fonctions en étant débranché et rebranché dans un autre lieu. Les deux inspecteurs ne doutaient pas que les sorciers du labo de la police étaient en mesure d'extorquer ses secrets à l'appareil de McKennon. Mais le labo était surchargé de travail, et pouvait mettre des semaines, sinon des mois, à répondre à une demande de renseignements. Désireux de ne pas perdre de temps, ils optèrent donc pour une autre solution, qui ressemblait d'une certaine manière au porte-à-porte fastidieux auquel les policiers sont souvent astreints.

Ils se rendirent au secrétariat du commissariat, y branchèrent l'appareil de McKennon et demandèrent à l'employé de service de s'en occuper personnellement. Leurs instructions étaient de presser la touche « R » à intervalles réguliers, de nuit comme de jour, jusqu'à ce que Marilyn elle-même prenne la communication. L'appareil ne devait être utilisé pour aucun autre appel, afin que le dernier numéro qu'il avait en mémoire ne soit pas effacé. L'employé qui hérita de cette tâche n'en fut pas des plus réjouis. Mais son supérieur direct, Alf Miscolo, qui dirigeait le secrétariat, s'en montra franchement contrarié.

Miscolo n'était pas ce qu'on pouvait appeler un homme irritable, mais deux semaines passées à classer des dossiers l'avaient rendu nerveux, transformant son habituel sourire en une grimace amère. Avec son regard sombre sous ses sourcils broussailleux, son gros nez et son cou épais donnant l'impression que sa tête reposait directement sur ses épaules, il avait l'air presque menaçant lorsque les inspecteurs lui présentèrent leur requête.

— On a assez de boulot comme ça dans cette turne,

grommela-t-il en lançant un regard furieux à l'appareil. On n'a pas besoin de se taper le vôtre *en plus.*

La « turne » était une petite pièce encombrée, située au premier étage du vieux bâtiment de Grover Avenue, où flottait perpétuellement une forte odeur de café. Bien qu'aucun de ses collègues n'appréciât ses breuvages, Miscolo faisait fonctionner son percolateur vingt-quatre heures sur vingt-quatre, en y mélangeant toutes les poudres qu'il pouvait trouver sur le marché. Les inspecteurs se moquaient régulièrement de lui en lui demandant s'il cherchait la formule de l'élixir de jeunesse. Il leur répondait tout aussi régulièrement d'aller se faire foutre.

Poursuivis par l'arôme persistant de l'arabica, ils redescendirent le couloir jusqu'à la permanence, d'où Carella appela aussitôt le bureau du médecin légiste.

— Ils vont essayer de mettre la gomme, dit-il en reposant le combiné.

— Ce qui signifie qu'on aura les résultats pour les fêtes de Noël, commenta Willis d'un ton blasé.

Il se trompait. A quatre heures moins vingt, juste avant le changement d'équipe, Paul Blaney rappela Carella.

— Qu'est-ce que tu dis du travail ? commença-t-il.

— Vous avez trouvé quelque chose ?

— Ce n'était pas facile, tu peux me croire.

Carella ne répondit pas, laissant Blaney savourer sa minute de gloire.

— Un poison difficile à détecter, insista Blaney.

Carella ne dit rien.

— L'odeur de tabac était un indice intéressant. Quoiqu'elle ne soit pas toujours présente...

Assis derrière son bureau, Willis interrogeait Carella du regard. Celui-ci haussa les épaules.

Meyer Meyer entra. Il portait une veste trop courte ornée d'un col en fourrure synthétique. Un bonnet de laine recouvrait son crâne chauve.

— Quel est le crétin qui prétend qu'on est en mars ? demanda-t-il en soufflant sur ses doigts. Même en décembre, il n'a jamais fait aussi froid !

A l'autre bout du fil, Blaney poursuivait ses explications :

— La congestion et une inflammation violente de l'estomac et des intestins indiquent que le poison a été pris par la bouche. Tous les viscères sont congestionnés, le sang est presque noir, très fluide. Les prélèvements du cerveau, du contenu de l'estomac et des intestins ont tous donné des résultats positifs. Les tests chimiques désignent un seul poison possible. Je pourrais en faire d'autres bien sûr, mais je suis d'ores et déjà certain qu'il ne peut s'agir que de celui-là...

— Lequel ? demanda Carella, perdant finalement patience.

— La nicotine.

Près de la barrière, Meyer allumait une cigarette avant même d'avoir ôté son bonnet et sa veste.

— La nicotine ? répéta Carella.

— Parfaitement, affirma Blaney d'une voix triomphante. — Carella pouvait imaginer son sourire satisfait. — C'est un poison mortel, tu sais. Et qui est loin de procurer une mort agréable. Ça commence par une sensation de brûlure dans la bouche et la partie supérieure de l'appareil digestif. Puis la victime souffre de nausées et de coliques, est prise de diarrhée et de vomissements. Viennent ensuite l'affaiblissement, la prostration, la chute brutale de la pression sanguine, les convulsions, et finalement la paralysie du système respiratoire. Ça te donne envie d'arrêter de fumer, non ?

— Je ne fume pas, dit Carella en observant Meyer qui tirait bouffée sur bouffée. Quelle est la dose mortelle ?

— Elle dépend de plusieurs facteurs, mais le seuil létal est généralement fixé à quarante milligrammes.

— C'est un poison qui agit vite ?

— Le seul qui soit plus rapide est le cyanure. Le cyanure peut parfois tuer en quelques secondes. La nicotine te règle ton compte en quelques minutes. Tu es intéressé par l'heure de la mort ?

— C'est un élément qui pourrait nous aider.

— En tenant compte de tout ce qui est mesurable, je dirais que tu as un cadavre relativement frais sur les bras.

— Ce qui signifie ?

— Que ton bonhomme est mort en début de matinée.

— Tu ne peux pas être plus précis ?

— Bien sûr. Il a rendu l'âme à sept heures vingt-quatre ce matin. Pour être encore plus exact, à sept heures, vingt-quatre minutes et trente-six secondes. — Pendant un bref instant, Carella crut que Blaney parlait sérieusement. Mais celui-ci reprit d'une voix légèrement excédée : — Ne m'en demande pas trop, tu veux ? Il a cassé sa pipe aujourd'hui, à peu près au lever du jour, c'est tout ce que je peux te dire.

— En avalant le poison par la bouche ?

— Sans aucun doute.

— Au moins quarante milligrammes ?

— Au moins. Quarante suffisent souvent. Mais soixante sont plus sûrs. Et avec quatre-vingt-dix les résultats sont garantis.

— Ça représente quoi ? demanda Carella. Une cuiller à café ?

— Tu rigoles. Une cuiller à café liquiderait une famille entière !

— C'est si puissant que ça ?

— Encore plus. La nicotine est un poison de classe 6. Pratiquement en tête du peloton.

— Entendu, dit Carella. Je te remercie d'avoir fait aussi vite. Quand peux-tu m'envoyer ton rapport ?

— Tu veux quelque chose sur ses dents ? J'ai cru comprendre qu'il avait été identifié...

— Donne-moi tout ce que tu pourras. On ne sait jamais.

— D'accord. D'ici quelques jours, ça ira ? Tu n'as pas besoin des paperasses tout de suite ?

— Pas si la piste de la nicotine est sérieuse.

— Tu peux la considérer comme sûre.

Les deux hommes se saluèrent et Carella reposa le combiné au moment précis où Cotton Hawes faisait son apparition dans la pièce, le visage rougi par le froid. Il était nu-tête, et sa chevelure rousse et son teint congestionné faisaient ressortir comme une sorte de peinture de guerre la mèche de cheveux blancs qui ornait sa tempe droite. Il jeta aussitôt un regard à la pendule et murmura :

— Désolé d'être en retard.

Willis rejoignit Carella à son bureau.

— Qu'est-ce que ça donne ? demanda-t-il.

— Nicotine.

— Vous n'allez pas vous y mettre, *vous aussi !* protesta Meyer en s'approchant rapidement d'eux. Sarah passe son temps à me bassiner avec ça. Nicotine, nicotine, nicotine !

— On a récolté un homicide ce matin, expliqua posément Carella. Le gars a été empoisonné à la nicotine.

— Ne me fais pas rigoler, ricana Meyer.

— Tu devrais cesser de fumer, lui dit Hawes.

— Je ne fais que ça, figure-toi. Ça fait cinq fois que j'arrête !

— On a mis un téléphone sous surveillance au secrétariat, poursuivit Carella. Personne ne doit y toucher.

— Qu'est-ce que ça veut dire ? s'enquit Hawes.

— Simplement qu'il est interdit de s'en servir, répondit Willis.

— Comment il a fait ça, le gars ? demanda Meyer à Carella. Il a bouffé des mégots de cigares ?

Au même instant, Miscolo apparut dans le couloir et annonça :

— On a une bonne femme sur votre appareil.

2

Lorsqu'ils atteignirent le secrétariat, elle avait raccroché.

— Je lui avais demandé de garder la ligne, expliqua Miscolo. Je lui avais dit que la police souhaitait lui parler.

— On peut essayer encore une fois, suggéra Willis.

Carella pressa la touche « R ». Après plusieurs sonneries, unc voix de femme, identique à celle du message enregistré, répondit :

— Allô ?

— Je suis l'inspecteur Steve Carella, du 87e district. Etes-vous Marilyn ?

— En quoi ça vous regarde ?

— Ecoutez, j'enquête en ce moment sur...

— Gardez vos salades pour vous, dit-elle en raccrochant.

Carella regarda le combiné.

— Deux à zéro, murmura-t-il en enfonçant à nouveau la touche de rappel.

Cette fois, la femme répondit presque immédiatement.

— Vous allez continuer longtemps comme ça ? demanda-t-elle d'un ton excédé.

— Marilyn, dit Carella, je suis un inspecteur de police. Ma plaque porte le numéro 714-5632...

— Comment avez-vous découvert mon prénom, espèce de maniaque ? Vous l'avez eu sur mon répondeur, je parie !

— Exactement, et je ne suis pas un maniaque. Je me trouve actuellement au 87e district. Cette communication est parfaitement légale, j'ai pu vous joindre grâce à une touche de rappel.

— Une *quoi ?*

Carella poussa un soupir.

— Connaissez-vous un dénommé Jérôme Edward McKennon ?

Il y eut un long silence sur la ligne.

— Mademoiselle ?

— Comment avez-vous dit que vous vous appeliez ?

— Carella. Inspecteur Stephen Louis Carella.

Un nouveau silence, puis :

— Est-ce que... est-ce que Jerry a fait quelque chose ?

— Vous le connaissez ?

— Oui. Pourquoi m'appelez-vous ? Est-ce qu'il a...

— Pourriez-vous me donner votre nom, s'il vous plaît ?

— Marilyn Hollis.

— Votre adresse ?

— Pourquoi ? Dites-moi d'abord ce que vous...

— Nous aimerions avoir un entretien avec vous, mademoiselle Hollis.

— A quel sujet ?

— Etes-vous à votre domicile, en ce moment ?

— Oui, mais je...

— A quelle adresse ?

— 1211 Harborside Lane. De quoi désirez-vous me parler ?

— Nous serons chez vous dans dix minutes, dit Carella d'une voix ferme. Veuillez avoir l'obligeance de nous attendre.

Harborside Lane faisait partie du territoire couvert par les hommes du 87e district. C'était un secteur moins prisé que le Silvermine Oval, mais néanmoins relativement huppé, surtout si on le comparait aux autres quartiers que le commissariat avait sous son contrôle. L'Ovale, comme on l'appelait familièrement, s'étendait à l'intérieur du complexe routier de Silvermine Road, posé comme un œuf dans son nid, près de Silvermine Park et des luxueux appartements qui faisaient face à la rivière Harb et à l'Etat voisin. Au sud de cette zone se trouvait la ville basse, ainsi nommée pour des raisons qui étaient loin d'être seulement géographiques.

Avec ses boutiques spécialisées, ses restaurants, ses salles de cinéma — et maintenant ses salons de massage — le Stem, tapageux et criard, était la partie la plus commerçante, la plus animée de la ville. Plus au sud, Ainsley

Avenue et Culver, habitées principalement par les vieilles familles juives, irlandaises et italiennes de la cité, résistaient au déferlement incontrôlable, quelquefois violent, des Noirs et des Portoricains. Au-delà de ces bastions, les quartiers dépendant du commissariat devenaient de plus en plus misérables au fur et à mesure que l'on approchait de la limite de Mason Avenue, où des professionnelles endurcies continuaient de tenir le haut du pavé en dépit de la concurrence croissante des salons de massage du Stem.

Harborside Lane se trouvait nettement plus au nord que Silvermine, mais longeait également la rivière et offrait lui aussi une vue splendide sur les immeubles de grand luxe qui poussaient comme des champignons sur la rive opposée. Ce n'était pas du tout un passage, comme son nom aurait pu le faire croire, mais une rue aussi large que les autres artères de la ville, exception faite des avenues, bordée de bâtiments de grès aux murs couverts de graffitis.

Dans cette ville, la plupart des graffitis semblaient être écrits en alphabet cyrillique. On aurait pu parfois se croire en Russie, sauf qu'aucun habitant de Moscou ou de Leningrad ne serait assez fou pour risquer sa liberté en allant barbouiller les rues de son quartier. Les responsables des graffitis se considéraient comme des « auteurs ». Nul ne savait de quoi, aucun de leurs gribouillages n'ayant le moindre sens. Un arrêté municipal avait récemment sévèrement restreint la vente des bombes à peinture et autres instruments du même genre, mais personne ne s'était soucié de vérifier dans quelle mesure cette loi était appliquée, et les badigeonneurs clandestins continuaient allègrement de couvrir les murs de leurs messages ésotériques.

Le numéro 1211 de Harborside Lane n'avait évidemment pas échappé à leur vigilance. Sur le côté droit du bâtiment, un portail en fer forgé solidement cadenassé fermait une allée qui conduisait à un garage situé une bonne quinzaine de mètres en retrait de la chaussée. Des grilles de fer protégeaient les fenêtres du rez-de-chaussée et du premier étage, et des crochets métalliques interdisaient l'accès au second étage en passant par le toit. Il n'y avait qu'un seul nom sur la plaque fixée près de la porte : M. HOLLIS. Apparemment, la jeune femme était la seule locataire de la maison.

Willis pressa la sonnette. Aucun bourdonnement ne lui répondit.

— Tu crois qu'elle a filé ? demanda-t-il à Carella en sonnant de nouveau.

Cette fois, une voix de femme jaillit du petit haut-parleur encastré dans le mur au-dessus de la plaque.

— Oui ?

— Mademoiselle Hollis ? demanda Willis.

— Oui.

— Nous vous avons appelée il y a un quart d'heure. Nous sommes les policiers...

— Entrez, dit-elle sèchement.

Un long bourdonnement sonore accompagna l'ouverture de la porte extérieure. Les deux inspecteurs pénétrèrent dans un couloir et se retrouvèrent en face d'une contre-porte lambrissée présentant à hauteur du regard une seconde sonnette et un écusson de cuivre gravé portant les mots MARILYN HOLLIS. Willis actionna la sonnette.

La femme qui vint leur ouvrir pouvait avoir vingt-cinq ans. Elle était relativement grande — au moins un mètre soixante-dix — avait de longs cheveux blonds, des yeux bleus pour l'heure étincelants de colère, et une peau exceptionnellement blanche, couleur de lait. Elle portait des jeans et un chandail d'homme bleu trop large pour elle sur un T-shirt blanc qui paraissait presque plus sombre que son teint.

— Vos papiers, demanda-t-elle d'une voix indifférente.

Carella lui présenta sa plaque et sa carte d'identité.

— Je suis sur le point de sortir, dit-elle en lui rendant l'étui de cuir. Je vous serais reconnaissante de ne pas me retenir trop longtemps.

Elle leur fit sentir combien elle jugeait leur intrusion inacceptable en les invitant à pénétrer chez elle avec une politesse ostensible. L'entrée et le salon étaient lambrissés de vieil acajou. Des poutres épaisses, probablement d'un âge canonique, ornaient le plafond des deux pièces. L'ameublement était de style victorien, sévère et trop riche. Pendant un instant, Carella se crut transporté dans un autre temps, une époque où la ville était jeune et où les gens aisés appréciaient le luxe authentique dans des immeubles de qualité épargnés par les graffitis.

— Mademoiselle Hollis, commença-t-il, pouvez-vous nous dire si vous avez été en relation d'une quelconque manière avec M. McKennon au cours de la nuit précédente ?

— Non, répondit-elle avec irritation. Mais pourquoi toutes ces questions ? Vous ne m'avez pas donné la moindre explication au téléphone...

— McKennon est mort, annonça Carella.

Les yeux bleus s'agrandirent, le fixèrent intensément.

— Je vous demande pardon ?

— Je suis désolé de vous l'apprendre de cette manière, mais...

— Qu'est-ce que vous racontez ? Jerry est mort ? Si c'est une plaisanterie...

— Je peux vous assurer que ce n'en est pas une.

— Seigneur, vous dites ça si sérieusement...

Les yeux bleus s'agrandirent encore. Elle était apparemment en état de choc. Ou en état de choc apparent.

— Je suis navré...

— *Comment ?* murmura-t-elle.

— Nous l'ignorons pour l'instant, dit Carella.

Il mentait délibérément, mais aucun article du règlement n'obligeait un policier à jouer franc-jeu en interrogeant un suspect.

— Ce qui signifie qu'il a été *assassiné,* poursuivit Marilyn d'une voix étrangement calme. Vous êtes des policiers. Vous faites une enquête. Vous ne seriez pas ici s'il était mort dans son sommeil.

— C'est exact, concéda Carella. Il n'est pas mort dans son sommeil.

— Alors quoi ? s'impatienta la jeune femme. On lui a tiré dessus ? On l'a frappé à coups de couteau ? Une voiture l'a écrasé ?

— Nous ne connaîtrons la cause de sa mort que lorsque nous aurons le rapport d'autopsie, dit prudemment Carella.

Parfois, un témoin avait droit à toute la vérité. Parfois, on ne lui disait rien. Le plus souvent, comme c'était le cas avec Marilyn Hollis, on ne lui révélait qu'une partie de la réalité, pour le laisser fantasmer à son aise sur ce qui était réellement arrivé. La jeune femme jouait d'ailleurs parfaitement le jeu, réfléchissant à voix haute, élaborant des hypothèses, recherchant des solutions. Ils ne perdaient pas de vue qu'elle était la dernière personne que McKennon avait essayé de joindre avant sa mort.

— Quand est-ce arrivé ?

— Ce matin.

— Où ?

— Chez lui.

— Vous l'avez trouvé mort dans son appartement ?
— Sa femme de ménage l'a découvert et nous a prévenus.
— A quelle heure ?
— Quelque chose comme neuf heures.
— Vous le connaissiez bien ? demanda Willis.
— Alors, il s'agit bien d'un *meurtre*, dit la jeune femme.
— Nous n'avons rien affirmé de tel.
— Non ? Alors, pourquoi voulez-vous savoir quelles étaient mes relations avec Jerry ?
— Parce que vous êtes la dernière personne qu'il a appelée avant de mourir.
— Vous ne vous intéresseriez pas à son entourage s'il était mort de mort naturelle.
— Il pourrait s'être suicidé, avança Willis.

Il lui tendait une perche, un début d'information. Il voulait étudier ses réactions. Peut-être allait-elle se jeter dans la brèche, approuver cette hypothèse, continuer de parler et de penser à leur place. Au lieu de cela, elle secoua violemment la tête.

— Jerry, se suicider ? C'est rigoureusement impossible !
— Pour quelle raison, mademoiselle Hollis ? demanda doucement Carella.
— Parce qu'il avait tout ce qu'il voulait dans la vie. Son nouveau travail le passionnait et...
— Que faisait-il exactement ? coupa Willis.
— Il était vice-président et directeur du département des ventes de l'Eastec Systems.
— Que vendait-il ?
— Des systèmes de protection.
— Contre les cambrioleurs ?
— Pas seulement. Contre les incendies, le froid, les fuites d'eau... Tout ce qui peut servir à assurer la sécurité totale d'un appartement ou d'un immeuble.
— Il avait un bureau en ville ?
— Oui, sur l'Avenue J.
— Et vous dites qu'il s'agissait d'un nouveau travail ?
— Relativement nouveau. Il a dû débuter juste après notre rencontre.
— Qui se situait à quelle époque ?
— Un peu avant les fêtes de Noël.

Ils commençaient à progresser. Willis opéra un rapide calcul mental. De fin décembre à fin mars, cela représentait trois mois. à une ou deux semaines près.

— Vous l'avez revu depuis ? demanda-t-il.
— Bien sûr.
— Pouvez-vous nous dire jusqu'à quel point vous le connaissiez ?
— C'est un euphémisme ?
— Je ne sais pas. C'en est un ?
— Je veux dire, êtes-vous en train de me demander poliment si nous dormions ensemble ?
— Le faisiez-vous ?
— Oui, ce qui, en soi, est *également* un euphémisme.
Willis se dit qu'il devrait consulter un dictionnaire en rentrant chez lui, afin de s'assurer que le mot « euphémisme » recouvrait bien ce qu'il imaginait.
— Estimez-vous que votre relation avec McKennon était sérieuse ? poursuivit-il.
Marilyn haussa les épaules.
— Tout dépend de ce que vous appelez sérieux.
— C'est *votre* point de vue qui m'intéresse.
Elle haussa à nouveau les épaules.
— Nous passions de bons moments ensemble.
— Etait-il le seul homme dans votre vie ?
— Non.
— Vos rapports n'étaient donc pas très étroits.
— Si vous voulez dire par là que Jerry ne m'adressait pas des déclarations d'amour enflammées et ne me demandait pas en mariage tous les trois jours, c'est tout à fait exact. Je présume qu'il s'agit là de *votre* définition d'une relation sérieuse. — Elle marqua une pause avant de reprendre. — Mais je peux vous assurer que ce n'est pas la mienne. J'aimais beaucoup Jerry. Nos rencontres étaient toujours des moments de bonheur pour moi. Je suis profondément affectée par sa mort.
— Mademoiselle Hollis, intervint Carella, quand vous êtes-vous entretenue pour la dernière fois au téléphone avec M. McKennon ?
— Je pense que c'était jeudi.
— C'est lui qui vous a appelée ?
— Oui.
— Il ne vous a pas rappelée depuis ?
— Pas à ma connaissance.
— Etiez-vous ici la nuit dernière ?
— Non. J'ai passé tout le week-end à l'extérieur.
— Qu'entendez-vous par « extérieur » ?

— Je pense que cela ne vous regarde pas.
— Mademoiselle Hollis, pouvez-vous au moins nous dire à quel moment vous avez quitté votre appartement ?
— Je ne vois pas...
— Cela pourrait nous aider à déterminer l'heure de la mort de M. McKennon. Nous sommes persuadés que le dernier appel téléphonique qu'il a donné de Silvermine vous était destiné. Si nous pouvions...
— Qu'est-ce qui vous permet d'être aussi affirmatif ?
— Son appareil est équipé d'une touche de rappel. Le dernier numéro composé reste en mémoire, et il suffit de presser la touche pour l'obtenir à nouveau. C'est ce que nous avons fait et nous avons eu votre répondeur. Il n'est pas impossible que M. McKennon n'ait plus appelé personne depuis jeudi dernier, mais ça reste quand même improbable. Nous pensons qu'il a dû essayer de vous joindre pendant le week-end. Peut-être cette nuit. Peut-être ce matin...
— Je suis partie de chez moi vendredi après-midi.
— A quelle heure ?
— Aux environs de cinq heures et demie.
— Quand êtes-vous rentrée ? demanda Willis.
— Il y a environ trois quarts d'heure. Je venais tout juste d'arriver quand le téléphone a commencé à sonner.
Elle hésita un instant, puis ajouta d'une voix mordante :
— Je suppose que vous aimeriez savoir avec qui j'étais...
— Si vous estimez que cela nous regarde, répondit Willis sur le même ton.
— Un ami. Nelson Riley.
— Merci beaucoup, dit Willis.

La jeune femme commençait à l'agacer sérieusement. Peut-être parce que son attitude était délibérément provocante. Personne ne l'avait pourtant accusée de quoi que ce soit — pour l'instant du moins. Mais elle était visiblement sur la défensive, comme si elle craignait de passer la nuit suivante en prison si elle commettait le moindre faux pas. Les innocents se comportent souvent de cette manière. Ils ne sont pas les seuls. Certains coupables peuvent aussi se montrer hostiles et agressifs.

— Vous êtes donc revenue chez vous aujourd'hui à quatre heures, insista Carella.
— Un peu avant ou un peu après, oui. Je n'ai pas pensé à vérifier.

— Vous nous avez dit tout à l'heure qu'il y avait d'autres hommes dans votre vie, intervint aigrement Willis.
— C'est exact.
— Combien ?
— Quel rapport cela a-t-il avec le meurtre de Jerry ?
— Ou le suicide, corrigea Willis. Combien ?
— Seigneur, vous n'allez pas croire qu'un de mes amis a pu tuer Jerry ! C'est absurde !
— Pourquoi ?
— Parce que aucun d'eux ne connaissait son existence.
— Vous en êtes certaine ?
— Absolument. Je n'ai pas pour habitude de raconter à Tom ou à Dick ce que je fais avec Harry.
— Combien de Tom, de Dick ou de Harry partagent actuellement votre existence ? demanda méchamment Willis.
Marilyn laissa échapper un long soupir.
— Pour le moment, je fréquente trois ou quatre hommes.
— Trois, ou quatre ?
— Quatre, en comptant Jerry.
— Nous dirons donc trois.
— Si vous voulez.
— Ce sont des relations régulières ?
— Quel sens donnez-*vous* à cette question ? Est-ce que je couche avec eux, c'est ça ? La réponse est parfois oui, parfois non.
— Pourriez-vous nous donner leur nom et leur adresse, mademoiselle Hollis ? demanda Carella.
— Pour quoi faire ? Vous n'avez quand même pas l'intention de les mêler à cette histoire ?
— Un homme est mort, mademoiselle.
— J'en suis tout à fait consciente. Mais ni moi ni mes amis...
— Nous aimerions quand même connaître leur identité.
Marilyn poussa un nouveau soupir et se dirigea vers un bureau de chêne installé dans un coin de la pièce. Elle en sortit son carnet d'adresses et se mit à écrire rapidement sur son bloc-notes. Puis elle détacha le feuillet et le tendit à Carella. Celui-ci ne lui jeta qu'un bref coup d'œil avant de le glisser dans son agenda.
— Mademoiselle Hollis, demanda-t-il, avez-vous écouté les messages enregistrés sur votre répondeur depuis que vous êtes rentrée chez vous ?

— J'étais sur le point de le faire, rétorqua-t-elle, quand la police a commencé à bloquer ma ligne.

— Cela vous ennuierait-il que nous les entendions ensemble ?

Sans répondre, elle alla jusqu'à son répondeur et enfonça une des touches de l'appareil. Willis ouvrit son carnet de notes.

« Hello Marilyn, dit une voix de femme. C'est Didi. Tu m'appelles dès que tu rentres, d'accord ? »

Sur une page vierge de son carnet, Willis écrivit : *Didi.*

Il y eut un déclic, un bourdonnement, puis une voix d'homme se fit entendre :

« Mademoiselle Hollis ? Ici Hadley Fields, de Merril Lynch. Pouvez-vous me rappeler dès que possible ? »

Consciencieusement, Willis nota : *Hadley Fields, Merril Lynch.*

Un autre déclic, un autre bourdonnement.

« Marilyn, Baz à l'appareil. J'ai des billets pour le concert de l'Orchestre philarmonique mercredi. Fais-moi savoir si tu es libre. Avant lundi, si possible. »

Willis relevait imperturbablement tous les noms cités.

« Je *hais* ton répondeur, Marilyn. C'est Chip. J'attends ton appel. »

Un déclic, un bourdonnement, immédiatement suivi d'un second déclic.

— Je déteste les gens qui font ça, commenta Marilyn.

« Marilyn ? C'est encore Didi. Tu as une extinction de voix, ou quoi ? »

Les appels se succédèrent ainsi pendant un long moment. Willis était en train de penser que Marilyn Hollis était une personne très demandée quand une voix qui ressemblait à un râle retentit dans l'appareil :

« Marilyn... J'ai besoin de toi... Je suis... »

Un hoquet, puis le bruit sec du combiné tombant sur le sol. Les sons qui suivaient faisaient penser à des vomissements. Ils furent effacés au bout de quelques secondes par un nouveau déclic, un nouveau bourdonnement, et la valse effrénée des appels recommença. « Ici Didi, où es-tu passée, bon sang ? Ici Alice. Ici Chip (je *hais* toujours ton répondeur). Ici Baz (tu viens au concert, oui ou non ?). Ici Sam, ici Jane, ici Andy... »

Aucun des hommes qui laissaient ainsi leur nom ne s'appelait Dick, Tom ou Harry. Mais ils étaient de toute manière beaucoup plus nombreux que les trois « amis » proches dont Marilyn avait livré l'identité à Carella. Celui-ci ressortit le feuillet de son agenda, le relut et lui demanda négligemment :

— Etes-vous certaine que ce sont vos seules relations régulières ?

— Pour l'instant, oui.

— Et les autres ? s'enquit Willis.

— Quels autres ?

— Tous ceux qui vous ont appelée pendant le week-end.

— Ce sont seulement des connaissances.

— Pas des hommes que vous fréquentez... intimement ?

— Non.

— La voix qui vous appelait au secours, demanda Carella, c'était celle de M. McKennon ?

Marilyn demeura silencieuse pendant un long moment.

— Oui, dit-elle finalement en baissant les yeux.

Carella referma son agenda.

— Il est possible que nous ayons besoin de vous joindre sur votre lieu de travail. Pouvez-vous nous laisser un numéro...

— Je ne travaille pas, dit-elle.

Willis essaya de garder un visage impassible, mais il ne dut pas y parvenir tout à fait, car elle ajouta aussitôt à son intention :

— Ce n'est pas ce que vous croyez !

— Et qu'est-ce que vous croyez que je crois ?

— Cela se lit dans votre regard. Vous voyez cette maison et ces meubles, et vous pensez immédiatement que je les dois à un protecteur. C'est vrai. Mais il se trouve que ce protecteur est mon *père*. Il a fait fortune dans le pétrole au Texas, et il ne tient pas à ce que sa fille unique connaisse la misère dans une ville comme celle-ci, où le fait d'être pauvre n'a vraiment rien d'une bénédiction.

— Je vois, murmura Willis.

— Ecoutez, dit Carella, nous sommes désolés d'avoir empiété de cette manière sur votre emploi du temps. De toute façon, vous nous avez été extrêmement utile en...

— Vous vous foutez de moi ? demanda-t-elle.

Elle les reconduisit jusqu'à la porte.

Dehors, l'air était glacial et le vent aussi coupant qu'un millier de lames de rasoir.

3

Ils appellent cela le 24-24.

L'expression s'applique aux homicides et fait référence aux vingt-quatre heures qui précèdent la mort d'un individu et aux vingt-quatre heures qui la suivent.

Les vingt-quatre heures qui précédaient la mort de McKennon étaient décisives, parce que tout ce qu'il avait fait pendant ce temps-là, où il était allé, qui il avait rencontré, ce qu'il avait dit, faisait inévitablement partie de l'engrenage qui avait conduit à son élimination. Officiellement, Jérôme McKennon était une victime, même s'il avait peut-être volontairement ingéré la nicotine qui l'avait tué.

Les vingt-quatre heures qui suivaient sa mort n'étaient importantes que s'il avait été assassiné, parce que les policiers devaient alors travailler contre la montre. L'idée est répandue dans les commissariats qu'une enquête qui ne débouche sur aucune piste sérieuse au bout d'une semaine devient inéluctablement une affaire en suspens. Les affaires en suspens sont le cimetière des enquêtes avortées.

Deux inspecteurs seulement s'occupaient de la mort mystérieuse de McKennon. L'événement n'était pas de nature à faire la une des journaux. La victime n'avait joui d'aucune célébrité, son assassinat, s'il y avait bien eu assassinat, n'avait rien pour défrayer la chronique. Le poison utilisé était certes inhabituel, mais il en fallait plus pour émouvoir une opinion publique blasée et des journalistes qui avaient chaque jour des meurtres sensationnels à lui offrir en pâture. De ce fait, le destin tragique de McKennon n'avait réellement intéressé ni la presse écrite ni la presse parlée. Seul un des commentateurs de la télévision avait jugé bon de lui consacrer quelques minutes le mardi matin, parce qu'il était lui-même un ancien fumeur reconverti et qu'il ne négligeait aucune occasion de dénoncer les dangers de la nicotine, mais aucun de ses confrères ne lui avait emboîté le pas.

L'affaire était importante pour Willis et Carella, mais uniquement parce qu'ils s'étaient trouvés de permanence au moment où la femme de ménage avait appelé le commissariat. Ni l'un ni l'autre n'appréciaient les poisons qui pouvaient tuer quelqu'un en moins de cinq minutes. Parce que les substances de ce genre faisaient immédiatement penser au suicide. Un suicide entraînait automatiquement une enquête parce qu'il *pouvait* s'agir d'un homicide camouflé. La nicotine agissait en quelques minutes et elle avait tué Jérôme McKennon. Il était donc essentiel de travailler sur le 24-24, car si quelqu'un avait versé le poison dans sa bière ou l'avait forcé à l'avaler, chaque seconde qui passait réduisait leurs chances de retrouver le meurtrier.

Ils n'étaient que deux à mener l'enquête.

Les vingt-quatre heures qui avaient précédé la mort étaient de toute évidence les plus difficiles à reconstituer, parce que la victime n'avait laissé derrière elle aucun carnet de rendez-vous. Mais Marilyn Hollis leur avait appris que McKennon était un des dirigeants de l'Eastec Systems. Pour Carella, cette information constituait un point de départ.

Willis, de son côté, s'occupait de la liste d'amis réguliers que la jeune femme leur avait remise. Elle avait juré ses grands dieux qu'aucun d'eux ne pouvait être impliqué dans l'affaire. « Je n'ai pas pour habitude de raconter à Tom ou à Dick ce que je fais avec Harry. » Mais il n'en restait pas moins que la plupart des homicides commis dans cette ville avaient pour mobile la jalousie. Des hommes tuaient l'amant de leur femme. Des femmes tuaient leur amant. Des jeunes gens tuaient leur amie, ou l'ami supposé de leur amie, ou plus généralement les deux. Des garçons se tuaient entre eux, ou l'un d'eux tuait la mère de l'autre. Les variantes étaient infinies, le monstre dévorant ses victimes à la moindre provocation.

Si Marilyn Hollis avait eu quatre amants en même temps, il n'était pas interdit de penser que l'un d'eux en ait eu assez de McKennon et ait décidé de l'éliminer de la compétition. C'était une hypothèse plutôt tirée par les cheveux, et Willis le savait très bien. Mais lorsqu'on travaillait sur les vingt-quatre heures suivant un meurtre, on n'était pas en position de faire le difficile. Tout ce qu'on cherchait en fin de compte était une raison convaincante de poursuivre l'enquête.

Le premier nom de la liste fournie par Marilyn était Nelson Riley, l'homme qui l'avait emmenée hors de la ville pour le week-end. Si c'était réellement le cas, comme la nicotine agissait presque instantanément, Riley n'avait pas eu la possibilité matérielle d'assassiner McKennon. Mais Marilyn et Riley pouvaient mentir sur ce qu'ils avaient fait pendant la nuit du dimanche au lundi. Willis appela donc Riley, déclina son identité et lui annonça qu'il se présenterait chez lui dans moins d'une demi-heure.

Nelson Riley approchait la quarantaine. Il arborait une chevelure rousse flamboyante et une moustache de la même couleur. Ses yeux étaient verts, ses épaules massives. Sa poitrine puissante et ses mains musclées évoquaient un lutteur professionnel. Mais ce n'était pas un lutteur. C'était un artiste peintre qui vivait dans un loft de Carlson Street, où de gigantesques toiles posées contre les murs étaient éclairées par la lumière hivernale tombant d'un châssis vitré qui constituait le plafond de son studio. Une cloison qui montait à hauteur d'épaule séparait son atelier de sa chambre, où Willis, en s'approchant, reconnut un water-bed recouvert de draps et de couvertures qui n'avaient apparemment pas été changés depuis longtemps.

Les tableaux alignés contre les murs étaient tous figuratifs. Ils représentaient des paysages urbains, des nus, des natures mortes. L'un des nus ressemblait comme une sœur à Marilyn Hollis. La toile en cours de travail sur le chevalet tentait de rendre l'image d'une pastèque. La palette de Riley, posée sur un escabeau près du chevalet, était couverte de taches vertes et rouges. Les mêmes couleurs se retrouvaient sur son jean et son T-shirt bleu clair, ainsi que sur ses mains à la musculature impressionnante. En les contemplant, Willis ne pouvait s'empêcher de penser qu'il n'aurait pas aimé le rencontrer en pleine nuit dans une rue déserte, même s'il avait l'âme d'un artiste.

— Si vous me disiez ce que vous cherchez ? demanda Riley d'une voix sereine.

— Nous faisons actuellement une enquête sur ce qui

semble être un suicide, expliqua Willis. Celui d'un dénommé Jérôme McKennon.

Il observa attentivement les yeux de Riley. Le regard d'un homme mis en face de la réalité est toujours révélateur. Il ne lut absolument rien dans celui du peintre.

— Vous le connaissiez ? demanda-t-il.

— Ni d'Eve ni d'Adam, répliqua Riley. Vous voulez un café ?

— Volontiers.

Il suivit Riley de l'autre côté de la cloison, où le water-bed partageait un espace d'environ six mètres sur sept avec une commode, un évier, un réfrigérateur, un placard, une torchère, une table de cuisine, des chaises et une seconde table plus petite, tachée de peinture, sur laquelle était posé un réchaud électrique. Riley remplit une bouilloire et la mit à chauffer sur le réchaud.

— Je n'ai que du café soluble, dit-il. J'espère que ça ne vous gêne pas.

— Ça ira très bien pour moi.

Riley sortit du placard deux bols maculés de peinture.

— Vous avez parlé de quelque chose qui *semble* être un suicide, c'est bien ça ? demanda-t-il.

— Oui.

— Il pourrait donc ne pas s'agir d'un suicide ?

— Nous n'avons encore aucune certitude.

— Un meurtre ?

— Peut-être.

— En quoi me regarde-t-il ? Est-ce que...

— Connaissez-vous une femme nommée Marilyn Hollis ?

— Bien sûr. Ne me dites pas qu'elle est impliquée...

— Etes-vous parti avec elle ce week-end, monsieur Riley ?

— Oui, mais...

— Où êtes-vous allés ?

— Je ne vois pas quel rapport cela peut avoir avec un suicide. Ou un meurtre.

— Nous ne faisons qu'un interrogatoire de routine, expliqua gauchement Willis.

— Vraiment ?

L'expression de Riley était franchement ironique. Un brusque coup de vent fit trembler la fenêtre qui s'ouvrait au pied du lit.

— Monsieur Riley, dit patiemment Willis, nous vous serions extrêmement reconnaissants si vous pouviez nous dire ou vous avez séjourné avec Mlle Hollis, et de quelle date à quelle date vous avez quitté la ville.

— La routine, hein ? — Riley haussa les épaules. — Nous sommes allés à Snowflake, faire un peu de ski de printemps. Et quand je dis un peu... la montagne était un véritable bloc de glace.

— Où se trouve Snowflake ?

— Dans le Vermont. Je crois comprendre que vous ne skiez pas vous-même ?

— Non.

— Il y a des jours où je me demande pourquoi des gens s'imposent ce genre de sport.

— Quand êtes-vous partis ?

— Vendredi. Je suis passé prendre Marilyn vers cinq heures et demie. Je n'aime pas interrompre une journée de travail. La plupart des gens s'imaginent que les artistes ne créent que sur l'inspiration du moment. C'est une idée stupide. Je peins huit heures par jour, de neuf heures du matin à cinq heures de l'après-midi, sauf pendant les week-ends. J'ai été directeur artistique dans une agence de publicité avant de me mettre à mon compte. Au début, je peignais jour et nuit, samedis et dimanches compris. Dès que j'ai commencé à réussir, je me suis contraint à respecter des horaires réguliers. Et je m'y suis tenu. — Il sourit à Willis. — Je suppose que les choses doivent être légèrement différentes dans votre partie...

Willis lui rendit son sourire.

— Légèrement. Quand êtes-vous revenu ?

— Hier après-midi. — Il leva une main. — Je sais ce que vous allez me dire ! Je viens de vous expliquer que je travaille tous les jours de la semaine, de neuf heures à cinq heures, et je ne rentre de vacances que le lundi en fin d'après-midi. La raison en est très simple. — Il se tourna vers un des murs de la pièce. — Je viens tout juste de terminer ce gros morceau, et j'estimais avoir droit à un petit congé supplémentaire.

Le « gros morceau » dont il parlait représentait une matinée d'hiver dans une petite rue d'Isola, dans le bas de la ville. C'était une ruelle étroite, à peine éclairée par la lumière pâle du soleil, dont la chaussée était en partie recouverte par une mince pellicule de neige.

Des hommes en pardessus épais, marchant rapidement, y croisaient des femmes qui se protégeaient du froid en serrant d'une main leur manteau autour de leur cou. Un journal abandonné volait dans l'air comme une mouette égarée. Le réalisme de la scène était surprenant. On pouvait presque sentir la morsure glaciale du vent, entendre le claquement des talons des femmes sur le trottoir, percevoir l'odeur des saucisses chaudes qui se répandait autour de la boutique ambulante du marchand de hot dogs installée près du carrefour.

— J'ai travaillé autrefois dans un commissariat d'Isola, dit Willis.

— Près du Old Seawall ?

— Oui. Un coin tranquille, surtout la nuit. Aussi calme qu'un cimetière.

— Où êtes-vous maintenant ?

— Au 87e. En face de Grover Park.

La bouilloire se mit à siffler. Riley vida une cuillerée de poudre dans chaque bol et versa l'eau bouillante.

— Vous voulez du sucre ou du lait ?

— Merci, je le préfère noir, répondit Willis en prenant un des bols. Ainsi, vous n'avez jamais rencontré Jerry McKennon ?

— J'ignorais son nom jusqu'à il y a seulement cinq minutes.

— Mlle Hollis ne vous a jamais parlé de lui ?

— Non, pourquoi ? Elle le connaissait ?

— C'était un de ses amis.

— Je vois. Je pense que Marilyn ne doit pas manquer d'amis. C'est une femme remarquable. A tous points de vue.

— Depuis combien de temps la connaissez-vous ?

— Environ six mois, peut-être un peu plus ou un peu moins.

— Comment définiriez-vous votre relation avec elle, monsieur Riley ?

— Comment dois-je vous répondre ? En lui donnant une note entre un et dix ?

Willis ne put réprimer un sourire.

— Non. Ma question portait sur la qualité de vos rapports. L'implication mutuelle, l'engagement réciproque, le... sérieux. Appelez ça comme vous voudrez.

— Marilyn ne s'engage pas. Elle ne promet rien et ne demande rien non plus. Peut-être parce qu'elle n'en a pas besoin. Dans cette ville, un grand nombre de jeunes femmes ne se lient à un homme que pour l'aisance matérielle qu'il peut leur apporter. Marilyn a eu la chance d'avoir un père fortuné au Texas. Elle n'a pas à se préoccuper de ses moyens d'existence. Lorsqu'elle fréquente un homme, c'est uniquement pour son plaisir. Et je ne parle pas seulement du plaisir sexuel. Celui-là est évident. Un homme et une femme qui ne le partagent pas n'ont rien à faire ensemble. Je parle du plaisir d'*être* avec quelqu'un. Parler, partager des moments heureux, rire, s'amuser...

— C'est une forme d'engagement, non ? demanda Willis.

— Je préfère appeler cela de l'amitié.

— Elle partage votre point de vue ?

— J'espère qu'elle me considère comme un de ses très bons amis.

— Vous connaissez les autres ? Je veux dire ses autres amis ?

— Non.

— Vous n'en avez jamais rencontré aucun ?

— Non.

— Chip Endicott ?

— Inconnu au bataillon.

— Basil Hollander ?

— Jamais entendu parler.

— Et le père de Mlle Hollis ?

— Je ne le connais pas non plus.

— Comment s'appelle-t-il ?

— Jesse, je crois. Ou Joshua. A moins que ce ne soit Jason.

— Vous savez où il habite, au Texas ?

— A Houston, je pense. Ou à Dallas. Peut-être à San Antonio.

— Monsieur Riley, où êtes-vous descendus pendant les deux jours que vous avez passés à Snowflake ?

— Dans un hôtel. Le *Summit Lodge*. Je peux vous donner le numéro, si vous avez l'intention de vérifier.

— Je vous en serais reconnaissant.

— Ce n'était pas du tout un suicide, n'est-ce pas ? dit brusquement Riley. C'était un meurtre, net et sans bavures.

Willis ne répondit pas.

Il était en train de penser que l'affaire était loin d'être nette.

Quant aux bavures, il préférait ne pas y songer.

Vice-président et directeur du département des ventes de l'Eastec Systems.

Ce titre ronflant pouvait faire penser à une entreprise géante, de la stature d'IBM ou de General Motors. On pouvait facilement imaginer un cadre supérieur, pour le moins, donnant ses ordres par téléphone dans un gigantesque bureau aux murs couverts de cartes, sur lesquelles des épingles de différentes couleurs indiquaient la position géographique d'une armée de vendeurs quadrillant comté par comté tous les Etats du pays.

On pouvait, évidemment.

Mais dans cette ville où on appelait ingénieur sanitaire un éboueur et conseillère en sexualité une prostituée, Jérôme McKennon était en fait vice-président et directeur des ventes d'une compagnie dont le personnel, direction comprise, s'élevait en tout et pour tout à deux personnes.

L'Avenue J se trouvait dans la partie de la ville basse que les policiers avaient surnommée la Cité Campbell, en raison des pâtes en forme de lettres de l'alphabet produites par cette société. Avec le temps, le quartier, un des plus misérables de la cité, avait fini par s'appeler tout simplement la Cuisine du Diable. Ses avenues classées par ordre alphabétique couraient d'est en ouest en couvrant une bonne partie d'Isola. Les artères portant des lettres allant de A à L étaient orientées nord-sud et s'arrêtaient à la rivière Dix, qui marquait la frontière méridionale de la Cuisine. Sur l'autre berge, on pouvait apercevoir les cheminées des usines de Calm's Point.

Au début du siècle, les taudis de la Cuisine avaient été occupés par le flot des immigrants venus d'Europe à la recherche de l'or dont étaient prétendument pavées les rues de toutes les cités américaines. Au lieu d'or, ils y avaient trouvé le crottin des chevaux qui tiraient encore tous les véhicules de l'époque. Une grande capacité d'adaptation et une forte volonté de survivre les avaient poussés à remonter vers le nord, à s'installer dans des ghettos nationaux, puis à sortir peu à peu de la ville elle-même pour prendre racine dans des quartiers relativement extérieurs, comme Calm's Point, Majesta ou Bethtown.

Dans les années quarante et cinquante, une nouvelle vague d'immigrants, par ailleurs authentiquement et légitimement américains, avait envahi la Cuisine, où la langue espagnole avait remplacé le yiddish, l'italien, le polonais, l'allemand ou le russe qu'on y entendait autrefois. Les Portoricains, qui étaient arrivés là avec les mêmes rêves dorés que leurs prédécesseurs, n'avaient plus trouvé de crottin de cheval, mais un racisme exacerbé qui faisait que toute personne d'origine latino-américaine était automatiquement assimilée à un criminel en puissance. Il y avait déjà eu auparavant du racisme dans cette ville — contre les Irlandais fuyant la guerre civile, les Italiens fuyant la famine, les juifs fuyant les persécutions religieuses, les Noirs ne fuyant rien du tout, mais cherchant simplement à s'installer quelque part dans le pays où leurs ancêtres avaient été amenés de force — mais jamais il n'avait été aussi grand qu'à l'encontre des Portoricains. Peut-être parce que ceux-ci, à l'inverse des autres communautés, avaient longtemps refusé — et refusaient encore — d'abandonner leurs traditions et leur langue natale.

Ce fut donc une ironie de l'histoire lorsque les Portoricains, victimes d'un ostracisme dont ils ne cessaient de se plaindre, se retournèrent violemment contre les hippies qui commencèrent à squatter les logements, pour la plupart vides, de la Cuisine vers le milieu des années soixante. Il n'était pas rare à l'époque de voir des réunions pacifiques de fumeurs de haschisch attaquées par des bandes de jeunes Portoricains (qui se considéraient alors comme de *vrais* Américains, alors qu'ils étaient réellement les seuls à le croire) venus là pour voler, violer, voire tuer leurs participants. « Paix », disaient les enfants-fleurs, « Amour », répétaient-ils pendant que de jeunes voyous, qui n'étaient pas plus responsables qu'eux de leur situation, leur fendaient allègrement le crâne. A l'issue d'une longue guerre sanglante, les hippies avaient fini par abandonner le quartier, mais en laissant derrière eux toutes les traditions et les modes de vie liés à la drogue. Des années après leur départ, les avenues alphabétiques de la Cuisine demeuraient encore le paradis des dealers, des junkies et des camés de tout poil.

L'Eastec Systems avait installé ses bureaux dans un immeuble délabré du sud de l'avenue J. Une réceptionniste qui se frottait les ongles en mâchant du chewing-gum regarda la plaque de Carella avec une expression qui tenait de l'horreur pure, puis pressa un bouton à la base de son téléphone et lui annonça que M. Gregorio pouvait le recevoir sur-le-champ. Il descendit un couloir et s'arrêta devant une porte qui arborait une plaque en plastique noir annonçant : RALPH GREGORIO, PRÉSIDENT.

Lorsqu'il frappa, une voix d'homme lui répondit d'entrer. Il ouvrit la porte et se retrouva dans une pièce meublée d'un bureau et de classeurs métalliques verts, aux fenêtres obturées par des stores poussiéreux. Derrière le bureau, un petit homme replet, âgé d'une quarantaine d'années, en manches de chemise, les joues rouges et le sourire accueillant, lui tendit une main amicale.

— Bonjour, *paisan*, lui dit-il. Que puis-je faire pour votre service ?

Carella détestait qu'on l'appelle *paisan*. Trop de malfrats italo-américains s'étaient adressés à lui de cette manière, la plupart du temps pour lui demander un service qu'ils estimaient naturel de la part d'un compatriote.

Il serra la main tendue.

— Inspecteur Carella, du 87e district.

— Asseyez-vous, je vous en prie ! Je suppose que vous venez me parler de Jerry...

— C'est exact.

— Quelle tragédie, quelle horrible tragédie ! J'ai vu la nouvelle à la télévision. Ils lui ont accordé quoi, trente secondes ? C'est une véritable honte. Il s'est suicidé, n'est-ce pas ?

— Quand l'avez-vous vu pour la dernière fois ? demanda Carella en éludant la question du petit homme.

— Vendredi, en fin de journée.

— Vous a-t-il paru préoccupé ?

— Préoccupé ? Il n'avait aucune raison de l'être. Je dois vous avouer que son suicide est pour moi tout à fait incompréhensible.

— Il a commencé à travailler avec vous avant Noël, c'est ça ?

— Exact. Mais qui vous l'a dit ? — Gregorio eut un sourire entendu et fit un clin d'œil à Carella. — Je présume que vous avez vos sources d'information...

— Au cours de ces trois derniers mois, l'avez-vous vu préoccupé ou déprimé ?

— Lui ? Jamais ! Il avait toujours le sourire. Il chantait même pendant son travail, vous vous rendez compte ? *Nous* sommes censés être des chanteurs, *paisan*. Jerry était quoi ? irlandais, anglais, allez savoir ! Mais il chantait tout le temps. Le Pavarotti de l'alarme. Nous vendons et installons des systèmes de sécurité, vous savez. Des choses qui compliquent la vie des mauvais garçons. — Il eut un nouveau clin d'œil. — Et qui simplifient la vôtre, soit dit en passant.

— A quelle heure est-il parti, vendredi soir ?

— Aux environs de cinq heures et demie. Il travaillait beaucoup, en fait. Il lui arrivait souvent de rester jusqu'à six heures, sept heures du soir. Nous sommes une jeune société, mais nous avons d'extraordinaires possibilités devant nous. Jerry le savait et donnait le maximum de lui-même.

— A-t-il parlé de ce qu'il avait l'intention de faire ?

— Non.

— Il n'a pas dit où il comptait aller, quels étaient ses projets pour le week-end ?

— Absolument pas.

— Vous a-t-il dit quelque chose, à un moment quelconque, sur une femme nommée Marilyn Hollis ?

— Jamais.

— Monsieur Gregorio...

— Eh, *paisan !* dit Gregorio en ouvrant les bras. Pourquoi toutes ces politesses entre nous ? Appelez-moi Ralph, d'accord ?

— D'ac... d'accord, répondit Carella en s'éclaircissant la gorge. Ralph... croyez-vous que je pourrais jeter un œil sur le bureau de M. McKennon ?

— Bien sûr. Il est au bout du couloir. Vous cherchez quelque chose ?

— Un indice qui pourrait nous fournir une piste. Quelque chose qui puisse expliquer sa mort.

Il cherchait en réalité un carnet de rendez-vous, et il le trouva dès la première minute, en évidence sur le bureau de McKennon, ouvert aux pages du mois de mars. Un agenda était posé à côté.

— Ça vous ennuie si je les emmène ? demanda-t-il.

— Jerry n'en a plus besoin, répondit Gregorio.

— Je vais vous signer un reçu...

— Vous plaisantez, *paisan*. Pas de reçus entre nous !

— C'est quand même la loi, dit Carella en sortant son carnet.

Le deuxième nom inscrit sur la liste de Marilyn était celui de Charles Ingersol — « Chip » — Endicott, l'homme qui haïssait le répondeur téléphonique.

Il était avocat dans un cabinet de juristes, Hackett, Rawlings, Pearson, Endicott, Lipstein et Marsh. Willis se demanda comment Lipstein, dans cette ville où les préjugés raciaux étaient encore si tenaces, avait réussi à trouver sa place dans l'affaire.

Endicott ne devait pas être loin de la cinquantaine, mais il était difficile de lui donner un âge précis. Grand et élancé, il avait le teint bronzé, un visage étroit, sans rides, des yeux marron, presque noirs, au regard vif et intelligent. Le seul signe pouvant indiquer qu'il avait passé le cap de la quarantaine était sa chevelure entièrement blanche, mais cette décoloration était peut-être précoce. Il serra fermement la main de Willis et lui fit signe de prendre place dans un fauteuil.

— J'ai cru comprendre qu'il s'agissait de Marilyn, c'est bien ça ?

Le siège de la firme Hackett, Rawlings, etc. se trouvait au douzième étage d'un des bâtiments les plus élevés et sans doute les plus chers de la ville, sur Jefferson Avenue. La pièce dans laquelle Willis avait été introduit était meublée dans un style moderne, à la fois élégant et dépouillé : un bureau en tek, une moquette bleue, un canapé et des fauteuils d'un bleu plus sombre. Au-dessus du canapé était accrochée une toile abstraite à dominantes bleues, où quelques explosions de rouge frappaient le regard comme des traînées de sang.

— Mlle Hollis nous a dit que vous étiez un de ses amis, expliqua Willis.

Endicott hocha rapidement la tête.

— J'espère qu'elle n'a pas d'ennuis.

— Absolument aucun. Mais nous faisons actuellement une enquête...

— Sur elle ?

— Non. Sur un suicide. Au moins ce qui semble en être un.

— Oh ! De qui s'agit-il ?

A nouveau, Willis observa attentivement les yeux de l'homme assis en face de lui.

— Jérôme McKennon.

L'avocat ne cilla pas. Il demeura un instant silencieux,

puis une soudaine lueur de reconnaissance apparut dans son regard.

— Je me souviens, bien sûr ! C'était du côté de Silvermine, non ? J'ai lu un article à son sujet dans le journal de ce matin.

Dans ses yeux bruns, la reconnaissance fit place à l'incompréhension.

— Je suis désolé, mais je ne vois pas en quoi Marilyn peut être concernée par ce décès.

— McKennon était également un de ses amis.

Endicott ne dit rien.

— Le connaissiez-vous ?

— Non. Marilyn vous a dit que je le connaissais ?

— Pas du tout. Mais elle aurait pu vous parler de lui. Mentionner son nom devant vous à une occasion ou une autre.

— McKennon ? Je ne vois pas... Il ne m'a pas semblé familier quand je l'ai lu dans le journal. — Endicott se tut, puis déclara brusquement : — Dites-moi la vérité, monsieur Willis. Vous enquêtez sur un *meurtre*, n'est-ce pas ?

— Pas exactement. Mais dans cette ville, nous sommes tenus d'enquêter sur les suicides jusqu'à ce que nous obtenions la preuve formelle que ce ne sont pas des homicides habilement déguisés. Vous le savez sans doute, puisque vous êtes avocat.

— Je suis spécialisé dans les affaires financières, précisa Endicott. — Il marqua une courte pause. — Vous dites que cet homme était un ami de Marilyn ?

— Oui.

— Et elle vous a dit textuellement que j'étais moi-même *un de ses amis ?*

— C'est exact.

L'avocat avait une expression indéchiffrable. Désabusée ? Perplexe ?

— Etes-vous réellement un *ami* de Marilyn, monsieur Endicott ? insista Willis.

— Oh, certainement !

— Depuis combien de temps la connaissez-vous ?

— Cela doit faire près d'un an maintenant. Nous nous sommes rencontrés pour la première fois alors qu'elle arrivait tout juste du Texas. Son père est un homme très riche là-bas. Dans le pétrole ou le bétail, je ne sais plus. Il l'a installée ici dans une vieille demeure... enfin, je suppose que vous l'avez déjà vue...

— Nous sommes allés l'interroger chez elle, acquiesça Willis.

— Une maison splendide, la plus belle qu'il pouvait trouver pour sa fille adorée. D'après ce qu'elle dit de lui, il est plutôt pingre en règle générale, mais il est capable de faire des folies dès qu'il s'agit de son enfant unique.

— Savez-vous où il habite, au Texas ?

— Houston ?... Oui, je me souviens qu'elle m'a parlé de Houston.

— Connaissez-vous son prénom ?

— Non. Je ne crois pas qu'elle me l'ait dit, ou alors je l'ai oublié.

— Dans quelles circonstances l'avez-vous connue, monsieur Endicott ?

— Je venais de divorcer... Etes-vous divorcé, monsieur Willis ?

— Je n'ai jamais été marié.

— Vous ne connaissez pas votre bonheur... Si le mariage est un long purgatoire, le divorce, c'est carrément l'enfer. — Il haussa les épaules et sourit. — Bref, j'étais en train de vivre une sorte de résurrection douloureuse. Je m'étais procuré une nouvelle garde-robe, j'utilisais de l'eau de toilette pour homme, j'avais failli m'acheter une moto mais j'avais conservé suffisamment de raison pour y renoncer, je fréquentais les bars pour célibataires, je lisais avidement les petites annonces spécialisées du *Saturday Journal*, si vous connaissez...

— Je connais, dit sobrement Willis.

— ... et *surtout*, je consacrais une grande partie de mon temps libre à la chose la plus importante que puisse faire un homme seul en quête de compagnie : je visitais les musées.

— Les musées ?

— Exactement, monsieur Willis. Les musées et les galeries. Vous ne pouvez pas imaginer le nombre de femmes disponibles, généralement intelligentes et cultivées, qui passent leurs après-midi dans des lieux de ce genre. Particulièrement les musées d'art. Et particulièrement les jours de pluie. C'est comme cela que j'ai rencontré Marilyn. Au musée des Arts plastiques, un samedi où il faisait un temps épouvantable.

— Vous dites que cela s'est passé il y a un an ?

— En avril, si ma mémoire est bonne. Nous avons immédiatement sympathisé. Marilyn est une femme extraordinaire, vous savez. Elle est vivante, chaleureuse, sensible, extrêmement compréhensive...

— Vous l'avez revue souvent, depuis cette date ?

— Nous nous rencontrons régulièrement, au moins une fois par semaine. De temps à autre, nous passons un week-end ensemble, mais cela se produit rarement. Nous sommes de bons amis, monsieur Willis. J'ai cinquante-cinq ans, et...

Willis s'efforça de ne pas laisser paraître sa surprise.

— ... j'ai été élevé à une époque où les hommes ne fréquentaient pas les femmes par amitié. La seule chose qui les intéressait était de les amener dans leur lit le plus rapidement possible. Mais les temps ont changé, et je suppose que j'ai changé aussi. Je n'ai aucune envie de parler de mes relations intimes avec Marilyn, et je suis persuadé qu'elle ne le souhaite pas plus que moi, mais je peux vous affirmer qu'elles ne constituent pas l'essentiel de nos rapports. L'essentiel est que nous sommes des *amis*, au sens le plus réel du terme. Nous nous fions entièrement l'un à l'autre, nous nous retrouvons sans problèmes, avec un plaisir toujours renouvelé, et cela, croyez-moi monsieur Willis, est une chose absolument nouvelle et capitale pour moi.

— Je l'imagine aisément, affirma Willis, hésitant à poser la question qui lui brûlait les lèvres. Cela ne vous... gêne pas qu'elle connaisse d'autres hommes qu'elle considère également comme ses amis ?

— Pourquoi cela me gênerait-il ? Si vous et moi étions amis, et que vous ayez d'autres amis en dehors de moi, devrais-je automatiquement en éprouver de la jalousie ? Vous êtes en train de réagir comme je l'aurais fait moi-même il y a dix ans. De considérer qu'une femme et un homme ne peuvent pas être à la fois unis par un lien très fort et libres de choisir leurs fréquentations. Marilyn a d'autres relations masculines, je le sais très bien. C'est une femme attirante, d'une certaine manière hors du commun, le contraire, je dis bien le *contraire*, serait étonnant pour moi. Elle met probablement certains de ces hommes sur le même plan que moi, mais encore une fois, pourquoi devrais-je m'en fâcher ? Elle fait l'amour avec eux ? La belle affaire ! Imaginez-vous que je me prive de mon côté ? —

Il se tut un instant, le regard fixé sur l'inspecteur. — Comprenez-vous ce que j'essaye de vous dire, monsieur Willis ?

Willis croyait comprendre. Endicott était en train de lui expliquer qu'il était au-delà de la jalousie, qu'il n'avait pas tué McKennon, non seulement parce qu'il ne le connaissait pas, mais surtout parce que le fait de connaître son existence n'aurait eu aucune incidence sur ses relations avec Marilyn Hollis. Qu'il n'aurait pas bougé le petit doigt, même s'il avait su que Marilyn et Jerry forniquaient sur le trottoir, devant sa porte.

Il hocha la tête.

— Je pense que vous avez été parfaitement clair, dit-il. Je vous remercie d'avoir bien voulu répondre à mes questions.

Carella se trouvait confronté à la tâche la plus difficile qu'un inspecteur pouvait rencontrer au cours d'une enquête. Le carnet de rendez-vous et l'agenda de McKennon qu'il avait ramenés de l'Eastec Systems étaient une mine de renseignements, mais une mine produisait toujours plus de scories que d'or ou de diamants, et il lui fallait faire le tri, dans l'emploi du temps de mars de la victime, entre ce qui relevait de la routine, d'une banalité sans intérêt, et ce qui pouvait avoir un lien avec sa fin brutale, dont il ne savait toujours pas de manière certaine s'il s'agissait d'un réel suicide ou d'un homicide intelligemment camouflé.

Toutes les entrées portant le nom de Ralph pouvaient être éliminées d'office. Il s'agissait de toute évidence du *paisan* Gregorio, désormais le dernier dirigeant vivant de l'Eastec Systems — et probablement le seul homme sur terre à croire encore aux « extraordinaires possibilités » de cette firme.

En utilisant l'agenda trouvé dans le bureau de McKennon, Carella put s'assurer que les trois compagnies commerciales citées dans son carnet étaient soit des compagnies concurrentes, soit des sociétés de sous-traitance travaillant avec l'Eastec. Il écarta également une trentaine de noms masculins, qui représentaient sans aucun doute des clients, réels ou potentiels, de la firme. Certains d'entre eux avaient été rayés après un premier rendez-vous, soit qu'ils aient été convaincus par les arguments de vente de McKennon, soit qu'ils aient cessé d'être intéressés par le matériel proposé.

Avec la même facilité, en se servant cette fois de l'annuaire d'Isola, Carella découvrit que la plupart des lieux mentionnés par la victime, comme l'*Italico* ou le *Nimrod's*, étaient des restaurants où se rencontraient souvent les hommes d'affaires. Mais il ne trouva aucune trace de *Harold's*, où McKennon avait dîné le 8 mars à dix-neuf heures. Il supposa donc que le dénommé Harold était un ami personnel du défunt, tout comme Hillary, chez lequel il avait assisté à une réception le 15 mars à vingt heures, et Colly, qui l'avait invité à une soirée le 30 à vingt heures (à laquelle il ne se rendrait évidemment jamais).

Il en était à ce stade de ses déductions quand Meyer Meyer, son éternelle cigarette aux lèvres, se mêla de l'affaire en lui faisant remarquer d'un ton anodin qu'il ne devait pas éliminer sans y penser à deux fois les soirées du 8 et du 15, sous prétexte qu'elles étaient trop éloignées dans le temps de la mort brutale, quasi instantanée de McKennon. Il lui rappela qu'à leurs lointains débuts, à une époque où quelques dinosaures rôdaient encore sur la Terre, ils avaient dû enquêter sur la mort par empoisonnement d'un animateur de télévision nommé Stan Gifford, qui s'était effondré sur le plateau pendant un spectacle en direct, sous le regard ébahi d'au moins quarante millions de téléspectateurs. Après autopsie, le médecin légiste (qui était déjà Paul Blaney) avait découvert dans l'appareil digestif de Gifford plus de cent trente fois la dose mortelle d'un poison redoutable, la strophantine, qui aurait dû tuer la victime en l'espace de quelques minutes.

— Le meurtrier avait fabriqué lui-même une capsule qui ne devait se dissoudre que très lentement dans l'estomac de Gifford, conclut Meyer Meyer. Peut-être ton bonhomme a-t-il été liquidé de la même manière ?

— C'est une possibilité, admit Carella à contrecœur.

Il était convaincu que l'affaire McKennon ne se résoudrait pas aussi aisément, mais à ce stade de l'enquête il ne pouvait négliger aucune piste, même la plus mince. Dans l'agenda personnel récupéré dans l'appartement du mort, il trouva un Harold Sachs et un Hillary Lawson, dont il releva les numéros en notant qu'il devrait les appeler au sujet des soirées du 8 et du 15. Il trouva également un Nicholas di Marino, probablement le Cilly de la réception du 30, mais il ne vit aucun intérêt à l'interroger tout de suite.

McKennon avait noté dans son carnet une série de rendez-vous, le 8, le 15 et le 25 (encore un auquel il ne se rendrait pas) avec un certain Ellsworth. Comme tous ces rendez-vous étaient fixés à la même heure, onze heures du matin, Carella en déduisit que le dénommé Ellsworth était soit un médecin, soit un dentiste. Dans l'agenda personnel de la victime il découvrit effectivement un Ronald Ellsworth, dentiste, dont le cabinet se trouvait à Isola même, au 257 Carrington Street.

Trois entrées du carnet gardaient encore leur mystère. En appelant le bureau de Gregorio, Carella apprit que le Kreuger dont le nom était cité à deux reprises, pour des « travaux » et une « visite sur le terrain », était un des clients de la firme, Karl Kreuger, domicilié à Calm's Point. Mais il ne trouva rien sur deux autres prénoms, Annie et Frank, qui n'étaient mentionnés dans aucun des agendas de McKennon. Pour la journée du vendredi 14, celui-ci avait écrit : *Appeler Annie/hôpital*, puis *Fleurs pour Frank*. Carella supposa que Franck-Dieu-sait-qui venait d'être admis à l'hôpital (d'où les fleurs), et que McKennon avait téléphoné à Annie-Dieu-sait-qui pour avoir de ses nouvelles ou le numéro de sa chambre.

Carella n'aimait pas les films qui mettaient en scène trop de figurants.

Il aimait encore moins les affaires où le nombre des suspects semblait croître en suivant une progression géométrique.

Juste une fois dans sa vie, il aurait aimé enquêter sur deux hommes dans une île déserte.

L'un serait la victime, l'autre le meurtrier.

Une fois seulement.

En attendant, il devait résoudre le mystère de plus en plus épais de la mort de Jérôme McKennon.

4

Le mardi soir, vers vingt heures, Willis avait terminé ses « entretiens » avec les trois hommes dont Marilyn Hollis avait donné les noms à contrecœur, en affirmant qu'elle n'avait pas d'autres *amis*. Il décida qu'il était temps pour lui d'avoir une nouvelle entrevue avec elle.

Il ne téléphona pas pour annoncer sa visite.

Roulant tranquillement jusqu'à Harborside, il se gara le long du trottoir qui bordait le petit parc situé en face du numéro 1211. Le froid était toujours aussi glacial. Mars, le bien nommé dieu de la guerre, semblait fermement décidé à ne pas désarmer. Les cheveux ébouriffés par le vent, le visage rougi en quelques secondes par l'air vif, Willis traversa rapidement la chaussée et pressa le bouton de la sonnette.

Une voix désormais familière retentit dans le minuscule haut-parleur.

— C'est Mickey ?

— Non, dit-il. C'est l'inspecteur Willis.

Un long silence, puis :

— Qu'est-ce que vous me voulez encore ?

— Je veux vous poser une ou deux questions. Si vous pouvez m'accorder quelques minutes...

Cette fois la réponse ne se fit pas attendre.

— Je ne peux justement pas en ce moment. Quelqu'un doit arriver, et...

— Quand puis-je revenir ? demanda-t-il.

— Si nous disions jamais ? proposa-t-elle, et il eut la certitude qu'elle souriait en disant cela.

— Un peu plus tard ce soir ? insista-t-il.

— Non. Je suis désolée.
— Mademoiselle Hollis, je vous rappelle qu'il y a eu un homicide...
— Je le sais. Désolée.
Il y eut un déclic. Elle avait coupé la communication. Il pressa à nouveau la sonnette.
— Ecoutez, lança-t-elle avant qu'il ait pu placer un mot, je vous ai dit que j'étais sincèrement navrée...
— Mademoiselle Hollis, coupa-t-il d'un ton décidé, dois-je aller chercher un mandat pour pouvoir simplement vous *parler* ?
Il crut l'entendre soupirer.
— D'accord, dit-elle enfin. Entrez.
Accompagné par un double bourdonnement, il franchit les deux portes successives et s'arrêta, interdit, à l'entrée du salon lambrissé. Un feu crépitait joyeusement dans la cheminée. Des bâtonnets d'encens brûlaient sur une tablette. Mais la jeune femme n'était pas là.
Il referma la porte intérieure derrière lui.
— Mademoiselle Hollis ?
— Je suis en haut, en train de téléphoner. Mettez-vous à l'aise et asseyez-vous !
Il accrocha sa veste à une patère fixée à la porte et se laissa tomber dans le fauteuil de velours rouge le plus proche de l'entrée. Mickey, pensait-il. Mickey comment ? Il attendit. Aucun son ne lui parvenait des étages supérieurs. Le feu craquait et sifflait. Il attendit encore. Toujours pas le moindre bruit dans la cage d'escalier.
— Mademoiselle Hollis ? répéta-t-il.
— Je suis à vous dans une minute !
Il dut patienter encore dix minutes avant qu'elle apparaisse enfin au bas de l'escalier en bois de noyer. Elle portait une robe moulante d'un bleu de glace, une large écharpe autour de la taille, des boucles d'oreilles en saphir et des escarpins à hauts talons qui s'accordaient avec la couleur de sa robe. Ses cheveux blonds étaient ramenés derrière sa nuque, dégageant l'ovale délicat de son visage très pâle. Elle avait une ombre de bleu sous les yeux, pas de rouge à lèvres.
— Vous m'avez surprise au plus mauvais moment, lui confia-t-elle plus aimablement qu'il s'y serait attendu. J'étais en train de m'habiller.
— Qui est Mickey ? demanda-t-il.

— Une personne que je connais. J'ai appelé pour prévenir que je serais retardée. J'espère que nous n'en aurons pas pour très longtemps. Voulez-vous boire quelque chose ?

La proposition le prit totalement au dépourvu. On n'offre généralement pas un verre à quelqu'un au moment précis où on lui désigne la porte. Comme il ne répondait pas, elle insista en souriant :

— A moins que vous soyez encore en service ?

— D'une certaine manière.

— A vingt heures trente ?

— Nous avons parfois des journées chargées.

— Choisissez votre poison.

Pendant un bref instant, il crut qu'elle avait fait délibérément un jeu de mots cynique, destiné à le choquer ou à le provoquer. Mais il comprit qu'il s'était trompé en la voyant se diriger vers le bar, de l'autre côté de la pièce.

— Scotch, dit-il.

Elle lui lança un regard amusé.

— Il est quand même corruptible ! Quelque chose avec ?

— Un glaçon, s'il vous plaît.

Il l'observa attentivement pendant qu'elle laissait tomber des glaçons dans deux verres, puis servait un whisky pour lui et un gin pour elle. Il continua de l'observer pendant qu'elle se dirigeait vers lui, un verre dans chaque main. Comme lors de leur première rencontre, il fut frappé par la blancheur de son teint, par le contraste saisissant entre cette pâleur presque cadavérique et l'impression de vie intense, ardente, qui semblait émaner d'elle.

— Venez donc vous asseoir près du feu, nous serons plus à l'aise, dit-elle en désignant un canapé de velours rouge qui faisait face à la cheminée.

Il la suivit gauchement, attendant qu'elle se soit installée pour s'asseoir à côté d'elle. Lorsqu'elle croisa les jambes, il eut la brève vision de deux genoux ronds gainés de nylon, l'illusion d'apercevoir une fraction de cuisse. Elle rabattit sa robe sur ses mollets d'un geste ostensible, comme une religieuse protégeant sa vertu. L'espace d'un éclair, d'une idée folle, il se demanda pourquoi l'expression « à l'aise » lui était déjà venue à deux reprises à la bouche depuis son arrivée.

— Mickey qui ? demanda-t-il en se contraignant à retrouver le fil de ses préoccupations.

— Mickey Mouse, bien sûr ! répondit-elle en souriant.

— Il s'agit donc d'un homme...
Elle secoua la tête.
— En vérité, je plaisantais. Mickey est une amie. Nous avions projeté de dîner ensemble ce soir. — Elle jeta un coup d'œil à sa montre. — A condition que vous me libériez avant minuit. De toute façon, je lui ai promis de la rappeler.
— Nous n'en aurons pas pour longtemps, la rassura-t-il.
— Dans ce cas, allons-y. Qu'avez-vous à me demander d'aussi urgent ?
— Il n'y a aucune urgence.
— De si pressant, alors.
— Il n'y a rien de pressant non plus. Seulement quelques détails qui me préoccupent.
— Par exemple ?
— Vos amis.
— Tom, Dick et Harry ?
Elle se moquait de lui comme la première fois, mais avec une gentillesse, une sorte d'invitation plaisante à relever le défi qu'elle n'avait pas eue alors. Il pensa aussitôt qu'elle essayait de lui donner le change, ce qui le renforça dans l'idée, qu'il avait eue dès le départ, qu'elle s'efforçait de cacher quelque chose.
— Je veux parler de la liste que vous nous avez donnée, expliqua-t-il. Celle des hommes que vous considérez comme vos proches amis.
— Ils le sont effectivement tous les trois.
— Ils me l'ont confirmé. — Il marqua une pause. — Et c'est précisément ce qui m'intrigue.
— Qu'est-ce qui vous intrigue, monsieur Willis ?
Elle changea de position, en rabattant aussitôt sa jupe sur ses genoux. Il leva trois doigts.
— Nelson Riley. Chip Endicott. Basil Hollander.
Elle lui lança un regard perplexe.
— Vous êtes en train de m'*apprendre* le nom de mes amis ?
Basil Hollander avait été le dernier de la liste. C'était lui qui avait laissé un message sur le répondeur de Marilyn pour lui proposer des places de concert. Les réponses qu'il avait fournies à Willis avaient été de simples variantes de celles que celui-ci avait déjà reçues de Riley et d'Endicott. Il estimait que Marilyn était une de ses meilleures amies. Une femme fabuleuse, avec laquelle il aurait fallu être mala-

de pour s'ennuyer un seul instant. Mais Hollander (« Baz » au téléphone), à l'inverse de ses deux compagnons, était un homme à qui il fallait arracher chaque mot — le cauchemar des inspecteurs de police. Tirer de lui une explication circonstanciée aurait sans doute relevé de l'exploit.

— *Vous connaissez Marilyn Hollis depuis longtemps ?*
— *Oui.*
— *Combien de temps ?*
— *Longtemps.*
— *Un an ?*
— *Non.*
— *Plus ?*
— *Non.*
— *Dix mois ?*
— *Non.*
— *Moins de dix mois ?*
— *Oui.*
— *Cinq mois ?*
— *Non.*
— *Entre cinq mois et dix mois ?*
— *Oui.*
— *Huit mois ?*
— *Oui.*
— *Quelles sont vos relations avec elle ?*
— *Bonnes.*
— *Intimes ?*
— *Oui.*
— *Couchez-vous régulièrement avec elle ?*
— *Non.*
— *Fréquemment ?*
— *Non.*
— *Occasionnellement ?*
— *Oui.*
— *Connaissez-vous un individu nommé Jerry McKennon ?*
— *Non.*

Et ainsi de suite. Ce qui intriguait réellement Willis, c'était que les trois hommes, sur des registres à peine différents, avaient semblé lui chanter la même chanson.

Ils ne parlaient pas de la même manière. Ils ne vivaient pas dans le même milieu, n'exerçaient pas la même profession (Hollander était comptable, Riley artiste peintre, Endicott avocat). Même leurs âges ne coïncidaient pas (Endicott avait cinquante-cinq ans, Riley entre trente-huit et trente-neuf, Hollander quarante-deux). Mais en tenant compte de tout ce qui les séparait, Willis, après les avoir entendus tous les trois, n'avait pu se départir de l'impression qu'il avait perdu son temps, qu'aucun d'eux ne lui avait rien appris, qu'il aurait pu se contenter d'enregistrer sa première conversation avec Marilyn au lieu de parcourir la ville pour écouter trois discours identiques.

Nous sommes de très bons amis, avait-elle dit.

Nous faisons l'amour à l'occasion.

Nous passons d'excellents moments ensemble.

Ils ne connaissent pas Jérôme McKennon.

Ils ne se connaissent pas entre eux.

Et ces trois hommes qui ne se connaissaient pas avaient décrit leurs relations avec la jeune femme dans des termes presque similaires. Ces trois hommes qui ignoraient l'existence de Jerry McKennon avaient présenté des alibis apparemment inattaquables pour la nuit du dimanche et la matinée du lundi — les heures pendant lesquelles le malheureux avait avalé, de gré ou de force, sa potion fatale.

Riley se trouvait à Snowflake le dimanche soir en compagnie de l'égérie du groupe (Willis n'avait pas encore vérifié ses dires, mais il était certain qu'ils seraient confirmés). Le lundi matin, il effectuait quelques ultimes descentes avant de quitter la station pour reprendre le chemin de la ville.

Chip Endicott avait assisté à un banquet du barreau le dimanche soir, et s'était présenté en pleine forme à son cabinet le lundi matin aux aurores.

Le dimanche soir, Basil Hollander était allé écouter un concert de musique de chambre au Randall Forbes Hall, dans le bas de la ville. Le lundi matin, à l'heure où McKennon vomissait tripes et boyaux, il se trouvait dans le métro, en route pour son travail au cabinet de comptables Kiley, Benson, Marx et Rudolph.

Tous innocents.

Et pourtant, Willis ne pouvait s'empêcher de penser qu'il avait entendu trois fois la même scène, jouée par trois acteurs différents dans trois styles différents, mais tirée d'un seul et unique scénario.

Etait-il possible que Marilyn Hollis en soit l'auteur ?

Avait-elle décroché son téléphone aussitôt après la première visite de la police et appelé Chip, Baz, Nelson, pour leur expliquer la situation et leur dicter ce qu'ils devaient répondre ?

C'était évidemment concevable, mais pourquoi aurait-elle fait cela ? Elle avait un alibi en béton armé.

Les autres aussi.

Si seulement leurs déclarations avaient été un peu plus dissemblables...

Mais peut-être était-ce comme ça, après tout ? Peut-être leurs relations avec Marilyn étaient-elles *exactement* les mêmes ? Peut-être la jeune femme avait-elle fixé des normes très strictes de l'amitié, et tant pis pour l'imprudent qui se risquait à sortir du sentier ainsi tracé ?

Pourquoi pas ? Willis ne savait plus.

— J'aimerais que vous me parliez d'eux, dit-il.

— Je n'ai rien à en dire de plus. Vous les avez vus. Ce sont mes amis. Point final.

Brusquement, d'une manière totalement inattendue, elle se pencha vers lui et lui demanda :

— Avez-vous déjà tué quelqu'un, monsieur Willis ?

Il lui lança un regard stupéfait.

— Pourquoi me demandez-vous ça ?

— Par curiosité.

Il hésita un long moment avant de répondre.

— Une fois.

— Qu'avez-vous ressenti à ce moment-là ?

— Je croyais que c'était *moi* qui devais vous poser des questions ! se défendit-il.

— La barbe avec vos questions ! lança-t-elle. Je les ai appelés tous les trois, et chacun m'a raconté exactement ce qu'il vous a dit et ce que vous lui avez dit. Alors ne perdons pas de temps ! Vous êtes ici parce que vous avez l'impression qu'ils vous ont tous raconté la même histoire préfabriquée, c'est bien ça ?

Il ne put cacher sa surprise.

— Euh... oui.

Elle éclata de rire.

— Vous parlez exactement comme Baz quand vous faites ça. Je l'adore, vous savez. Il est tellement gentil ! Je les adore tous les trois, d'ailleurs...

— C'est ce qu'ils m'ont dit.

— Je *sais* ce qu'ils vous ont dit ! Et je sais aussi ce que vous en pensez. Qu'ils ont joué une comédie. Que je leur ai bourré la tête. Mais pourquoi aurais-je fait cela ? Ne pouvez-vous imaginer un instant qu'ils aient simplement exprimé la vérité ? Que nous sommes réellement ainsi tous les quatre, liés par une amitié non exclusive, et désireux de ne rien y changer ?

— Je... suppose que je peux l'imaginer.

— Avez-vous vous-même de *bons* amis, monsieur Willis ?

— Oui.

— Qui ?

— Euh...

— Et voilà Baz à nouveau !

— J'ai des amis ! dit-il d'une voix ferme, en se demandant pour la première fois s'il n'était pas en train de se mentir.

— Qui ? Des flics ?

— Oui.

— Des femmes de flics ?

— Aussi. Mais je ne pense pas... je ne crois pas que je puisse les considérer vraiment comme des amies.

— Comme quoi alors, des maîtresses ?

— Certainement pas. Je ne fréquente pas de cette manière-là les... euh, femmes de mes collègues.

— Laissez-moi vous reposer la question, monsieur Willis. Avez-vous des amies ? Des femmes dont vous pourriez dire sans ambiguïté « C'est mon amie » ?

— Euh...

— Vous allez finir par rendre Baz jaloux, monsieur Willis. Dois-je continuer à vous appeler ainsi, d'ailleurs ? Je suppose que vous avez un prénom.

— Harold.

— Vos amis vous appellent comme ça ?

— Ils préfèrent Hal.

— Puis-je vous appeler Hal, Hal ?

— Euh...

— Pour l'amour de Dieu, je ne l'ai pas *assassiné !* Mettez-vous ça dans la tête une bonne fois pour toutes et détendez-vous ! Savourez votre scotch, admirez le feu de bois, appelez-moi Marilyn et laissez tomber vos grands airs, d'accord ?

— C'est-à-dire...

— Hal, dit-elle doucement.

— Oui ?

— Détendez-vous, s'il vous plaît.

— Je le suis, dit-il d'une voix étranglée.

— Non, vous ne l'êtes pas. Je sais reconnaître quand un homme se laisse aller, et ce n'est pas votre cas en ce moment. Vous êtes hérissé comme une pelote d'épingles. Vous pensez que j'ai tué Jerry et que je suis en train de vous séduire pour vous détourner de votre devoir. Ce n'est pas vrai ?

— Eh bien...

— Si vous voulez être mon ami, Hal, vous devez toujours être franc avec moi. Je déteste les hypocrites, même lorsqu'ils sont en train d'accomplir leur travail de flic.

Il la regardait maintenant avec des yeux ronds — et la sensation terrifiante que la situation était sur le point de lui échapper totalement. Il but une gorgée de scotch pour se rassurer et dit immédiatement d'une voix posée, qui le ramenait dans un monde familier :

— Vous devez reconnaître que c'était déroutant, pour le moins, d'entendre la même histoire racontée par trois personnes aussi différentes...

— Pourquoi ? riposta-t-elle aussitôt. Ces trois personnes ont un point comun : elles sont incapables de mentir. C'est pourquoi ce sont mes amis, Hal. Parce que notre amitié est libre de tout mensonge. Avez-vous déjà eu une relation de ce genre dans votre vie ?

— Je... je suppose que non.

— Dans ce cas, il vous manque quelque chose, Hal. Désirez-vous un autre verre ?

— Vous avez un rendez-vous...

— Elle peut attendre encore. — Elle se leva et se tint debout devant lui. — La même chose ?

Il lui tendit son verre.

— S'il vous plaît.

Il la suivit des yeux pendant qu'elle se dirigeait vers le bar.

— Vous admirez mes fesses ? demanda-t-elle sans se retourner.

Il devint rouge comme une tomate.

— Euh...

— Si c'est ce que vous faites, dites-le.

Il déglutit bruyamment.

— C'était ce que je faisais. Jusqu'à ce que vous en parliez.

Elle revint vers lui en souriant, lui tendit son verre et s'assit à côté de lui.
— Parlez-moi de l'homme que vous avez tué.
— Ce n'était pas un homme.
Il n'avait plus évoqué ce drame depuis de nombreuses années. Maintenant, pas plus qu'avant, il n'avait aucune envie d'en expliquer les circonstances.
— Une femme ?
— Non plus.
— Qu'est-ce que ça nous laisse ?
— N'y pensez plus.
Il vida son verre pratiquement d'un trait et se leva brusquement.
— Mademoiselle Hollis, j'ai cru comprendre que vous étiez attendue. Aussi, si vous voulez bien me permettre...
— Vous avez peur ? demanda-t-elle.
— Non, pas particulièrement.
— Alors pourquoi ne vous rasseyez-vous pas ?
— Pour quoi faire ?
— Pour bavarder, tout simplement. J'aime bavarder avec vous. Et bavarder peut être le début de beaucoup de choses...
Il la regarda d'un air hagard.
— Qu'est-ce que ça veut dire ?
— Qu'est-ce que ça veut dire ! C'est quoi, *ça ?*
— Je viens ici pour vous poser des questions...
— C'est exact.
— La première fois que je l'ai fait, vous m'avez traité comme un chien dans un jeu de quilles.
— C'était la première fois.
— Et maintenant...
— Et maintenant je vous demande de vous asseoir à côté de moi et de me parler. Ça vous étonne ?
— Votre amie doit certainement vous attendre...
— Qui avez-vous tué ? demanda calmement Marilyn.
Il continuait à la fixer d'un regard halluciné.
— Asseyez-vous, dit-elle. Ne soyez pas ridicule.
Il ne répondit pas.
— Laissez-moi vous arranger ça.
Elle prit son verre aux trois quarts vide et repartit vers le bar. Il ne s'assit pas, mais la suivit des yeux. Il ne désirait sincèrement pas parler de la fusillade. Il laissa son regard se promener sur son arrière-train, en espérant qu'elle ne lui

poserait cette fois aucune question incongrue. Elle ne le fit pas. Elle revint vers lui, lui tendant son verre en souriant et s'assit au bord du canapé, les genoux découverts, sans faire le moindre mouvement pour rabattre sa jupe.

Il avait l'impression d'être paralysé.

— Asseyez-vous, insista-t-elle en tapotant de la main une place à côté d'elle. Qui avez-vous tué, Hal ?

— Pourquoi voulez-vous le savoir ?

Elle haussa les épaules, comme pour signifier que la réponse était évidente.

— Par honnêteté.

Il hésitait encore.

— Racontez-moi.

Le feu crachait et sifflait. Une bûche se brisa en lâchant une gerbe d'étincelles.

— Racontez-moi, Hal, répéta-t-elle.

Il prit une profonde inspiration.

— J'ai tué un enfant, souffla-t-il.

— Quoi ?

— Un enfant !

— Quel âge avait-il ?

— Douze ans.

— Seigneur ! murmura-t-elle.

— Il braquait sur moi un .357 Magnum.

— Quand cela s'est-il produit ?

— Il y a des siècles.

— Quand ?

— Quand j'étais encore un bleu.

— C'était un Blanc ou un Noir ?

— Un Noir.

— Ça rend souvent les choses plus pénibles.

— Rien n'aurait pu les rendre plus pénibles, croyez-moi !

— Je veux dire...

— Je sais ce que vous voulez dire ! Il y avait alors toute cette propagande dans la presse, qui accusait les flics blancs d'abattre sans sommations des jeunes Noirs innocents. Mais ça ne s'est pas passé comme ça ! Il venait d'attaquer une boutique de vins et spiritueux... Il avait tué trois personnes à l'intérieur... Pourtant ce n'était pas le plus important. Si je n'avais pas tiré, j'aurais été abattu dans la seconde qui suivait. Et il n'avait que douze ans !

— Seigneur, répéta Marilyn, presque dans un murmure.

— C'est comme ça que c'est arrivé, je vous le jure, souffla Willis.

— Ça a dû être terrible pour vous, compatit-elle.

— Terrible.

Il se demandait pourquoi il était en train de lui raconter cette tragédie. Par honnêteté, avait-elle dit.

— Sa mère... sa mère est venue au commissariat. Elle a demandé à parler à l'agent Willis. Je venais juste de rentrer du District Central, où on m'avait interrogé pendant toute la matinée. Le sergent de service, qui ignorait qui était cette femme, lui a répondu : « Oui, il est là, dans le vestiaire. » Elle est entrée, s'est dressée en face de moi et m'a craché au visage. Pas un mot. Juste un crachat. Et elle est partie. Je... il y avait d'autres agents tout autour de moi, un vestiaire n'est jamais vide, mais je crois... je crois que je me suis mis à pleurer...

Il avait parlé d'une voix basse, presque inaudible. Il haussa les épaules, un sourire contraint sur les lèvres. Deux balles dans la poitrine, tirées presque à bout portant. Mais le gosse avait continué à le menacer. Une balle dans la tête, juste entre les deux yeux. Plus tard, les deux inspecteurs de la Criminelle qui l'avaient interrogé. Le bruit, la confusion. Le reporter d'une station locale qui avait essayé de prendre des photos du carnage. Trois cadavres, le patron et deux clientes, gisant dans la boutique parmi les verres brisés. Et le gamin dehors sur le trottoir, la cervelle éclatée...

Saloperie, pensa-t-il.

Saloperie de putain de ville.

— Vous vous sentez bien ? lui demanda Marilyn.

— Oui.

— Vous n'avez pas touché votre verre. — Elle leva le sien pour trinquer avec lui. — A des jours dorés et des nuits écarlates !

Il la regarda sans répondre.

— C'était le toast préféré de mon père. Quel âge avez-vous, Hal ?

— Trente-quatre ans.

— Quel âge aviez-vous quand c'est arrivé ?

Il but une gorgée de whisky.

— Vingt-deux. — Il secoua la tête. — Il venait d'abattre froidement trois personnes...

— J'aurais agi de la même manière que vous, dit doucement Marilyn.

Willis haussa à nouveau les épaules.

— Je ne sais pas. Il... si seulement il avait lâché son arme...

— Mais il ne l'a pas fait...

— Je lui ai *crié* de la lâcher. Je l'ai prévenu ! — Il serra brusquement les poings. — Mais il a continué à courir vers moi en me visant comme...

— Alors c'est vous qui avez tiré.

— Oui.

— Combien de fois ?

— Trois.

— Ça fait beaucoup...

— Je sais.

Ils gardèrent le silence pendant un long moment. Willis buvait son scotch à petites gorgées. Marilyn ne le quittait pas des yeux.

— Vous êtes plutôt petit pour un flic, dit-elle finalement.

— Un mètre soixante-cinq. — Il sourit. — Ça vous choque ?

— Non. Mais la plupart des policiers sont plus grands. Surtout les inspecteurs. Je ne veux pas dire que j'en *connais*. Je parle seulement de ceux qu'on voit dans les films. J'ai souvent l'impression qu'ils ne passeraient pas sous ma porte.

— Les flics de cinéma...

Willis eut un geste désabusé.

— C'était la première fois que vous tuiez quelqu'un ?

— Oui.

Elle ne dit rien. Après un court instant, elle demanda en essayant de reprendre une voix plus enjouée :

— Avez-vous une idée de l'heure qu'il est ?

Willis regarda sa montre.

— Presque neuf heures.

— Il faut vraiment que j'appelle Mickey, maintenant. Je suis désolée. Vous allez avoir l'impression que je vous chasse...

— Pas du tout. Je vous ai déjà fait perdre beaucoup de temps.

— Finissez votre verre, en tout cas. Et si vous me permettez de vous donner un conseil, rangez cette histoire dans un coin de votre mémoire et n'y pensez plus jamais.

Vous avez tué un homme ? Et après ? Le ressusciterez-vous en gâchant votre vie avec ce souvenir ?

Il secoua la tête sans répondre.

Pas un homme, pensait-il. Un enfant.

Il vida son verre et le posa sur la table à café. Il se sentait bien, le cœur au chaud, la tête légère mais sans plus.

— Merci pour le scotch, dit-il. *Les* scotches.

— Qu'allez-vous faire tout de suite ?

— Rentrer au bureau. Taper les rapports de la journée.

— Est-ce que je vous reverrai ?

Elle était toujours assise, la tête légèrement levée, son regard clair quêtant une réponse. Il se mordit les lèvres.

— Je n'ai pas tué Jerry, dit-elle, ses yeux bleus cherchant ceux de Willis. Appelez-moi.

Il ne répondit pas.

— M'appellerez-vous ?

— Si vous le souhaitez, murmura-t-il enfin.

— Je vous le demande.

Il était conscient de l'absurdité de son attitude, mais ne pouvait en imaginer aucune autre, du moins pas sur-le-champ. Il haussa les épaules.

— Dans ce cas, je vous appellerai.

Elle bondit du canapé dans un éclair de genoux soyeux.

— Je vais vous chercher votre veste !

— Je peux trouver la sortie tout seul, protesta-t-il, je sais que vous êtes pressée...

— Ne soyez pas idiot !

Elle l'aida à enfiler sa veste et le raccompagna jusqu'à la porte extérieure. Au moment de l'ouvrir, elle murmura :

— Appelez-moi. Vous l'avez promis.

— Je vous appellerai.

Le vent glacial le frappa dès qu'il mit un pied dehors, dissipant en un instant la chaleur de l'alcool et du feu de bois, le ramenant brutalement à la grisaille de la réalité. Il dut réchauffer sa clé avec une allumette pour pouvoir débloquer la serrure gelée de sa portière. Une fois à l'intérieur de la voiture, il mit le moteur en marche et régla le chauffage au maximum. Puis il ressortit pour essayer de nettoyer avec une main gantée son pare-brise rendu presque opaque par le givre.

Lorsqu'il regagna son siège, il ne comprit pas pourquoi il prit brusquement la décision de ne pas démarrer, de rester assis dans l'ombre, les yeux fixés sur la maison de l'autre côté de la rue.

Peut-être l'habitude professionnelle de soupçonner les autres était-elle devenue chez lui une seconde nature.

Vingt minutes s'écoulèrent sans que personne ne se présente. Puis une Mercedes Benz 560 SL apparut dans Harborside et vint se garer le long du trottoir, devant la porte du numéro 1211.

Mickey « Mouse », pensa-t-il.

Mickey — si c'était bien son nom — sortit du véhicule, franchit rapidement les quelques pas qui séparaient sa portière de la porte, enleva un de ses gants et pressa la sonnette de Marilyn.

Une seconde plus tard, il disparaissait à l'intérieur du bâtiment.

Mickey était un homme d'au moins un mètre quatre-vingt-dix, pesant largement ses cent dix kilos, vêtu d'une épaisse pelisse en peau de raton laveur qui le faisait ressembler de loin à un gigantesque ours des montagnes.

« Vous devez toujours être franc avec moi », avait dit Marilyn.

« Du flan ! » lui répondit mentalement Willis. Il nota le numéro d'immatriculation de la Mercedes sur son carnet, puis démarra et se dirigea vers le commissariat, pour y taper en trois exemplaires ses rapports de la journée.

5

Avril survint cette année-là avec une rapidité qui stupéfia tout le monde. Depuis des mois, la ville s'était habituée à vivre en état de siège, cernée par le froid, hantée par les bourrasques, écrasée par un ciel de plomb qui ne laissait passer aucun rayon de soleil. Les gens qui devaient sortir dans les rues se déplaçaient rapidement, emmitouflés jusqu'aux yeux, le regard baissé pour guetter le verglas, les nerfs à fleur de peau. Comme un combattant qui connaît l'importance du moral de l'ennemi, le froid attaquait sans relâche, impitoyablement, rendant chaque jour plus agressive et inhospitalière une population qui n'avait jamais été réputée pour sa largeur d'esprit. Willis supportait très mal cette situation. Il avait l'impression d'être sans défense, rongé de l'intérieur par un ennemi d'une hostilité absolue, dont le seul but était de raser la ville et de faire disparaître jusqu'à ses morts. Depuis le début de mars, alors que le temps n'avait cessé de s'aggraver, la météorologie avait répliqué en annonçant pratiquement chaque semaine l'arrivée d'un front chaud venu de Georgie, mais ces prévisions optimistes ne s'étaient jamais matérialisées. Jour après jour, le dieu Mars avait poursuivi son œuvre destructrice, lançant sur la ville les bataillons déchaînés du froid et du vent, comme un général sanguinaire décidé à ne rien accepter d'autre qu'une capitulation sans conditions.

Avril apparut un matin, quand personne ne l'espérait plus.

Des brises embaumées venues du Old Seawall soufflaient désormais à la place des vents d'hiver. Les têtes trop longtemps courbées par le froid se redressèrent timidement pour contempler les premiers coins de ciel bleu. Les nez congestionnés respirèrent avec prudence l'air tiède du printemps. Les yeux larmoyants cessèrent de larmoyer et s'emplirent d'une nouvelle lumière. Les manteaux et les vestes disparurent comme par enchantement. Dans cette ville d'étrangers, les étrangers se mirent à s'adresser des sourires au coin des rues. Les premières fleurs surgirent, laissant éclater des bouquets de couleurs au milieu des plaques de neige boueuses qui battaient honteusement en retraite après avoir sali si longtemps le pavé.

Avril était enfin là.

Ce fut en avril, le surlendemain de Pâques, que les hommes du 12ᵉ district découvrirent un cadavre.

Le voisin de la victime, qui devait être un passionné de films d'horreur, se plaignit au gérant de l'immeuble de l'odeur désagréable — « comme si l'on faisait cuire des pâtés de chair humaine » — qui émanait depuis quelques jours de l'appartement 401. Immédiatement appelés, les agents de police secours reconnurent aussitôt la puanteur caractéristique d'un corps en état de décomposition avancée. Maudissant le brusque réchauffement de l'atmosphère, ils préparèrent un sac en plastique et prirent une profonde inspiration avant de pénétrer dans l'appartement suspect.

La victime fut aisément identifiée. Il s'agissait d'un dénommé Basil Hollander, employé comme comptable par la firme Kiley, Benson, Marx et Rudolph.

Les inspecteurs du 12ᵉ district qui prirent l'affaire en main s'appelaient San Kaufman et Jimmy (« l'Alouette ») Larkin. Ils ne savaient ni l'un ni l'autre que deux inspecteurs du 87ᵉ travaillaient au même moment sur un empoisonnement criminel dans lequel Hollander était impliqué comme témoin. En fait, ils ignoraient jusqu'à l'existence de Carella et de Willis. Les deux hommes de la Criminelle qui firent une apparition brève, mais légalement indispensable, sur la scène du crime, se nommaient Mastroiano et Manzini. Relevant du département ouest de la brigade, ils connaissaient à peine Monoghan et Monroe, qui étaient affectés au département est.

Monoghan et Monroe avaient suivi de près les progrès de l'enquête de Willis et Carella. Ils savaient qu'un des témoins interrogés par Willis s'appelait Basil Hollander. Mais l'affaire du 12ᵉ district n'était pas de leur ressort. La police de cette ville préservant avec autant d'obstination ses privilèges territoriaux que sa réputation d'honnêteté, ils n'avaient aucune chance d'être appelés à s'occuper du mort de l'appartement 401. Et même s'ils l'avaient été, ils avaient tous les deux la tête remplie de tant de crimes et tant de blagues scatologiques à se raconter qu'ils n'auraient pas nécessairement établi un lien entre les deux assassinats.

Ce fut donc seulement le lendemain, le 2 avril au matin, que Willis découvrit dans les journaux l'annonce de la mort brutale de Basil Hollander.

Il avait été occupé jusque-là à essayer d'obtenir des renseignements sur la Mercedes Benz noire qui s'était arrêtée dans la soirée du 27 mars devant la porte de Marilyn Hollis pour y déposer un raton laveur haut de deux mètres. Une vérification auprès du service des immatriculations lui avait appris que le véhicule appartenait à un certain Abraham Lilienthal, président d'une fabrique de vêtements nommée Lily Fashions, qui avait pignon sur rue dans Burke Street, dans le bas de la ville.

Par téléphone, M. Lilienthal l'avait informé que sa voiture avait été volée dans la nuit du 23 mars, et qu'il n'en avait reçu aucune nouvelle depuis. Willis l'appelait-il pour lui apprendre qu'on l'avait retrouvée ? Non, avait répondu Willis. Puis il avait demandé à Lilienthal s'il se faisait souvent appeler Mickey.

— Mickey ? Vous vous moquez de moi, ou quoi ?

Un second appel, cette fois au service des véhicules volés, avait permis à Willis de découvrir que la Mercedes avait été dérobée devant un bar d'homosexuels du quartier, où Lilienthal, selon ses dires, s'était trouvé à l'étage en train de rendre visite à un ami aussi « régulier » qu'un diacre méthodiste. De toute manière, il était exact qu'elle n'avait pas été retrouvée. Selon l'avis de l'inspecteur des V.V., la voiture avait largement eu le temps d'être livrée à un garage spécialisé dans le démontage accéléré, et ses pièces détachées devaient déjà se trouver en vente dans plusieurs grandes villes des Etats-Unis.

Lorsque Willis lui avait dit qu'il l'avait vue le mardi précédent, entière et en parfait état de marche, l'inspecteur s'était contenté de ricaner :

— C'était mardi dernier, l'ami. Nous sommes aujourd'hui mercredi.

Willis avait quand même tenu à lui signaler que le conducteur, vraisemblablement prénommé Mickey, était un homme de haute stature portant une pelisse en peau de raton laveur.

— Fabuleux, avait répondu l'inspecteur d'un ton plutôt sec. On va vérifier nos archives et attendre qu'il gèle à nouveau pour qu'il la remette !

Sur ce il avait raccroché, mais Willis n'avait pas cessé de réfléchir. L'amie-alibi de Marilyn Hollis était en fait un voleur de voitures, ou tout au moins quelqu'un qui *connaissait* un voleur de voitures. Cela lui donnait envie de l'appeler sur-le-champ, non parce qu'elle le lui avait demandé, mais parce qu'il avait désormais de nouvelles questions à lui poser. Il s'apprêtait à le faire lorsqu'il était tombé par hasard sur l'articulet relatant la mort de Hollander.

Au lieu de composer le numéro de la jeune femme, il avait fait celui du 12e district.

L'inspecteur de première classe James Larkin était un homme trapu d'une cinquantaine d'années, aux cheveux roux commençant à tirer sur le gris, aux yeux bleus marqués par la fatigue. Il portait un étui à revolver sous l'aisselle, des pantalons bleus trop larges, des chaussures marron, une chemise aux manches relevées. Sa veste était posée sur le dossier de sa chaise. Il sembla soulagé par les nouvelles que lui apportait Willis.

— S'il est à vous, nous vous le cédons volontiers, dit-il dans l'appareil.

— Nous ne sommes pas encore certains que les deux affaires soient liées...

— Même si elles ne le sont pas, vous pouvez l'avoir quand vous voulez !

— A-t-il été empoisonné ? demanda Willis.

— Poignardé, rectifia Larkin.

— Quand ?

— D'après le médecin légiste, pendant la nuit de dimanche à lundi.

— La nuit de Pâques ?

— Exactement. Nous ne l'avons découvert qu'hier. Notre blague du 1er avril... Sa porte n'était pas fermée. Les agents ont découvert le corps dans le salon, entièrement vêtu, la gorge tranchée.

— Quel système de fermeture utilisait-il ?

— Le plus minable. N'importe qui aurait pu l'ouvrir.

— L'immeuble était sous surveillance ?

— Absolument pas. Qu'est-ce qui vous fait penser qu'il pourrait vous intéresser ?

— Il était l'ami intime d'une femme qui était elle-même l'amie intime de notre gars.

— Cette femme sait se servir d'un couteau ?

— Je n'en ai aucune idée.

— Alors, dites-moi ce que vous voulez, Willis. Je suis prêt à vous refiler l'enquête à tout instant, mais si c'est pour commencer une partie de ping-pong entre nous qui ne produira que des migraines supplémentaires dans les deux commissariats, je vous dis tout de suite que je ne suis pas partant.

— Où en êtes-vous exactement ?

— Je vous l'ai déjà dit. Nous avons eu le cadavre hier. La morgue nous a communiqué un rapport verbal, rien d'écrit pour l'instant. La cause du décès est une rupture de la carotide, provoquée par un instrument très tranchant.

— Il n'y avait pas d'empreintes dans l'appartement ?

— Seulement celles de la victime.

— Des signes d'effraction ?

— Comme je vous l'ai signalé, la serrure était une plaisanterie. Elle a peut-être été forcée, mais il n'y a jusqu'ici aucune preuve. La victime connaissait peut-être son assassin. Il est possible qu'elle lui ait elle-même ouvert la porte.

— Vous avez des indices montrant qu'elle l'a reçu ?

— De quel genre ?

— Je ne sais pas... Des verres ou des tasses sur une table à café... des cacahuètes dans une soucoupe... n'importe quoi.

— Vous cherchez des traces de rouge à lèvres, c'est ça ?

— Je cherche simplement quelque chose qui me donne l'impression d'être moins con.

— Est-ce que nous n'en sommes pas tous là ? demanda Larkin. Si vous voulez mon opinion, Hollander était en train de lire un livre en buvant un café quand le meurtrier est arrivé. Nous avons retrouvé la tasse sur une tablette près du canapé. Le livre était sur le sol.

— Comme si on l'avait brusquement laissé tomber ?

— Comme n'importe quel livre qu'on pose à côté de soi.

— Vous pensez que la victime a été surprise alors qu'elle était en train de lire ?

— Je ne pense strictement rien pour l'instant.

— Où se trouvait le corps ? Sur le canapé ?

— Au pied du canapé, en train de se décomposer à la vitesse grand V. Il faisait encore très froid le dimanche de Pâques. Le gérant avait réglé le chauffage au maximum. Puis la chaleur est arrivée. Je vous laisse imaginer le résultat...

— Vous avez interrogé les autres locataires ?

— Muets, aveugles et sourds, comme d'habitude, dit Larkin.

— Vous avez parlé à quelqu'un de son bureau ?

— Nous nous apprêtions à le faire aujourd'hui. Mais cela dépend de vous, Willis. Avez-vous fait votre choix ? Si vous êtes décidé à le prendre, je dois en informer immédiatement le lieutenant.

Willis poussa un soupir.

— Je crois qu'il est pour nous.

— Très bien.

— Pouvez-vous nous envoyer les rapports le plus rapidement possible ?

— Je vais les faire photocopier et les mettre dans la valise. Je crois qu'il y a un courrier qui passe autour de onze heures.

Ce même mercredi 2 avril, à onze heures dix du matin, Carella sonna à la porte de l'appartement 12A d'un immeuble de Front Street, dans le centre d'Isola. Il était attendu et la porte s'ouvrit presque aussitôt. L'homme qui se tenait devant lui était grand et bien bâti. Il avait un visage souriant, des yeux bleus intelligents derrière des lunettes à montures sombres, des cheveux châtains presque blonds et une moustache de la même couleur. Il portait une veste de sport à carreaux, des pantalons gris, une chemise bleue à col ouvert. Carella estima qu'il devait avoir tout juste dépassé la quarantaine.

— Docteur Ellsworth ? dit-il.

— Inspecteur Carella ? Donnez-vous la peine d'entrer.

Ellsworth introduisit son hôte dans un salon à l'ameublement disparate, où l'antique et le moderne voisinaient dans une entente qu'il paraissait difficile de trouver du meilleur goût. Une vieille armoire bretonne délicatement ouvragée occupait un des murs. Contre le mur opposé, une série de petits sofas de cuir évoquaient l'idée d'un canapé découpé en tranches individuelles. Une toile abstraite d'un rouge agressif était accrochée au-dessus des sofas. Un autre mur portait un tableau qui faisait songer à un Rembrandt, mais qui n'en était certainement pas un. Pour compléter le tout, il y avait aussi deux chaises de cuir noir à l'élégance austère et un splendide fauteuil de style victorien à dos droit, recouvert d'un riche brocart vert.

— Je suis désolé de vous avoir fait faire tout ce chemin pour me trouver, s'excusa Ellsworth. Le mercredi est mon jour de congé.

Carella pensa qu'il valait mieux ne pas choisir un mercredi pour avoir une rage de dents. Presque tous les dentistes de cette ville semblaient prendre leur congé ce jour-là.

— Il n'y a pas de mal, répondit-il. Votre numéro professionnel et votre numéro personnel étaient tous les deux dans l'annuaire.

— Quand même... — Ellsworth eut un nouveau geste d'excuse. — Puis-je vous offrir une tasse de café ?

— Non merci.

— Comme vous voudrez. Vous vouliez me voir au sujet de Jerry McKennon ?

— C'est exact.

— Que voulez-vous savoir exactement ?

— Selon son carnet de rendez-vous, vous l'avez reçu le 8 mars à onze heures du matin...

Ellsworth hocha la tête.

— ... vous l'avez revu ensuite le 15 à la même heure...

Nouveau signe d'approbation.

— ... enfin, il devait vous rendre visite samedi dernier, le 29, mais évidemment il ne s'est pas présenté.

Ellsworth poussa un long soupir.

— Non, dit-il en secouant tristement la tête.

— S'était-il présenté les autres fois ?

— Mon propre carnet de rendez-vous est à mon cabinet, mais si ma mémoire est exacte, oui.

— Avait-il l'habitude de respecter ses engagements ?

— Certainement.

— Depuis quand était-il un de vos patients ?

— Depuis janvier.

— Quelle sorte de personne était-ce ?

— Je ne le connaissais que sur un plan professionnel, naturellement.

— Naturellement.

— Mais je pense que c'était un bon vivant, un homme

amical et ouvert. Vous savez, la plupart des gens qui se rendent chez un dentiste ont l'impression d'aller à l'abattoir. Je crains que notre profession n'ait jamais joui d'une très bonne presse auprès du public. Quand le film *Marathon Man* est sorti, par exemple... Mais vous l'avez peut-être vu ?

— Non, dit Carella.

— Laurence Olivier y tenait le rôle d'un ex-nazi qui faisait des choses *épouvantables* aux dents de Dustin Hoffman pendant que celui-ci était immobilisé sur un fauteuil de dentiste. Après ça, j'ai bien cru que je n'aurais plus jamais de patients. Quelques années plus tard... Avez-vous vu *Positions compromettantes* ? Ou même lu le livre ?

— Je suis désolé.

— Il n'y a pas de quoi. C'était l'histoire d'un dentiste qui profitait de sa situation avantageuse pour séduire ses clientes — et qui finissait assassiné, évidemment. Vous ne pouvez pas imaginer le nombre de blagues douteuses que j'ai dû supporter depuis ! Même ma propre femme s'y était mise ! Est-ce que tu les *soignes* aussi, chéri ? Comment les fais-tu payer ? Vous voyez le genre. L'idée de base était que dès qu'un dentiste pouvait contraindre une femme à ouvrir la bouche... — Il secoua violemment la tête. — De toute manière, et il en a toujours été ainsi, peu de gens aimeraient fréquenter leur dentiste, ou en auraient même seulement l'idée. Avez-vous déjà pensé au vôtre de cette façon ?

— C'est-à-dire que...

— Bien sûr que non ! Nous sommes définitivement du mauvais côté, menteurs, arracheurs de dents et compagnie ! Alors qu'en réalité... Mais je suppose que vous n'êtes pas là pour entendre un sermon sur les vertus des chevaliers de la roulette. Ce que je voulais simplement dire, c'est que Jerry McKennon ne me donnait jamais l'impression que j'étais là pour le *torturer*. Il plaisantait sans cesse avec moi, et je lui dois certainement quelques-unes des meilleures blagues que je connaisse. Et pas des blagues de dentiste, notez bien !

— Il existe beaucoup de blagues de dentiste ? demanda Carella.

— Oh, *je vous en prie !*

L'inspecteur avait beau chercher, il ne parvenait pas à en imaginer une seule.

— Pour vous dire toute la vérité, poursuivit Ellsworth, il a été familier et amusant comme ça pendant un certain temps, jusqu'à tout récemment...

— Tout récemment ?

— Oui, je... — Ellsworth secoua la tête. — Il est possible qu'il ait été préoccupé par la nature des soins que je lui proposais. Certains d'entre eux ont des noms qui peuvent paraître barbares, et beaucoup de gens qui entendent parler de « dévitaliser » une dent s'imaginent aussitôt qu'il s'agit pour eux du début de la mort. Alors que c'est une opération très simple — une des plus couramment pratiquées dans notre métier. Nous tuons et enlevons le nerf, nettoyons et scellons le canal, puis nous couronnons la dent.

— C'est ce que vous aviez entrepris avec McKennon ?

— Oui. Quelles dates m'avez-vous données ? Je me souviens l'avoir vu plusieurs fois en février...

— Je ne connais que ses rendez-vous de mars.

— Mais l'un d'eux se situait au début du mois, c'est cela ?

— Le 8.

— Je pense que les dates coïncident, alors. En février, j'ai dû enlever le nerf et sceller le canal. Le 8 mars, je lui ai posé une couronne provisoire, et environ une semaine plus tard...

— Le 15.

— C'est ce que dit son carnet ? Allons donc pour le 15. Au cours de cette séance, j'ai pris l'empreinte de sa dent, pour pouvoir préparer la couronne définitive. J'ai aussi fixé sa couronne provisoire. Il fallait compter un délai d'environ quinze jours pour avoir la couronne définitive.

— D'où le rendez-vous du 29, suggéra Carella.

— C'est fort probable.

— Auquel il n'a pas pu se rendre...

Ellsworth secoua à nouveau la tête.

— Je vais vous avouer une chose, inspecteur. J'aurais dû m'en douter.

— De quoi ?

— De ce qui allait se produire. Les gens qui nous considèrent comme des charcutiers oublient que nous sommes aussi des *médecins*. Pour devenir dentiste, il faut d'abord avoir suivi le cursus médical de base. Anatomie, biochimie, bactériologie, histologie, pharmacologie, pathologie, etc. Quand un homme habituellement heureux de vivre se présente soudain à mon cabinet avec l'air d'un chien battu, je... j'aurais dû deviner qu'il souffrait de graves problèmes psychologiques.

— Il vous a paru très déprimé ?

— C'est un faible mot, inspecteur.

— Vous a-t-il dit pourquoi ?

— Non.

— Vous l'a-t-il laissé entendre ?

— Non.

— Même pas par une allusion ?

— Aucune.

— Dans ce cas, je suppose que vous n'avez pas dû être surpris, dit Carella.

— Par quoi ?

— Sa mort. Son empoisonnement.

— Vous voulez dire que je le croyais suicidaire ?

— Etait-ce le cas ?

— Pas le moins du monde ! Je n'ai pas pensé une seconde qu'il pouvait mettre fin à ses jours. Dans ce sens, oui, sa mort m'a *énormément* surpris. Je n'imaginais pas... — Il baissa brusquement la tête. — Et *vous* n'imaginez pas, inspecteur Carella, à quel point je me sens coupable aujourd'hui...

— Coupable ?

— Certainement. De ne pas avoir été plus attentif, d'avoir sous-estimé son angoisse, de ne pas avoir su prévoir son... son geste fatal. — Il eut un haussement d'épaules désabusé. — Nous avons tellement l'habitude de ne voir que ce qui saute aux yeux, nous ne savons plus reconnaître les signes les plus importants...

— C'est une évidence, approuva Carella en tournant les pages de son agenda. A-t-il jamais mentionné devant vous l'un des noms suivants ? Marilyn Hollis ?

— Non.

— Nelson Riley ?

— Non plus.

— Charles Endicott ? Chip ?

— Je suis désolé.

— Basil Hollander ?

— Je ne me souviens pas.

Carella referma son carnet.

— Docteur Ellsworth, dit-il, je vous remercie d'avoir accepté de me recevoir, surtout pendant un de vos jours de repos. — Il se leva, sortit son portefeuille et tendit une carte à son hôte. — Vous pouvez me joindre à ce numéro. S'il vous revient en mémoire la moindre chose que M. McKennon ait pu dire et qui vous paraisse avoir un rapport avec sa mort, je vous serais reconnaissant de me la faire connaître aussitôt.

— Je n'y manquerai pas, promit Ellsworth.

— Merci à nouveau. Si j'ai besoin un jour d'un bon dentiste...

— Ne choisissez pas Laurence Olivier, répliqua Ellsworth en souriant.

Le rapport du 12e district arriva par la sacoche un peu après une heure de l'après-midi. Il contenait essentiellement ce que Larkin avait raconté à Willis au téléphone, mais Willis y découvrit néanmoins un détail supplémentaire : l'heure précise à laquelle Hollander était rentré chez lui le soir du dimanche de Pâques. Un voisin avait témoigné l'avoir vu monter dans l'ascenseur à dix-neuf heures trente, et en descendre au quatrième étage, où se trouvait son appartement. En raison des brutales variations de température qui avaient marqué le week-end, et parce que le corps avait été retrouvé allongé sur une moquette qui absorbait la chaleur, le médecin légiste n'avait pu fixer l'heure de sa mort que dans une fourchette relativement lâche qui s'étendait de la fin de soirée du dimanche au début de matinée du lundi. Le seul fait évident était que Hollander était encore vivant à dix-neuf heures trente et rentrait très vraisemblablement chez lui. Où se trouvait Marilyn à ce moment-là ? Qu'avait-elle fait au cours des heures suivantes ?

Willis n'avait pas revu Carella depuis leur court briefing du début de la matinée. Celui-ci ignorait donc encore qu'ils avaient maintenant un deuxième cadavre sur les bras. C'était également le cas du lieutenant Byrnes. Prenant son courage à deux mains, Willis se rendit à son bureau pour annoncer la nouvelle.

— Tu es tombé sur la tête ou quoi ?

Les fenêtres du bureau étaient grandes ouvertes. Byrnes était assis en manches de chemise derrière une impressionnante pile de dossiers, ses cheveux gris fer coupés en brosse, ses yeux d'un bleu d'acier reflétant une stupéfaction sans bornes. Un instant, Willis crut qu'il allait bondir par-dessus les dossiers et le saisir à la gorge.

— Qu'est-ce qui t'a pris de faire une chose pareille ?

— Les deux affaires ont forcément un lien entre elles, expliqua calmement Willis.

— Et moi j'ai un lien avec un cousin au troisième degré quelque part en Pennsylvanie !

— Il ne s'agit pas d'un vague cousin, Pete. Il s'agit de deux morts qui avaient des relations étroites avec une même femme, Marilyn Hollis.

— Tu veux dire qu'elle les a tués ?

— Soyons sérieux, Pete. Il n'y aurait plus d'enquête si je pouvais le dire.

— Qu'est-ce que tu veux, alors ? J'ai sur ce bureau de quoi nous occuper jusqu'à Pâques de l'année prochaine !

— Qu'est-ce que tu veux, *toi ?* contre-attaqua Willis en se rendant compte avec un serrement de gorge qu'il s'adressait à son supérieur direct. Qu'on donne *notre* affaire à Larkin ?

— Qui est ce Larkin ? aboya Byrnes.

— Le gars du 12ᵉ. Tu veux qu'on lui refile le bébé ?

— Je veux que tu me demandes mon avis, la prochaine fois, avant de nous mettre sur le dos la moitié des homicides de cette ville !

— Tu as raison. J'aurais dû t'en parler avant.

— Heureux de te l'entendre dire ! Qui s'occupe du transfert des dossiers ?

— Larkin.

— Dieu merci. Imagine Miscolo...

— Il n'y a pas de danger. Le 12ᵉ prend tout en main.

— Tu es sûr que ce Larkin ne va pas tout bousiller ? Si le District central me tombe dessus...

— Ne te fais pas de souci pour lui, Pete. C'est un flic expérimenté. Il fera le nécessaire. Il est trop heureux de se débarrasser de l'enquête.

— Ce qui prouve au moins que c'est un flic intelligent ! grommela Byrnes pour conclure l'entretien.

Carella et Willis se retrouvèrent dans le snack miteux qui faisait le coin de la rue. Devant des cafés et des sandwiches, Willis expliqua la nouvelle situation à son coéquipier.

— Un couteau, hein ? demanda Carella.

— Ou un instrument tranchant.
— Mais pas de poison ?
— Pas la moindre trace.
Carella secoua la tête.
— Ça me dépasse, dit-il. Un gars se donne la peine de commettre un meurtre compliqué...
— Toi aussi, tu penses maintenant que c'est un meurtre ? l'interrompit Willis. Au début, nous pouvions avoir des doutes. Mais il y a désormais une seconde victime, qui appartenait également à la cour de Marilyn. Les deux affaires sont forcément liées !
— Je le crois aussi, admit Carella. Et c'est justement ce qui me chiffonne. Le meurtrier tue McKennon d'une manière sophistiquée, extrêmement intelligente, en s'arrangeant pour que nous nous dirigions peu à peu, faute de preuves, vers la thèse du suicide. Puis d'un seul coup, il change de tactique et égorge Hollander. Personne ne se suicide en s'égorgeant, Hal. Cette fois le meurtre est indubitable. Pourquoi ? Pourquoi, après avoir réalisé un crime presque parfait, un homme se sent-il obligé de commettre un meurtre de voyou, aussi visible que le nez au milieu du visage ?
— C'est ce que je ne comprends pas non plus, approuva Willis.
Les deux hommes demeurèrent un moment plongés dans leurs pensées, puis Carella demanda :
— Tu crois que la femme Hollis est derrière tout ça ?
— Ça n'a rien d'impossible. Mais si elle compte descendre tous ses amis l'un après l'autre...
— ... ou les faire descendre par un tueur...
— ... pourquoi nous a-t-elle donné une liste ? C'est la meilleure façon pour elle de se rendre suspecte...
— Ça saute aux yeux, acquiesça Carella.
Les deux inspecteurs observèrent un nouveau silence.
— Elle est au courant pour Hollander ? reprit Carella.
— Je ne lui en ai pas encore parlé.
— Nous ferions mieux d'aller l'interroger le plus rapidement possible.
— Je m'en charge, annonça Willis.
Carella le regarda d'un air intrigué.
— Seul, précisa le petit inspecteur.
Carella continuait de le fixer en silence.
— Elle veut que nous devenions amis, expliqua Willis en souriant.

6

Elle sanglotait dans l'appareil quand Willis l'appela.

— Je viens juste d'apprendre la nouvelle pour ce pauvre Baz, gémit-elle.

— Quand puis-je vous rendre visite ?

— Tout de suite.

La porte extérieure s'ouvrit à son premier coup de sonnette. Elle ne lui avait même pas demandé de se présenter. A peine fut-il dans l'entrée que la seconde porte s'ouvrit à son tour, comme si elle le reconnaissait. Il fit un pas dans le salon désert.

— Mademoiselle Hollis ?

Il se souvint alors qu'elle lui avait demandé de l'appeler Marilyn.

— Marilyn ? lança-t-il en se sentant totalement stupide.

Sa voix lui parvint de la cage d'escalier.

— Je suis en haut. Montez !

Il gravit un escalier luxueux, aux marches recouvertes d'un épais tapis, sa rampe de noyer polie par les ans glissant agréablement sous la main. Le premier étage était occupé par une salle à manger ornée d'un immense miroir, qui pouvait accueillir au moins douze personnes, une cuisine ultra-moderne équipée des derniers perfectionnements de la technique, et une pièce à la porte entrouverte, montrant une écritoire, une liseuse, un lampadaire et des rangées de livres, qui devait être un bureau ou une bibliothèque.

— Marilyn ? répéta-t-il.

— Je vous ai dit de monter !

Au second étage, il se retrouva dans une chambre immense, aux murs lambrissés de chêne comme toutes les autres pièces de la demeure. Un lit à baldaquin trônait au centre, en face d'un miroir en pied au cadre de cuivre ouvragé. Deux commodes étaient adossées aux murs. Des tapis de Perse recouvraient le parquet. Le mur faisant face à la rue arborait des rideaux de velours bleu roi. Un siège d'amour, de la même couleur que les rideaux, se dressait dans un coin.

Marilyn y était assise, vêtue d'un jean et d'une chemise d'homme aux manches retroussées. Elle avait les pieds nus. Pauvre petite fille en détresse. Ses yeux rouges et gonflés attestaient les sanglots que Willis avait entendus au téléphone.

— Je ne l'ai pas tué, dit-elle dès qu'elle l'aperçut.

— Qui vous accuse ?

Il réalisa qu'elle l'avait mis immédiatement sur la défensive. Le gros policier balourd, traînant maladroitement ses souliers à clous dans la douleur des autres.

— Pour quelle autre raison êtes-vous ici ? Je vous avais demandé de m'appeler. Vous ne l'avez pas fait. Et maintenant que ce pauvre Baz est mort...

— C'est une des raisons pour lesquelles je suis venu, reconnut-il.

— Il y en a une autre ?

— Je voulais peut-être vous revoir, hasarda-t-il en se demandant s'il n'était pas en train de se mentir à lui-même.

Elle releva la tête, à moins d'un mètre de lui sur sa couche. Ses yeux clairs fouillèrent les siens, comme s'ils traquaient la vérité, l'honnêteté au fond de son âme. Mais quelle était la vérité ? Où se trouvait l'honnêteté ? C'était elle qui l'avait exigée entre eux, après tout. Et elle qui l'avait trahie en présentant comme une amie une espèce de grizzly nommé Mickey...

— Commençons avec le pauvre Baz, d'accord ? proposa-t-il.

Il perçut aussitôt le sarcasme dans sa voix et se le reprocha. Il ne tirerait rien d'elle en la mettant délibérément sur la défensive.

— J'ai lu dans le journal qu'on lui avait tranché la gorge, dit-elle. C'est exact ?

Sa question était des plus habiles, si c'était elle qui avait commis le forfait.

— Oui.

Il avait répondu de la meilleure manière, qu'elle soit coupable ou non. Mais jouer au chat et à la souris avec elle ne lui procurait aucun plaisir. Il se demanda pourquoi.

— Avec un couteau ?

Une autre question intelligente. Le médecin légiste n'avait parlé que d'un « instrument tranchant ». Ce qui pouvait signifier un couteau, bien sûr, mais aussi n'importe quel objet capable de couper de la chair et des tendons. A l'inverse des policiers et autres spécialistes, la plupart des gens pensaient instinctivement qu'on ne pouvait égorger quelqu'un qu'avec un couteau. Alors pourquoi avait-elle demandé quelle était la nature de l'arme ? Parce qu'elle s'en était servie elle-même ? Parce qu'elle savait qu'il ne s'agissait pas d'un couteau ?

A menteur, menteur et demi.

— Oui, dit-il sans hésiter, avec un couteau.

Il observa ses yeux. Ils ne lui dirent rien. Elle hocha la tête et demeura silencieuse.

— Où étiez-vous dans la soirée de dimanche à lundi ? demanda-t-il.

— Et on remet ça ! soupira-t-elle.

— Je suis désolé. Il faut que je le sache.

— J'étais avec Chip.

— Endicott ?

— Oui.

— De quelle heure à quelle heure ?

— Vous pensez *vraiment* que j'ai tué Baz, hein ?

— Je suis un flic. Je fais seulement mon boulot.

— Je croyais que vous et moi... Vous avez dit que vous êtes venu jusqu'ici parce que vous souhaitiez me revoir.

— J'ai dit que c'était une de mes raisons.

Elle poussa un nouveau soupir.

— D'accord. Allons-y pour le troisième degré. Chip est venu me prendre ici à sept heures.

— Où étiez-vous à sept heures et demie ?

— En train de manger avec lui.

— Où ?

— Dans un grill nommé *Fat City.*

— A quel endroit ?

— Au coin de King et de Melbourne.

Il réfléchit rapidement. Tout en haut de la ville. Probablement dans le secteur du 86e. Une assez belle trotte pour rejoindre le 12e.

— A quelle heure avez-vous quitté le grill ?
— Aux environs de neuf heures.
— Pour aller où ?
— Chez Chip.
— Vous en êtes repartie à quelle heure ?
— Vers huit heures le lundi matin.
— Vous avez donc passé la nuit avec M. Endicott ?
— C'est exact.

Il se tut un instant, digérant l'information comme une autre. Comme n'importe quelle autre.

— Je pense qu'il confirmera vos déclarations.
— J'en suis absolument certaine.

Il n'en doutait pas non plus. Hollander était mort pendant que Marilyn et un autre de ses « amis » partageaient le même lit — et conséquemment le même alibi. C'était du moins ce qu'ils diraient tous les deux. Mais il n'en demeurait pas moins possible que l'un ou l'autre ait pu s'éclipser pendant la nuit pour aller régler son compte au pauvre Baz.

— Y a-t-il un gardien à l'entrée de l'immeuble d'Endicott ? demanda-t-il.
— Oui.
— Il vous a vus rentrer le dimanche soir ?
— Probablement.
— Et le lundi matin ?
— Il n'était plus de service.
— C'est donc un autre portier qui vous a vus sortir ?
— Oui. Nous lui avons demandé d'appeler deux taxis.
— Deux ?
— Chip devait se rendre directement à son travail. Moi, je revenais ici.
— Il faudra que j'interroge ces deux hommes, vous vous en rendez compte ?
— Je l'espère bien. Vous faites votre travail de flic, après tout.
— Comment s'appelle votre père ? lança-t-il brusquement.
— Je vous demande pardon ?
— Quel nom porte-t-il ? Jesse Hollis ? Joshua ? Jason ?
— Jesse. Jesse Stewart. C'est mon beau-père, en réalité. Pourquoi voulez-vous le savoir ? Vous pensez que c'est *lui* qui a tué Baz ?
— Quelqu'un l'a fait, dit sèchement Willis. Où habite-t-il ?
— Houston. Vous avez fini avec le troisième degré ?
— Ce n'est pas du troisième degré. Seulement...

— ... un flic qui fait son boulot. Vous me l'avez déjà dit.
— Exactement. Et je n'ai pas encore tout à fait terminé.
— Dans ce cas dépêchez-vous, que nous puissions prendre un verre après. — Il lui lança un regard incertain. — Ça vous étonne que je vous préfère dans un autre rôle ?

Il haussa les épaules.
— Qui est Mickey ?
— Mickey ? Vous avez bonne mémoire, dites donc ! Mickey est une de mes amies.
— Quel est son nom de famille ?
— Terrill.
— Elle porte un manteau de fourrure et pèse plus de cent kilos, c'est ça ?

Marilyn ouvrit des yeux stupéfaits.
— Elle conduit aussi une Mercedes Benz volée. C'est toujours elle ?

Marilyn sourit.
— Et moi qui croyais que les policiers passaient leur temps à se tourner les pouces !
— Pourquoi m'avez-vous menti ?
— Parce que je ne tenais pas à ajouter inutilement un autre nom à votre liste de suspects, dont je continue d'ailleurs à tenir la tête, si je comprends bien.
— Parlez-moi de lui.
— Pour vous dire quoi ?
— C'est un voleur de voitures ?
— Je n'en ai pas la moindre idée.
— Comment ça, vous n'en avez pas la moindre idée ? Vous l'avez reçu chez vous comme un...
— C'était la première fois que je le voyais. Et aussi la dernière. Ecoutez, ça vous gênerait beaucoup si je nous préparais quelque chose à boire ? J'ai vraiment besoin d'un remontant. Que vous le croyiez ou non, la mort de Baz m'a bouleversée...
— Servez-vous, dit-il froidement.

Elle se leva et alla ouvrir les portes d'une des commodes. L'intérieur était occupé par un bar abondamment garni, une rangée de verres et un petit réfrigérateur.
— Vous prenez un scotch ? demanda-t-elle.
— Pas à trois heures de l'après-midi.
— Service-service, hein ? A quelle heure terminez-vous aujourd'hui ? Je pourrais mettre le réveil...

— A quatre heures. En réalité, je suis libre à partir de quatre heures moins le quart.

— Faites une exception, pour une fois.

— Non. Je vous remercie.

Elle haussa les épaules, fit tomber trois glaçons dans un verre et se versa une large ration de gin.

— Aux jours dorés et aux nuits écarlates ! lança-t-elle en avalant d'un trait une impressionnante rasade.

— Parlez-moi de Mickey, insista Willis.

Elle vint s'asseoir au bord du lit, les genoux serrés.

— Il était de passage en ville pour quelques jours. Mon amie Didi lui a donné mes coordonnées. Point final.

— Avez-vous pour habitude de sortir avec des gens que vous n'avez jamais vus ? Qui pourraient être n'importe quoi, des voleurs de voitures par exemple ?

— J'ignorais totalement ce détail — pour autant qu'il soit vrai, d'ailleurs. Et je ne suis pas *sortie* avec lui. Nous avons seulement...

— Vous étiez habillée pour sortir. Votre ensemble bleu...

— Vous l'avez remarqué ? sourit-elle en sirotant une gorgée de gin. Comment savez-vous que ce n'était pas pour *vous* que je l'avais mis ?

— Je parle sérieusement, dit Willis.

— Moi aussi. Vous n'avez pas une très bonne opinion de vous-même, n'est-ce pas ?

— Si. En fait, je suis un homme à femmes, au cas où vous ne l'auriez pas deviné. Mais nous reprendrons la psychothérapie un autre jour, d'accord ? Si vous n'êtes pas *sortie* avec cet orang-outan...

— Nous avons pris quelques verres ensemble, puis je l'ai renvoyé dans sa forêt natale. Pourquoi vous met-il en colère à ce point ?

— Les voleurs me mettent toujours en colère. Mais il n'y a pas que ça. Vous m'aviez dit que vous alliez dîner avec une amie...

Marilyn baissa le nez sur son verre et en profita pour boire une nouvelle gorgée.

— C'est vrai. Je vous ai menti.

— Pourquoi ?

— Parce que si je vous avais dit que Mickey était un homme, vous m'auriez posé les mêmes questions que maintenant, vous m'auriez prise pour ce que je ne suis pas et vous vous seriez mis en colère. Exactement comme maintenant.

— Je ne suis *pas* en colère ! protesta violemment Willis.

— Vraiment ? Vous devez avoir un autre mot dans la police pour exprimer ça...

Il la fixa en silence pendant quelques secondes.

— On vous a déjà dit que vous étiez une emmerdeuse de première classe ?

— Merci du compliment. — Elle leva son verre pour le saluer. — Savez-vous qu'il est presque quatre heures ?

Il jeta un bref regard à sa montre.

— Vous voulez ce scotch, oui ou non ?

— Non.

— Peut-être préférez-vous m'embrasser ?

Il la regarda sans mot dire. Son cœur cognait lourdement dans sa poitrine.

— Si c'est ce que vous souhaitez, vous devez le dire.

— C'est... ce que je souhaite.

— Alors faites-le.

Il vint s'asseoir à côté d'elle sur le lit. Avant de se jeter dans ses bras, elle murmura :

— Je ne les ai pas tués, je vous le jure.

Leurs lèvres se joignirent, se collèrent. Leurs langues se cherchèrent avidement. Après un long moment, il libéra sa bouche et se recula légèrement pour mieux la contempler.

Ses yeux bleus, éclairés par la lumière diffuse de la lampe, avaient un éclat inhabituel. Sans un mot, elle déboutonna sa chemise, révélant ses seins nus, de la couleur du lait, aux larges mamelons dressés. Il la caressa et l'embrassa à nouveau. Elle ouvrit la fermeture Eclair de son jean et le fit glisser à ses pieds. Il porta une main à sa culotte et referma sa paume sur son sexe. Elle lui répondit par un soupir entre ses dents serrées, aigu comme le sifflement d'un serpent, soulevant les fesses lorsqu'il tira sur sa culotte, puis tendit la main à son tour et libéra son sexe dressé, les yeux pudiquement détournés comme une novice faisant ses premières classes.

La pendule posée sur une des commodes faisait entendre un tic-tac régulier, obsédant dans le silence de la chambre, comme pour les presser de s'accoupler, de prendre sans tarder un rythme en accord avec celui de la vie extérieure. Lorsque leurs corps se pénétrèrent enfin, faisant gémir sous eux les ressorts du vieux lit, Willis trouva aussitôt une cadence effrénée, plus rapide que celle de l'horloge, plus rapide même que celle de son propre cœur, qui arracha bientôt des grognements et des gémissements à la jeune femme, puis un long cri inarticulé, interminable, effrayant et primitif comme les hurlements de deuil des pleureuses.

Ils étaient tous les deux dans une situation absurde, enchevêtrés et suants, haletant et se murmurant des mots d'amour alors qu'ils ignoraient pratiquement tout l'un de l'autre. Willis ne l'oubliait pas, essayait désespérément de se souvenir du ridicule secret qui les opposait, de la ridicule barrière qui les séparait, mais chaque soubresaut animal qu'ils partageaient éloignait de plus en plus de sa mémoire la conscience de ce qu'il était — un inspecteur de police chargé d'enquêter sur un double meurtre.

— Viens ! hurla-t-elle. Viens, oh viens !

Secrets.

Plus tard, elle lui parla de son père, de son *vrai* père, l'homme aux jours dorés et aux nuits écarlates. C'était un alcoolique au dernier degré, qui battait sa mère comme plâtre quand il était soûl. Un soir, il avait essayé de traiter Marilyn de la même manière. Il avait fait irruption dans sa chambre au moment où elle enfilait sa chemise de nuit, une ceinture de cuir à la main. Il l'avait poursuivie dans la maison pendant toute la nuit, en débitant des flots d'injures incompréhensibles. Le lendemain, elle était partie.

— Je me suis rendue à l'arrêt d'autobus de Coolidge Avenue, à Majesta, dans mon uniforme d'élève de Saint-Ignatius, une jupe écossaise et un blouson bleu avec les armes de l'école sur la poitrine. — Elle toucha son sein droit. — C'était un beau jour de mai, environ trois mois avant mon seizième anniversaire. J'ai pris un billet pour la Californie, mais je crois que je serais allée n'importe où pour fuir ce fumier.

Willis buvait littéralement ses paroles, se sentant encore plus proche d'elle que lorsqu'ils avaient fait l'amour ensemble. Aucune femme ne lui avait jamais parlé ainsi. Il la serrait dans ses bras et l'écoutait avidement, anxieux de ne laisser échapper aucun de ses mots.

— Je me suis donc retrouvée en Californie, simplement heureuse de ne plus avoir à craindre ses accès de fureur. Mais je n'ai pas vraiment gagné au change, en réalité. L'homme qui m'a prise en main était un garçon de plage qui pratiquait l'haltérophilie comme une véritable religion. Il était musclé et poilu comme un singe, et littéralement couvert de tatouages. Les hommes tatoués appartiennent à la pire espèce. La plupart des voleurs à main armée portent des tatouages, tu le savais ?

— Oui, dit Willis.

— Evidemment. J'oublie que tu es un flic. Celui-là n'était pas du tout un bandit de grand chemin, mais il me battait quand même tous les soirs, exactement comme l'aurait fait mon père si j'étais restée à Majesta. C'est quelque chose, non, de fuir un fou furieux pour aller se réfugier dans le lit d'un autre ? Il me racontait qu'il n'était qu'un gringalet avant d'avoir commencé à soulever ses haltères, qu'il commençait seulement à se sentir un homme, et qu'il avait besoin de moi pour son entraînement. J'ai accepté ça jusqu'au soir où j'ai senti qu'il risquait d'aller trop loin, de m'envoyer pour de bon à l'hôpital. J'ai paniqué et j'ai appelé la police. Les flics de là-bas sont très polis, pas comme ceux d'ici — hoops ! excuse-moi. Ils portent leur main à leur casquette et ils demandent : « Oui, mademoiselle, quel est votre problème, mademoiselle ? » Je suis là avec mon œil au beurre noir et ma lèvre fendue, Mister America fait des pompes dans la pièce à côté, et ils veulent savoir si je désire porter plainte. Je leur réponds d'aller se faire voir. Qu'est-ce que j'y aurais gagné, hein ? Mais la première fois où il a osé à nouveau lever la main sur moi, je lui ai ouvert le front avec une bouteille de vin en lui disant qu'*il* pouvait appeler les flics s'il voulait. Ça l'a définitivement calmé. Il ne m'a plus jamais touchée, mais on s'est séparés peu de temps après. Certains gars ne peuvent pas vivre sans un punching-ball à la maison. Ils aiment battre les femmes, je suppose, mais ne me demande pas pourquoi. Tu n'es pas comme ça, toi ?

— Certainement pas, l'assura Willis.

— Je ne le pensais pas, note bien. Après avoir quitté ce singe, j'ai traînassé pendant presque un an au soleil jusqu'à ce que ma mère me retrouve, un peu avant mon dix-septième anniversaire. Elle m'a appris alors qu'elle avait épousé ce magnat du pétrole du Texas, Jesse, mon beau-père, et je suis allée vivre avec eux à Houston. C'est une fin étonnante pour une histoire aussi triste, non ?

L'après-midi s'achevait en douceur, préparant imperceptiblement l'arrivée de la nuit. Parce qu'elle avait été totalement honnête avec lui, parce qu'elle lui avait livré sans réserves son corps et son âme, il eut alors envie de lui raconter ce qu'il avait réellement éprouvé des années auparavant, lorsqu'il avait abattu le jeune voleur de douze ans. Mais son esprit à elle était ailleurs maintenant, là où se trouvait sa main, et ne s'intéressait qu'à ce qu'elle sentait croître au creux de sa paume.

Elle le caressa patiemment, sans cesser de lui parler — « Je te veux énorme ! » — jusqu'à ce qu'il se retourne d'un brusque coup de reins et s'enfonce à nouveau en elle, lui arrachant une longue série de cris d'extase qui firent frémir toutes les boiseries de la vieille demeure.

Alors seulement elle l'écouta.

Leur secret une nouvelle fois affirmé, leurs corps baignés de transpiration, les bruits nocturnes lointains de la ville résonnant à leurs oreilles, ils rabattirent la couverture sur eux, elle se blottit dans ses bras, elle l'écouta murmurer, d'une voix étranglée, l'autre récit, le vrai récit de cet après-midi terrible de sa jeunesse... Le gérant de la boutique et les deux femmes gisant dans des mares de sang, le .357 brandi par le jeune garçon, son regard aveugle, comme pétrifié...

— Je lui ai crié de lâcher son arme, mais il continuait d'avancer. J'ai tiré deux fois, dans la poitrine, et il avançait toujours, alors je lui ai logé une troisième balle dans la tête, entre les deux yeux. Je crois qu'il était déjà mort, que ses mouvements n'étaient plus que des réflexes, comme ceux d'un homme à qui on vient de couper le cou. La troisième balle était inutile. Je suis certain qu'une des deux premières l'avait touché en plein cœur.

Il se tut un moment.

— Sa tête a éclaté. J'étais couvert de débris de cervelle.

Il y eut un long silence. Il l'entendait respirer lourdement à côté de lui.

— C'est une chose horrible, dit-elle finalement. Mais il ne faut pas qu'elle te détruise de cette manière. Tu faisais seulement ton travail. Ce garçon avait déjà commis trois meurtres...

— Oui, mais...

— Il t'aurait tué aussi si tu l'avais laissé faire. Tu n'avais pas le choix.

— Tu ne comprends pas, insista-t-il.

— Bien sûr que je comprends ! Tu...

— J'y ai pris du *plaisir*, dit-il.

Elle se tut à nouveau. Il se demandait avec angoisse ce qu'elle pensait, mais au bout d'un moment elle murmura simplement :

— Ne te tracasse pas pour ça.

Puis elle sombra dans le sommeil, les jambes nouées autour de sa taille, un bras posé sur sa poitrine. Il mit très longtemps à s'endormir, obsédé par ce qu'il venait de lui révéler : *j'y ai pris du plaisir.*

Ils se réveillèrent à onze heures du matin. Elle bâilla et lui murmura à l'oreille :

— Comment va mon tueur, aujourd'hui ?

Elle s'étira, se redressa, jeta un coup d'œil rapide à l'horloge, puis bondit soudain hors du lit.

— Mon Dieu ! dit-elle en se ruant vers la porte de la salle de bains. J'ai un rendez-vous avec mon dentiste à midi ! On aurait dû penser à mettre le réveil ! Tu veux bien t'occuper du café ?

Pendant qu'elle disparaissait dans le cabinet de toilette, il descendit jusqu'à la cuisine, sortit une bouteille de jus d'orange du réfrigérateur et mit la cafetière à chauffer sur le gaz. Elle le rejoignit dix minutes plus tard, vêtue d'une chemise blanche, d'un ensemble bleu accordé à ses yeux qui faisait songer à un costume de dessinatrice et de chaussures de marche à talons plats. En s'asseyant en face de lui, elle lui demanda :

— Tu te souviens de ce que tu m'as dit la nuit dernière ? Donne-moi un peu de café, s'il te plaît. Au sujet du plaisir que tu avais pris à le tuer ?

Il alla chercher la cafetière et commença à remplir sa tasse. Leurs regards se croisèrent.

— A ta place, je ne me bilerais pas trop pour ça. J'ai fait beaucoup de choses dans ma vie, certaines étaient vraiment exécrables, et j'ai dû admettre plus tard que je les avais *aimées.* N'oublie pas non plus que nous sommes ici, dans cette ville. Tu es un flic, tu sais très bien ce que je veux dire. Elle nous oblige souvent à commettre des actes qui nous déplaisent, rien que pour survivre. Si nous nous laissons envahir ensuite par le remords, nous sommes foutus. Si nous parvenons à les oublier, alors seulement nous survivons. Quelle heure est-il ?

— Un peu plus de la demie.

— Je crois que ça ira. Le problème, c'est qu'il pique carrément un infarctus chaque fois qu'un patient est en retard, même d'une minute. Ce que je veux dire, c'est que nous pouvons laisser cette ville nous empoisonner, mais uniquement parce que nous le voulons bien, Hal.

Elle vida sa tasse, ouvrit son sac à main, en sortit un petit miroir et un bâton de rouge à lèvres.

Secrets.

Mystères.

Il la regarda presser ses lèvres sur une serviette pour répartir également le maquillage. Il vit l'empreinte de sa bouche sur le papier blanc qu'elle froissa aussitôt pour le jeter dans la corbeille placée sous l'évier. Dents de lait, dents de loup.

— Au moins, je n'ai pas *totalement* l'air d'une épave, dit-elle en souriant.

— Tu es splendide.

— Gentil menteur, murmura-t-elle en lui caressant le visage au passage. Je dois vraiment filer, maintenant.

— Tu rentres quand ? demanda-t-il. Je suis libre jusqu'à seize heures.

— J'aimerais l'être aussi, chaton. Mais je vais être occupée toute la journée. Garde-le en réserve jusqu'à demain, d'accord ?

— Je le tiendrai au chaud, promit-il.

— Mmmm, fit-elle d'une voix gourmande en le fixant un instant en dessous de la taille.

Elle l'embrassa sur la joue, passa tendrement sa main sur son sexe gonflé, puis s'écarta de lui à contrecœur.

— Demain matin ? Dix heures ?

— A la seconde près, répondit-il.

— J'y compte bien.

Elle se dirigea vers la porte de la cuisine, mais se retourna à nouveau vers lui.

— Tu restes ici aussi longtemps que tu veux. Je vais brancher le répondeur, comme ça tu n'auras pas à t'occuper du téléphone. Lorsque tu partiras, n'oublie pas de repousser les *deux* portes derrière toi. Elles se bloquent automatiquement.

— Je ne serai pas long, dit-il. Juste le temps de prendre une douche et...

— Tu fais comme chez toi, c'est compris ?

Elle lui lança un regard passionné, revint brusquement

vers lui et l'embrassa avec fougue, le barbouillant de rouge à lèvres.

— Mmmm, murmura-t-elle en s'écartant. Ça va être chouette, nous deux, tu ne crois pas ?

Il l'entendit descendre l'escalier, brancher le répondeur téléphonique dans le salon, puis la porte intérieure claqua derrière elle.

Il regagna l'étage supérieur, prit une douche et s'habilla.

Il quitta l'appartement un peu après midi.

Il n'était pas attendu à son travail avant quatre heures moins le quart, mais il se dirigea sans hésiter vers le commissariat.

7

L'emploi du temps des inspecteurs du 87e district était copié sur celui des agents en uniforme — trois équipes se relayant pour assurer vingt-quatre heures de présence — mais on pouvait considérer que la ressemblance s'arrêtait là. Cette grille horaire impérative, mise en place par le nouveau chef des inspecteurs, était plus respectée dans la forme que dans les faits. La plupart du temps, les inspecteurs qui travaillaient sur une enquête décidaient de leurs propres heures de travail et personne n'y trouvait rien à redire.

Officiellement, néanmoins, le service de jour s'étendait de huit heures du matin à quatre heures de l'après-midi. Ensuite commençait le service du soir, qui durait jusqu'à minuit. Le service de nuit, surnommé le service des morts, allait de minuit jusqu'à huit heures du matin. En règle générale, les inspecteurs s'arrangeaient pour rester dans chaque service pendant une semaine, de manière à préserver, faute de mieux, des habitudes de sommeil qui revenaient régulièrement tous les vingt et un jours.

L'équipe du matin se trouvait un peu plus qu'à mi-parcours quand Willis arriva au commissariat à une heure moins le quart. Kling et Brown, assis autour du bureau de Kling, dévoraient des sandwiches et buvaient du café lorsqu'il poussa le portillon de bois qui séparait le couloir de la salle de permanence. Brown releva la tête et lui lança un regard surpris.

— Tiens, tiens ! dit-il. On vise la place du grand chef ?

Willis l'ignora. Il avait appris au fil des années qu'essayer de répondre à toutes les plaisanteries qui fusaient jour et nuit entre les quatre murs de la pièce était le moyen le plus sûr d'arriver à une retraite anticipée, payée par l'Etat, dans un des asiles de la police.

— Trois heures d'avance, commenta Kling. C'est ce qu'on appelle du dévouement.

Willis poussa un soupir.

— Il y a trois sortes de flics, reprit Brown, et Willis comprit qu'il allait avoir droit à une des improvisations comiques traditionnelles des deux hommes. Le plus courant est le flic dégoûté...

— Un accident qui se produit en général quatre minutes après le début de son premier boulot, enchaîna Kling.

— Celui-là essaye d'en faire le moins possible, et se fatigue en réalité au moins autant qu'un autre à essayer de cacher au lieutenant qu'il n'en branle pas une rame...

Brown et Kling formaient un couple inséparable, et pas seulement lorsqu'ils se moquaient de leurs collègues, mais Willis les préférait quand même dans ce rôle-là. Le grand méchant Leroy Brown (qui se prénommait en réalité Arthur et que les autres inspecteurs appelaient Artie) était un Noir à la peau très sombre, solide comme une porte blindée. Grand et mince, son coéquipier Bert Kling avait des cheveux blonds comme les blés, de grands yeux innocents et l'air de sortir tout droit d'une ferme de l'Indiana (même si la plupart de ceux qui avaient affaire à lui ignoraient jusqu'à l'existence d'un Etat portant ce nom). Lorsqu'ils devaient obtenir les aveux d'un petit voleur coincé par malchance, le scénario qu'ils appliquaient, non sans succès, était toujours le même. Kling écoutait d'un air faussement convaincu les doléances du coupable et déclarait d'une voix brisée par l'émotion : « Ecoute, Artie, je crois que cette fois on est vraiment tombés sur un innocent. » Brown prenait alors son air le plus féroce, il n'avait aucun mal à y parvenir, et lâchait d'un ton vibrant de fureur contenue : « Tu es trop tendre avec eux, Bert. Laisse-le-moi seulement cinq minutes, et je te jure qu'il va cracher le morceau ! » Le résultat de cet échange classique était inévitable : dans les secondes qui suivaient, le suspect était dans les bras de Kling, demandant le pardon de ses fautes et cherchant à lui faire plaisir en avouant le meurtre d'une vieille tante célibataire commis douze ans auparavant...

— Le second type de flic est celui qui se réfugie derrière le règlement.

— Toujours prêt à servir...

— A condition que ce soit écrit dans le manuel...
— Il tape tous ses rapports en trois exemplaires...
— Il se rend au tribunal trois fois par semaine sans protester...
— Il accepte de travailler les jours fériés...
— Il protège la veuve si le règlement l'y autorise...
— Il défend l'innocent si son chef le lui permet...
— Mais il ne travaille pas une minute de plus que l'exigent ses heures de service. — Brown eut un sourire carnassier. — Ce qui nous amène au troisième type de poulet. Un homme comme Willis...
— En service vingt-quatre heures sur vingt-quatre...
— Qui dort avec son pétard...
— « Ce n'est pas moi qui suis glacé, *mi querida,* c'est mon arme de service... »
— Qui s'occupe des casses ou des agressions quand il est de repos...
— Qui n'appelle jamais au secours...
— Qui limite son horizon à sa prochaine promotion.
— Qui prend son tour de garde avec trois heures d'avance...
— Le flic qui a l'ambition dans le sang...
— Pour la première fois en Amérique...
— En direct et sans micros...
— L'inspecteur de troisième classe...
— Bientôt de deuxième classe...
— Harold O. Willis.
— Saluez s'il vous plaît, Oliver, dit Brown. La foule est en extase.

Willis se demandait comment Brown avait acquis son second prénom. Il frappa deux fois dans ses mains, avec une lenteur et une application délibérées, puis s'approcha du bureau de Kling et laissa tomber une pièce de vingt-cinq cents dans son assiette en carton.
— Bien joué, les gars, dit-il. Merci pour le spectacle.
— Un client généreux, en plus, ricana Brown en empochant néanmoins la piécette.
— Steve a laissé une note pour toi, annonça Kling.
— Puisque la relève est arrivée, moi, je me tire, déclara Brown en repoussant sa chaise.
— Il n'y a pas de relève dans le coin, répliqua Willis. Tu restes où tu es.

Il alla à son bureau et prit la note de Carella.

L'inspecteur le prévenait qu'il allait recevoir un appel de la *Food and Drug Administration*, qu'il avait contactée la veille (pendant que Willis s'envoyait en l'air avec Marilyn) pour savoir si la nicotine était utilisée dans des produits commerciaux en vente libre. Il l'informait également qu'il ne serait pas au commissariat à seize heures, parce qu'il avait l'intention d'aller interroger personnellement les voisins de Basil Hollander, malgré le fait que Larkin, du 12e, ait déjà envoyé des rapports négatifs sur leurs témoignages. *Puisque l'affaire est désormais notre bébé*, écrivait-il, *je tiens à m'assurer qu'il n'a rien laissé passer d'important.*

Willis se demanda dans quelle catégorie de flics Brown et Kling auraient rangé Carella.

Il s'interrogea également sur la sincérité (« l'honnêteté », aurait dit la jeune femme) de ce qui s'était passé entre Marilyn et lui depuis l'après-midi de la veille, ses vieux réflexes de policier aguerri lui interdisant d'éliminer totalement l'hypothèse qu'elle l'avait accueilli dans son lit et lui avait joué la grande scène uniquement pour étouffer ses doutes et le détourner de son enquête.

Il lui avait déclaré dans un moment de colère qu'il était un véritable séducteur, mais il ne s'était jamais fait beaucoup d'illusions sur lui-même à ce sujet. Ses succès féminins — il en avait eu — avaient souvent été compromis par le fait qu'il était inévitablement attiré par des femmes beaucoup plus grandes que lui, et la plupart de ses aventures s'étaient achevées sur une scène du genre « Pourquoi-n'as-tu-pas-amené-ton-escabeau-avec-toi ? » Il se considérait comme un homme d'apparence moyenne obligé de vivre dans un monde apparemment de plus en plus peuplé d'individus resplendissants. Il savait qu'il était petit. Il savait aussi que les personnes de petite taille étaient censées avoir mauvais caractère, se sentir trahies par la nature qui avait fait d'elles des nains au milieu d'une nation de géants. Il aurait été plus heureux au Japon, ou en Inde, mais il vivait en Amérique, où un chauffeur de taxi ordinaire avait généralement la carrure d'un champion de base-ball. Génération après génération, grâce à une nourriture et des médicaments appropriés, les habitants des Etats-Unis devenaient de plus en plus grands, de plus en plus forts. Sauf ceux qui avaient la malchance de naître dans les ghettos.

Une des premières conséquences du drame qu'il avait vécu de longues années auparavant — Il n'aurait jamais dû le lui raconter ! Pourquoi s'était-il ouvert à elle de cette manière ? — avait été l'apparition chez lui d'une véritable phobie des armes à feu. Presque aussitôt après la mort du jeune Noir, il s'était inscrit dans une école de judo, et avait approfondi ensuite son entraînement en suivant régulièrement les cours de karaté de l'Ecole de police. Il était rapidement devenu capable de maîtriser ou de neutraliser un adversaire en se servant uniquement de sa force physique. Ce pouvoir secret, plus insoupçonnable encore en raison de sa petite taille, lui procurait en réalité un immense plaisir. Tu crois t'en sortir en balançant du sable dans les yeux du petit flic ? D'accord, l'ami, qu'est-ce que ça te fait d'avoir un bras cassé et les couilles en gelée de groseille ? Tu veux me braquer ou me saigner ? On y va ! L'index et le majeur tendus, pointés, plantés avec force entre la lèvre supérieure et le nez du malfrat, et adieu le bonhomme, les fragments d'os projetés par le choc pénétrant son cerveau comme autant d'échardes mortelles. Et tout ça sans utiliser le moindre projectile, ni la moindre saloperie d'arme de poing ou de fusil à pompe.

Il avait confié à Marilyn, pendant les courtes heures qu'ils avaient passées ensemble, plus de choses sur lui-même qu'il n'en avait jamais révélé à aucune femme. C'était une qualité qu'il ne pouvait lui dénier. Une ouverture — sans mauvais jeu de mots — qui appelait une ouverture identique en retour. Et pourtant, il ne parvenait pas à dissiper sa méfiance. Une femme intelligente, riche et belle, tombant brusquement amoureuse du plus vilain petit chaton de la portée ? Pourquoi ? Qu'avait-il de séduisant ? En quoi pouvait-il lui plaire ? Il n'était après tout que Harold Oliver Harris — même son nom semblait approprié à sa petite taille —, un inspecteur de troisième classe expérimenté, qui se débrouillait relativement bien avec les voleurs et les escrocs de toutes sortes, mais dont le champ de manœuvre n'était habituellement pas le lit des dames, et qui pouvait fort bien s'être fait entortiller comme un bleu par une jeune personne qui perdait actuellement ses amis avec une facilité déconcertante. Elle en avait eu — ou reconnu — quatre un mois auparavant. Deux étaient déjà dans la tombe. Le même sort attendait-il les deux survivants ? Etait-il désormais le cinquième de la liste, promis à un destin identique pour avoir apprécié comme les autres l'hospitalité et la profonde honnêteté de Marilyn Hollis ?

L'hospitalité ne faisait pas de doute. Mais l'honnêteté ?

Elle lui avait dit que son beau-père s'appelait Jesse Stewart.

Que c'était un magnat du pétrole vivant à Houston, dans le Texas.

Au risque d'encourir la colère du lieutenant pour avoir pris l'initiative d'un appel interurbain probablement inutile, il demanda à l'opératrice le numéro de téléphone du quartier général de la police à Houston. Celle-ci lui apprit qu'il devait s'adresser au District central. Il composa immédiatement le numéro et eut en ligne un inspecteur nommé Maynard Thurston, qu'il imagina fort comme un bœuf, le visage sanguin, coiffé d'un immense chapeau de cow-boy. Il déclina son identité, puis expliqua à Thurston qu'il enquêtait sur un double meurtre et qu'il serait reconnaissant à ses collègues du Texas de lui fournir tous les renseignements possibles sur un magnat du pétrole nommé Jesse Stewart.

— Il a commis un crime ? s'enquit Thurston.

— Je ne crois pas. C'est un homme très riche et...

— Tous les magnats du pétrole qu'on a ici sont des hommes très riches, l'interrompit Thurston de sa voix traînante. Pourquoi vous adressez-vous à la police s'il n'a violé aucune loi ?

— J'ai pensé que vous pourriez vérifier quelques détails pour moi. Evidemment, j'aurais pu appeler la chambre de commerce...

— Pourquoi ne le faites-vous pas ? suggéra Thurston.

Willis se contraignit à garder son calme.

— Mon expérience m'a appris, dit-il, que la meilleure coopération qu'un flic puisse espérer obtenir est toujours celle des autres flics.

Il y eut un long silence à l'autre bout de la ligne, puis Thurston émit un grognement d'approbation et finit par demander :

— Il s'agit d'un double homicide, c'est ça ?

— Exactement. Un empoisonnement et un meurtre à l'arme blanche.

— J'ai une affaire qui vient de me tomber sur les bras, dit Thurston d'une voix égale. Sept personnes coupées en deux par une tronçonneuse.

Willis attendit. Il était en train de se dire qu'en fin de

compte il préférait sa place à celle de Thurston lorsque celui-ci reprit :

— Si je trouve le temps, je verrai ce que je peux faire pour vous. Peut-être dans deux ou trois jours...

— C'est très aimable à vous...

— Vous dites qu'il s'appelle Stewart ? — Il prononçait Stiu-art. — Ça s'écrit comment ? S-T-U ou S-T-E-W ?

— S-T-E-W, dit Willis.

— D'accord. Laissez-moi votre numéro. Je m'occupe de ça si je peux.

Willis lui donna le numéro du commissariat avant qu'il ait eu le temps de changer d'idée.

— Merci de toute façon, dit-il.

— Je n'ai encore rien fait, répliqua Thurston en raccrochant.

Willis reposa le combiné et jeta un rapide regard à la pendule.

Quatorze heures et des poussières.

Encore vingt heures, moins des poussières, avant qu'il retrouve Marilyn. Il ne put retenir un soupir.

L'appel de Houston leur parvint aux environs de vingt heures, vers le milieu de leur service du soir.

Carella avait interrogé la plupart des locataires de l'immeuble de Hollander sans obtenir le moindre résultat. Comme l'avait signalé Larkin, à l'exception de celui qui avait vu la victime prendre l'ascenseur à sept heures trente le dimanche soir, tous les autres étaient aveugles, sourds et muets, ce qui ne représentait pas un phénomène exceptionnel dans cette ville dès qu'il s'agissait de témoigner dans une affaire de meurtre. Ne pas se mouiller. Ne pas s'occuper des autres. Dans cette cité de l'indifférence, où une personne ignorait souvent le nom de ses plus proches voisins, il était toujours risqué d'en dire trop long sur ce qu'on avait vu ou entendu. La peur des représailles fermait toutes les bouches. Si un individu en avait tué un autre, il était probablement capable de recommencer, surtout s'il se sentait en danger d'être reconnu. Pourquoi lui en offrir la tentation ? Pourquoi l'énerver, le provoquer, se désigner soi-même comme une seconde victime potentielle ? Au nom de la justice ? Mais la *justice* ne signifiait-elle pas avant tout *survivre* à tous les dangers ? Les policiers qui avaient la lourde tâche d'interroger les occupants d'un immeuble n'en étaient nullement persuadés, mais leur conviction ne leur servait à rien devant le silence de ceux qui avaient peur.

Carella et Willis étaient en train d'établir des plans de bataille quand les nouvelles de Houston arrivèrent.

Carella refusait d'abandonner l'hypothèse de meurtres provoqués par la jalousie. Un des amants de la jeune femme pouvait très bien avoir décidé de se débarrasser de ses concurrents. Si c'était le cas, Chip Endicott et Nelson Riley devaient alors être considérés comme les deux principaux suspects de l'éternel triangle. Que celui-ci eût quatre côtés était peut-être une impossibilité géométrique, mais le fait étant, elle ne gênait en rien les spéculations des inspecteurs. Il y avait aussi la possibilité, toujours selon Carella, que les homicides aient été du type écran de fumée, Marilyn ayant éliminé elle-même deux de ses « amis » avec l'espoir que les soupçons se porteraient sur les deux autres.

— Je ne crois pas, répliqua aussitôt Willis. Je pense qu'elle n'a rien à voir là-dedans, Steve.

— Et pourquoi ça ? Elle t'a fait des confidences ?

— Elle se trouvait avec Endicott la nuit où Hollander a été tué. Je l'ai appelé ce matin. Il confirme que c'est exact.

— Cela n'exclut pas la possibilité d'un double alibi...

— Je n'en suis pas convaincu, insista Willis. Bien sûr, Endicott pourrait s'être glissé hors du lit pendant qu'elle dormait...

— Parce qu'ils dormaient ensemble ?

— Euh... oui, bafouilla Willis.

— Ça a l'air de te préoccuper, remarqua Carella. Qu'est-ce que tu as ?

— Moi ? Rien.

— Je t'assure que si ! Tu as l'air brusquement si bizarre...

— Tu te trompes, je suis tout à fait normal, affirma Willis avec un sourire contraint.

Carella continuait de l'observer d'un air intrigué. Willis sortit son bloc-notes en évitant le regard de son équipier.

— En fait, je ne pense pas qu'Endicott aurait pu disparaître sans qu'elle s'en aperçoive. Ni passer deux fois devant le gardien sans se faire remarquer.

— Tu lui as parlé ?

— Oui. Il les a vus rentrer tous les deux un peu après vingt et une heures, ce qui confirme leur témoignage. Il ne les a pas vus ressortir ensuite.

— A quelle heure a-t-il quitté son poste ?
— A minuit.
— Tu as interrogé son remplaçant ?
— Oui. Il ne les a pas aperçus.
— A quelle heure ont-ils quitté l'immeuble ?
— Le lendemain matin à huit heures.
— C'était le même gardien ?
— Non, un troisième. Il confirme l'heure. Il leur a appelé deux taxis.

— Le bâtiment n'a pas d'autre sortie ?

— Une porte qui donne sur une cour où sont remisées les poubelles. Mais l'ascenseur et la cage d'escalier sont parfaitement visibles de l'entrée.

— C'est le seul système de sécurité de l'immeuble ? Un gardien vingt-quatre heures sur vingt-quatre ?

— Oui.

— Tu es certain qu'aucun de tes trois témoins ne s'est endormi pendant son travail ?

— Ils me paraissent tous les trois trop consciencieux pour ça.

— En conséquence, Endicott et la femme Hollis seraient hors de cause, c'est ce que tu penses ?

— C'est ce qui me semble évident.

— Il ne resterait donc que Riley, du moins si l'on s'en tient à la liste qu'elle nous a fournie et à notre histoire de jalousie. — Carella hésita une seconde avant de poursuivre. — Mais Riley était en train de faire du ski dans le Vermont au moment où McKennon rejoignait ses ancêtres. Hollis se trouvait, comme par hasard, avec lui. Là encore, s'ils étaient complices, l'idée d'un alibi réciproque n'aurait rien d'invraisemblable...

— Non, Steve, je crois sincèrement qu'elle est innocente.

— C'est toi qui le dis.

— Admettons un instant que je me trompe. Quel serait leur motif ? Pourquoi Marilyn Hollis et Riley, qui est forcément dans le coup avec elle s'il a menti au sujet du Vermont...

— Absolument.

— Pourquoi Marilyn aurait-elle entraîné Riley à tuer deux de ses meilleurs amis ? Je veux dire que je suis intimement persuadé qu'ils étaient ses amis, Steve. Je pense qu'elle nous a dit la vérité sur ce point.

— Elle comptait peut-être toucher une part de leur héritage, qui sait ?

— Tu plaisantes ? Elle est riche à ne savoir qu'en faire. Son beau-père est un roi du pétrole multimillionnaire de Houston.

— Son *beau*-père ?

— Oui. Le second mari de sa mère.

— C'est lui qui a payé cette baraque prétentieuse de Harborside ?

— Ils sont très proches, d'après ce que j'ai cru comprendre. Ça n'a rien d'exceptionnel, Steve. Les relations entre un beau-père et sa belle-fille...

— Continue, dit Carella.

— En conséquence, même si les victimes ont laissé des testaments en faveur de Marilyn Hollis, ce dont je doute sérieusement...

Carella haussa les épaules.

— Nous vérifierons de toute façon.

— ... je ne pense pas que l'argent soit le motif de ces meurtres. Ça me paraît totalement impossible.

— Il n'y a que deux motivations fondamentales derrière tous les crimes, énonça Carella. L'argent ou l'amour. A moins que nous ayons affaire à un dingue. Dans ce cas, nous pouvons aussi bien mettre au panier toutes nos procédures régulières.

— Je maintiens que ce n'est pas l'argent.

— Alors c'est l'amour.

— Ou un fou.

— Quelle est ton idée ? demanda Carella.

— Je ne sais pas. Mais j'ai l'impression très nette que cette fille est innocente.

— Et Riley ?

— Si elle est innocente et s'il était vraiment au ski avec elle...

— Nous devons aussi le rayer de la liste des suspects.

— Exactement.

— Ce qui veut dire que nous n'avons plus personne...

— Ou tout le monde. N'importe quel individu qui a pu être en relation avec Hollander ou McKennon. Pour moi, il n'est pas impossible que les deux meurtres n'aient aucun lien entre eux. C'est une hypothèse qui pourrait se tenir, après tout. Un assassin change rarement de méthode d'une manière aussi radicale en quelques jours.

— Tu m'en diras tant, soupira Carella.

Le téléphone se mit à sonner. Il décrocha le combiné.

— 87e district, Carella à l'appareil.

— Vous avez un Willis, chez vous ? demanda une voix à l'autre bout du fil.

— Qui le demande ?

— Inspecteur Colworthy, de Houston.

— Un instant, s'il vous plaît. — Carella posa sa main sur le micro et se tourna vers Willis. — Tu attends un appel du Texas ?

— Oui, dit Willis en saisissant le combiné. Inspecteur Thurston ? Ici Hal Willis. Avez-vous pu...

— Colworthy. Thurston m'a refilé le boulot. Vous vouliez des renseignements sur un nommé Jesse Stewart ?

— C'est exact.

— Qui aurait fait fortune ici dans le pétrole ?

— Oui.

— On n'a personne de ce nom dans les gros bonnets du coin.

— Mais vous avez quand même un Jesse Stewart ?

— On en a à la pelle. Jesse est un prénom très répandu chez nous. Les Jesse Stewart courent les rues à Houston, exception faite de deux ou trois douzaines de connards de ce nom qui sont actuellement en taule. Mais on n'en a pas trouvé un seul qui soit un roi du pétrole.

— Qu'est-ce qu'ils font, les autres ?

— Ecoutez, mon vieux. Vous nous avez réclamé des tuyaux sur les rois du pétrole. On a cherché des tuyaux sur les rois du pétrole. Si vous voulez un recensement complet des Stewart, c'est pas nous qu'il fallait appeler.

Sur une impulsion soudaine, Willis demanda :

— Vous avez quelque chose sur une femme nommée Marilyn Hollis ?

— Qu'est-ce que ça veut dire « quelque chose » ? On a du travail, ici. On ne peut pas passer notre vie à éplucher le bottin...

— Est-ce qu'elle a un casier judiciaire ? précisa Willis.

Au moment même où il la posait, il se demanda pourquoi cette question lui était venue spontanément à l'esprit. Moins de cinq minutes auparavant, il était prêt à parier sa chemise avec Carella que la jeune femme était aussi innocente que l'agneau qui vient de naître.

— Vous gardez la ligne pendant que je vérifie ça sur l'ordinateur ?

— Je garde la ligne, promit Willis en se tournant vers Carella. Ils n'ont rien sur Jesse Stewart.

— Connais pas, dit Carella.

— Son beau-père. Le gars de Houston qui lui a payé son palais.

— Willis, appela Colworthy, vous êtes là ?

— Je vous écoute.

— Pas de Marilyn Hollis à l'horizon.

Willis poussa un soupir de soulagement.

— Mais si ça peut vous intéresser, on a un rapport sur une certaine Mary *Ann* Hollis. Arrêtée il y a sept ans pour un 43.02.

— Qu'est-ce que c'est ?

— Prostitution sur la voie publique. Son mac a payé l'amende et on n'a plus jamais entendu parler d'elle après.

Willis eut un grognement étranglé.

— Vous avez une description dans votre rapport ?

— Naturellement. Race blanche, origine caucasienne. Dix-sept ans à l'époque de son incarcération. Cheveux blonds, yeux bleus, teint très clair. Taille un mètre soixante-dix. Poids cinquante-neuf kilos. Aucun signe particulier. Pas de tatouages ni de cicatrices apparentes.

Willis ferma les yeux.

— Comment s'appelait son maquereau ?

— Joseph Seward, dit Colworthy.

8

Il n'était plus question qu'il attende jusqu'au lendemain matin pour la revoir. Il devait la retrouver *maintenant,* lui parler *tout de suite* d'une prostituée nommée Mary Ann Hollis, qui lui ressemblait comme une jeune sœur, qui avait été condamnée au Texas sept ans auparavant, et dont le protecteur s'appelait Joseph Seward, un nom qui sonnait presque comme celui de son prétendu beau-père de Houston, l'introuvable Jesse Stewart. Pourquoi les criminels avaient-ils si peu d'imagination ? Il fallait qu'il la rencontre sans tarder, pour mettre les choses au point avec elle sans perdre une minute.

Il était un peu plus de neuf heures lorsqu'il se gara en face de la vieille demeure de Harborside.

Le printemps s'était peut-être déjà installé dans les Rocheuses, mais ici un vent glacial persistait à balayer les rues la nuit, contraignant Willis à relever le col de sa veste pour franchir les quelques mètres qui séparaient sa voiture de la porte d'entrée. Il pressa la sonnette, une fois, deux fois. Personne ne répondit. Il recommença. *J'aimerais être libre aussi, chaton. Mais je vais être occupée toute la journée.* Toute la nuit aussi ? Il maintint son doigt appuyé sur la sonnette pendant un long moment. Toujours pas de réponse. Très bien, pensa-t-il. J'ai tout mon temps devant moi. Mais était-ce si certain ? Peut-être le temps jouait-il au contraire contre lui et Marilyn Hollis, bien qu'il se demandât pourquoi il continuait à se faire du souci pour elle.

Il regagna sa voiture, referma la portière derrière lui et

se tassa sur son siège, les yeux fixés sur le numéro 1211. A dix heures moins dix, un taxi s'arrêta devant le bâtiment et Marilyn en descendit dans la tenue où il l'avait vue partir le matin. Elle régla le prix de la course, puis se dirigea vers la porte en cherchant ses clés dans son sac. Willis bondit à l'extérieur de sa voiture en faisant violemment claquer sa portière. Elle se retourna aussitôt.

— Eh ! s'écria-t-elle en le voyant traverser rapidement la chaussée. En voilà une surprise !

— Oui, dit-il.

Elle l'embrassa tendrement sur la joue.

— Tu es en avance !

— D'environ douze heures. Ça t'ennuie ?

— Moi ? — Elle éclata de rire. — Tu rentres, ou tu continues de dire des bêtises ?

— Je préfère marcher un peu, proposa-t-il.

— Avec ce froid ? demanda-t-elle avec un sourire étonné.

— Un peu d'air frais nous fera du bien. Nous n'irons pas loin, je te le promets.

Elle étudia un instant son visage, tentant de lire l'expression de son regard sous la lueur diffuse du réverbère.

— D'accord, dit-elle en le prenant par le bras.

Ils descendirent vers le fleuve.

Cette ville ne tirait aucun profit du cours d'eau qui la bordait au nord. A la différence de la Tamise, de la Seine ou de l'Arno, la rivière Harb n'était longée que par une autoroute qui ne laissait place à aucun quai, à aucune voie réservée à d'éventuels promeneurs épris de solitude. Ce n'était pas une rivière pour amoureux, mais ce soir-là Willis s'en moquait totalement. Il avait oublié ses élans physiques et romantiques de la veille, il était à nouveau seulement un flic faisant son travail. *Ça vous étonne que je vous préfère dans un autre rôle ?* Tu parles, songea-t-il. Lorsqu'ils pénétrèrent dans le petit parc qui faisait face à la vieille demeure, le vent froid venu de la rive, très loin en contrebas, les enveloppa brusquement et Marilyn resserra son étreinte sur son bras. Tiens-toi bien, pensa-t-il, tu risques d'en avoir besoin.

— Qui est Joseph Seward ? demanda-t-il.

Le coup du lapin. Direct. Imparable.

Elle demeura un long moment silencieuse. La pression de ses doigts sur son bras ne se modifia pas. Son visage demeurait impassible, son regard inexpressif.

— Un homme que j'ai connu autrefois, dit-elle finalement.
— Qu'est-ce qu'il fait dans la vie ?
— Si tu le sais déjà, pourquoi me le demandes-tu ?
— C'est un maquereau, n'est-ce pas ?
— Il l'était quand je l'ai rencontré, oui. Je ne l'ai pas revu depuis au moins six ans.
— Sept, corrigea Willis. Depuis qu'il a payé une amende à Houston pour une prostituée nommée Mary Ann Hollis.
— Et alors ? souffla-t-elle. Je t'ai *dit* que j'avais fait des choses exécrables dans ma vie, non ?
— Tu m'as dit aussi que tu les avais appréciées...
— Exactement. C'était le bon temps pour moi ! C'est *ça* que tu veux entendre ? — Elle secoua la tête avec l'air stupéfait, blessé, d'un enfant trahi qui refuse de comprendre. — C'est comme ça que tu agis habituellement avec tes amis, en allant déterrer les secrets de leur passé ?
— C'est comme ça que les *flics* agissent, dit-il.
— Tu n'étais pas un flic la nuit dernière !
— J'en suis un ce soir. Quand tu faisais le trottoir à Houston, tu te faisais appeler Mary Ann Hollis ?
— C'est mon vrai nom. Je ne l'ai changé que plus tard, quand je suis venue sur la côte est.
— Pourquoi ? Tu étais recherchée dans le Texas ?
— Absolument pas ! protesta-t-elle.

Ce qui était tout à fait exact. Colworthy avait dit à Willis que la jeune femme avait disparu aussitôt après sa libération.

— Jesse Stewart existe-t-il ?
— Non.
— Le beau-père magnat du pétrole ?
— Non plus.
— Dans ce cas, qui a payé le petit château que tu occupes en ce moment ?
— Moi.

A sa grande stupéfaction, elle s'accrochait toujours à son bras. Ils suivaient lentement les allées du parc comme deux amants — ce qu'ils étaient en réalité —, allant d'un lampadaire à l'autre, passant continuellement de la pénombre à la lumière. Un promeneur occasionnel aurait pu imaginer qu'ils discutaient tranquillement de l'avenir, alors qu'ils se déchiraient amèrement sur le passé pour tenter désespérément de sauver le présent, ce fil ténu, si ténu, entre hier et demain.

— Où as-tu trouvé l'argent ? demanda-t-il.
— Je l'ai *gagné.*
— En te prostituant ?
— Tu crois que ce n'est pas un *travail ?*
— Cette maison a dû coûter au bas mot un mill...
— Sept cent cinquante mille dollars, précisa-t-elle.
— Tu veux me faire croire que tu as gagné tout ce fric en t'allongeant ?
— En me mettant à genoux, le plus souvent.
— Tu as dû être une femme *très* occupée...
— Je l'ai été pendant *très* longtemps.
— Et Seward t'a fait cadeau de ce magot ?
— Nous nous sommes séparés lorsque j'ai été relâchée.
— Ne me prends pas pour un imbécile ! Il t'a rendu ta liberté ?
— J'ai foutu le camp sans lui demander son avis. Un vol sans escale pour Buenos Aires.
— Où tu as *gagné* sept cent cinquante mille dollars...
— Beaucoup plus que ça. Il y a des gens qui dépensent des fortunes pour une fille, là-bas. J'étais une indépendante, je pouvais mettre de côté pratiquement tout ce que je recevais.
— Es-tu recherchée pour un crime quelconque en Argentine ? demanda-t-il brusquement.
— Je ne suis recherchée *nulle part !* Quand arriveras-tu à te mettre ça dans la tête ?
— Dans ce cas, pourquoi as-tu changé de nom ?
— Nous y voilà ! explosa-t-elle soudain. J'ai changé de nom, et ça suffit à faire de moi une criminelle. A me rendre suspecte de tous les crimes qui se commettent dans cette ville. Oublies-tu ce que j'ai fait par ailleurs ? Réellement *fait ?* J'ai rompu avec mon passé, je me suis installée ici, j'ai commencé une nouvelle vie...
— Tu continues à te prostituer ?
— Je viens de te dire que non !
— *Non,* tu ne me l'as pas dit !
— Je t'ai expliqué que j'avais commencé une nouvelle vie. Qu'est-ce que ça signifie, d'après toi ?

Willis avait totalement oublié son travail de flic. Ils se disputaient tous les deux avec passion, comme de vrais amoureux.

— Ce gorille de Mickey, c'était ta femme de ménage ?
— Une amie m'avait demandé un service...

— Du même genre que ceux que te demandent tous les hommes qui laissent des messages sur ton répondeur ?

— Ce sont seulement des connaissances. Des relations superficielles !

— Tu veux dire des clients !

— Je n'ai pas de *clients*, saloperie de merde !

— Joli langage pour une femme honnête...

— Je *suis* une femme honnête !

— Si tu ne gagnes pas ton existence avec ton cul, qu'est-ce que tu fais pour vivre ?

— Je suis revenue de Buenos Aires avec deux millions de dollars.

— Deux millions ? Tu ne devais pas être souvent debout, là-bas !

— Imagine ce que tu veux ! dit-elle avec colère. En tout cas, je leur en donnais pour leur argent. Je savais les faire jouir. — Elle marqua une pause et sa voix s'adoucit légèrement. — J'en suis encore capable, n'est-ce pas ?

— Mais ce n'est plus un travail ?

— Combien de fois devrai-je te le répéter ?

— Aussi souvent que j'aurai besoin de l'entendre !

— Je n'ai plus besoin de me vendre, soupira-t-elle d'un ton excédé. Après avoir acheté la maison, j'ai placé le reste de mon argent. Mon agent s'appelle...

— Hadley Fields, de Merrill Lynch, je sais.

Ils firent quelques pas en silence, puis Willis demanda brusquement :

— Pourquoi m'as-tu menti ?

— Pourquoi ne m'as-tu pas fait confiance ? répliqua-t-elle.

Il s'immobilisa au milieu de l'allée, dégagea violemment son bras et la saisit par les épaules.

— Pourquoi m'as-tu caché la vérité ? *Pourquoi ?*

— Parce que tu serais parti si je te l'avais dite. Comme tu es prêt à le faire maintenant.

— Et alors ? Qu'est-ce que ça pouvait te foutre que je parte ou non ?

— Ça avait de l'importance pour moi. Ça en a toujours.

— Qu'est-ce que ça veut dire ?

— Qu'est-ce que tu crois que ça veut dire ? demanda-t-elle doucement.

Il la lâcha soudainement et laissa retomber ses bras. La conscience de sa petite taille — et de tout ce qu'elle impliquait dans son esprit — lui nouait la gorge comme elle ne l'avait jamais fait auparavant.

— Je... je ne sais plus où j'en suis, murmura-t-il.

— Sommes-nous obligés d'en discuter ici ?

Elle fit un pas en avant, se collant littéralement contre lui.

— Hal, souffla-t-elle, tu veux bien rentrer avec moi, maintenant ?

Il tremblait de tout son corps, et il savait que le vent froid soufflant du fleuve n'y était pour rien.

— Hal, insista-t-elle, viens chez moi, je t'en prie. Laisse-moi te faire l'amour. S'il te plaît.

— Promets-moi de ne plus jamais me mentir.

— Je te le promets.

Sa main caressa tendrement le visage de Willis, ses lèvres effleurèrent sa bouche.

— Ne te pose plus de questions. Viens. Je te le demande.

Il la suivit sans résister.

Nelson Riley était en train de travailler quand Carella sonna à sa porte, le lendemain matin à neuf heures. C'était un vendredi, et il ne fit aucun effort pour dissimuler que la visite de l'inspecteur l'irritait profondément.

— Je termine ma semaine le vendredi, expliqua-t-il. C'est pratiquement le jour où je suis le plus occupé. Vous auriez pu téléphoner avant de venir.

Carella le jaugea rapidement du regard. Un géant roux aux yeux verts flamboyant de colère, ses mains de lutteur tachées de peinture, l'une d'elles refermée sur le manche d'une brosse comme sur la poignée d'un sabre.

— Je suis désolé, dit-il, mais nous avons quelques questions supplémentaires à vous poser.

— Où est passé l'autre flic ? Le modèle réduit. Celui-là avait au moins eu la politesse de m'appeler avant de débarquer chez moi. Les gens s'imaginent toujours qu'un artiste n'a rien d'autre à faire qu'à attendre l'inspiration. Mais je suis un travailleur, moi, exactement comme vous !

— J'apprécie la comparaison, approuva Carella. La seule différence entre nous est que moi je travaille sur un meurtre.

Il se garda bien de mentionner qu'il travaillait désormais sur *deux* meurtres. Il était venu interroger Riley avec l'intention précise de découvrir ce que celui-ci savait — ou ne savait pas — sur le second assassinat.

— Et alors ? répliqua Riley d'une voix toujours aussi agressive. *Je* travaille actuellement sur une toile de quatre mètres sur trois qui me rend complètement dingue ! Vous croyez que votre meurtre est une affaire difficile ? Jetez plutôt un œil sur le gros morceau qui est appuyé contre le mur !

Carella se retourna pour contempler un tableau réaliste représentant une piste de station d'hiver où s'ébattaient de nombreux skieurs.

— Vous avez l'impression qu'il neige ? demanda brusquement Riley.

— Non, dit Carella.

— Moi non plus. Et c'est justement le problème, parce que je *veux* qu'il neige ! Mais chaque fois que je me risque à peindre un flocon, mes couleurs disparaissent. Les anoraks des skieurs, les drapeaux sur la piste, les installations du télésiège, tout est peint en couleurs vives, parce que je suis un artiste qui croit aux couleurs primaires. Et le blanc que je dois utiliser pour donner l'impression qu'il neige les transforme en pastels. Si je ne trouve pas une solution avant la fin de la journée, j'en serai malade pendant tout le week-end, alors vous pensez si je me tape de votre meurtre ! De toute manière, j'ai déjà dit tout ce que je savais à votre petit collègue !

— Monsieur Riley, expliqua posément Carella, si vous ne parvenez pas à enneiger votre paysage avant ce soir, vous risquez de vous énerver pendant deux jours. Si nous ne réussissons pas à élucider le meurtre de McKennon, un assassin échappera à la justice. Et ça, ça risque de nous énerver pendant très, très longtemps.

— Ne venez pas vous plaindre à moi, inspecteur, ricana Riley. Je ne marche pas, d'accord ? Si vous êtes sous-payé et surchargé de travail, allez raconter ça à l'Armée du Salut. Personne ne vous a obligé à devenir flic, après tout.

— C'est exact, reconnut Carella, mais je suis un policier, je suis chez vous, et un minimum de courtoisie de votre part ne vous étranglerait certainement pas.

— Un minimum de courtoisie de *votre* part aurait été de téléphoner avant de déranger un homme qui essaye de faire *neiger !*

— Seul Dieu peut faire neiger, déclara solennellement Carella.

Riley éclata brusquement de rire. Doutant encore de sa victoire, Carella esquissa un sourire engageant.

— Pouvons-nous parler, maintenant ?

— D'accord, acquiesça Riley en secouant la tête. Mais pas trop longtemps quand même. Je suis réellement pressé par le temps.

Tu n'es pas le seul, songea Carella.

— Je voulais surtout vous interroger à nouveau sur les personnes dont mon collègue vous a parlé la première fois, dit-il.

— Quelles personnes ?

— Les amis de Marilyn Hollis.

— Encore ? s'exclama Riley. Quand donc finirez-vous par vous mettre dans la tête qu'elle n'a rien à voir avec la mort de McKennon ?

— Comment pouvez-vous en être aussi certain ? demanda Carella.

— D'abord parce qu'elle était en train de skier avec moi quand ce pauvre type s'est empoisonné lui-même. Cette toile qui refuse de neiger représente ce que nous avons fait pendant le week-end où McKennon est mort. Si vous regardez bien, vous pouvez reconnaître Marilyn au bas du télésiège, en train d'ajuster ses fixations. La fille en parka jaune. Il était en réalité plutôt rose pêche, mais je vous ai déjà dit que je préférais les couleurs primaires. Ensuite, parce qu'elle m'a juré qu'elle était innocente. Et Marilyn ne ment jamais.

— Tout le monde ment, affirma Carella.

— Pas Marilyn.

Sainte Marilyn, pensa Carella. La dernière sainte du jour. La seule personne sur terre qui ne mente jamais.

— Tout le monde, répéta-t-il.

Même moi, songea-t-il. Ne serait-ce que par omission. Il n'avait toujours pas parlé de la mort de Basil Hollander. Mais Riley non plus. Peut-être étaient-ils tous les deux en train de mentir ?

— Quand vous a-t-elle dit ça ? demanda-t-il.

— Quand m'a-t-elle dit quoi ?

— Qu'elle n'était pour rien dans la mort de McKennon.

— On en a parlé au téléphone après la visite de l'autre inspecteur...

— Willis.

— Oui, le type tout petit. Je lui ai dit que je *savais* qu'elle était avec moi à Snowflake, mais qu'elle pouvait avoir engagé un tueur pour régler son compte à McKennon. C'est à ce moment-là qu'elle m'a juré qu'elle ne savait même pas qu'il était mort quand la police lui a annoncé la nouvelle.

— C'est exactement ce qu'elle a dit ?

— A peu de choses près, oui.

— Et naturellement, vous ne saviez rien de tout ça jusqu'à ce que mon collègue vienne vous interroger ?

— Le petit bonhomme ? C'est exact.

— Willis.

— Si vous voulez.

— Qu'est-ce qui vous a fait croire que Mlle Hollis, ou quelqu'un d'autre, pouvait avoir engagé un tueur pour éliminer McKennon ?

— Je ne l'ai jamais sérieusement cru...

— Mais tout de même assez pour lui en avoir parlé au téléphone.

— C'était seulement une plaisanterie.

— Une plaisanterie ?

— Pas à propos du meurtre. Un meurtre ne prête pas à rire. A propos du tueur à gages.

— Parce que vous pensiez que c'était une idée ridicule ?

— D'une certaine manière, oui. Un tueur professionnel ne verse pas du poison dans le verre de ses victimes.

— Vous pensez que c'est ce qui est arrivé à McKennon ?

— Je ne pense rien à ce sujet. J'exprime simplement ce qui me semble plausible. Un spécialiste vous casse les bras ou vous fait sauter les rotules. Il ne vous empoisonne pas comme une femme pourrait... — Il se tut brusquement. — Qu'est-ce que vous êtes en train de me faire dire ?

— Je ne vous fais rien dire du tout. Je me contente de vous écouter...

— Je n'aime pas votre façon de m'écouter ! protesta Riley. Ce que vous entendez n'a rien à voir avec ce que je dis !

— Pensez-vous que quelqu'un aurait pu forcer McKennon à avaler le poison ?

— Je n'ai absolument aucune idée de ce que vous voulez dire !

Le peintre était maintenant totalement sur la défensive, ses bras musculeux croisés sur sa poitrine, une grimace dégoûtée déformant son visage. Même sa moustache rousse en guidon de vélo semblait frémir d'indignation.

— Soit, dit Carella pour tenter de calmer le jeu. Si nous parlions des deux autres hommes que Marilyn rencontrait régulièrement ?

— Je ne les connais pas. C'est votre collègue qui m'a appris leur existence.

— Willis.

— Le petit flic, oui. Je ne connaissais pas non plus McKennon, et si je ne me mets pas rapidement au travail sur cette neige, je sens que je vais devenir franchement inhospitalier, monsieur Carella !

— Vous n'avez jamais entendu parler de Chip Endicott ? insista Carella. Son vrai nom est Charles Endicott Jr. C'est un avocat.

— Je ne le connaissais pas quand votre collègue m'a interrogé, et je ne le connais toujours pas.

— Basil Hollander ?

— Même chose.

— Son nom ne vous dit rien ?

— Non.

— Son nom ne vous disait rien quand l'inspecteur Willis est venu vous voir le... — Carella consulta son agenda et releva les yeux. — ... 25 mars, le lendemain de la mort de McKennon. Il ne vous dit toujours rien maintenant ?

— Non. Combien de fois comptez-vous me poser la question ?

— Lisez-vous les journaux, monsieur Riley ?

— Oui.

— Regardez-vous la télévision ?

— Je n'ai même pas de récepteur.

— Ecoutez-vous la radio ?

— Quand je peins.

— Et vous n'avez jamais entendu parler de Basil Hollander ?

— Je vous répète que...

— Basil Hollander est mort, monsieur Riley.

Surveiller ses yeux.

— Il a été assassiné.

Observer son regard.

— Tué à coups de couteau dans son appartement d'Addison Street, dans le secteur du 12e district. Vous ne le saviez pas ?

— Non, je...

— Avez-vous eu des nouvelles de Marilyn Hollis depuis le début de ce mois ?

— Aucune.

— Nous sommes le 4, monsieur Riley. Vous n'avez pas eu le moindre contact avec elle depuis le 1er avril ?

— Non.

— Je croyais que vous étiez très proches.

— C'est exact. Mais il nous arrive parfois...

Un silence de plomb tomba sur l'atelier. Quand Riley parla à nouveau, sa voix n'était plus qu'un murmure :

— C'est sérieux, hein ?

— Très sérieux, admit Carella.

— Je veux dire... Vous croyez que quelqu'un est en train d'éliminer les amis de Marilyn ?

— Je ne sais pas. Je sais seulement que deux d'entre eux ont été assassinés en l'espace de quelques jours.

Carella continuait d'observer attentivement le peintre. Il n'avait rien lu dans son regard lorsqu'il lui avait annoncé la mort de Hollander, sinon l'expression d'une réelle surprise. Maintenant ses yeux verts n'exprimaient plus l'étonnement, mais quelque chose qui commençait à ressembler à de la peur. Le géant roux irascible avait perdu toute sa morgue. Il était en train de réaliser que si deux hommes avaient été tués *parce* qu'ils étaient des amis intimes de Marilyn, il pouvait fort bien se trouver lui-même sur la liste de l'assassin...

— Suis-je considéré comme un suspect ou comme une victime potentielle ? s'enquit-il d'une voix blanche, le visage vidé de toute couleur.

— Les deux ne sont pas forcément incompatibles, répondit prudemment Carella.

— Je demande la protection de la police, dit brusquement Riley.

9

Charles Ingersol Endicott Jr eut une réaction identique. Le vendredi 4 avril à onze heures du matin, après avoir mûrement réfléchi à la question et consulté ses partenaires de Hackett, Rawlings, Pearson, Endicott, Lipstein et Marsh, il appela la brigade des inspecteurs du 87e district. Il ne parla pas à Willis, qui se trouvait encore à cette heure-là dans le lit de Marilyn, mais à Carella, qui venait tout juste de regagner le commissariat après son entretien avec Riley. Il expliqua à Carella qu'il avait l'impression, ainsi que ses collègues, qu'un inconnu était en train de faire disparaître systématiquement les amis de Marilyn Hollis — le fait que le second meurtre avait été commis le 1er avril, qui était quand même une date particulière, avait-il été pris en considération par les inspecteurs ? — et qu'il lui paraissait opportun, puisqu'il était lui-même un proche ami de la jeune femme, de se mettre en la circonstance sous la protection de la force publique. Carella n'était-il pas d'accord avec lui pour estimer que la possibilité qu'il soit la troisième victime du mystérieux tueur devait être envisagée avec le plus grand sérieux ?

Carella partageait entièrement ce point de vue, mais il se contenta de répondre, en employant sans s'en rendre compte le langage solennel et ampoulé de l'avocat, qu'il allait en référer sans tarder à son supérieur hiérarchique et qu'il rappellerait dès qu'une décision aurait été prise.

— Où est passé Willis ? demanda le lieutenant Byrnes.

— Il ne doit prendre son service qu'à seize heures.

— Dans ce cas, qu'est-ce que, *toi*, tu fous ici ?

— Je guigne ta place, répondit Carella en souriant.
— Tu peux la prendre quand tu veux.
— Qu'est-ce que je dis à Endicott et à Riley ?
— Ils sont morts de trouille, hein ?
— Tu ne le serais pas, si tu te trouvais dans leur situation ?
Byrnes haussa les épaules.
— Je suis dans le métier depuis trop longtemps. Si *tu* commences à penser qu'un coffre-fort tombant d'un dixième étage peut te tomber sur la tête chaque fois que tu mets le nez dehors, tu deviens rapidement marteau. Combien y a-t-il de chances que l'assassin s'en prenne à nos deux bonshommes ? Une sur un million ?
Carella hocha la tête.
— Ça paraît peut-être maigre, mais de leur point de vue, ça fait quand même une de trop.
— Qu'est-ce qu'ils demandent exactement ? Une surveillance vingt-quatre heures sur vingt-quatre, avec trois équipes qui se relaient ?
— Ils ne l'ont pas précisé.
— Ça signifie que nous devons retirer six hommes de l'endroit où ils *devraient* être. Je ne peux pas dégager six inspecteurs. C'est hors de question avec le printemps qui arrive et tous les cafards qui vont commencer à sortir de leurs trous.
— Pourquoi ne pas prendre six agents ?
— A condition de les mettre en civil, si on veut qu'ils servent à quelque chose. Notre type ne tentera jamais rien s'il repère un uniforme.
— Ce n'est pas ce que nous cherchons ?
— Non. Si nous mettons six hommes sur l'affaire, ce n'est pas seulement pour protéger deux citoyens qui craignent un mauvais coup. Si nous devions faire ça pour tous les gens de cette ville qui se croient menacés d'une manière quelconque, nous n'aurions plus personne pour assurer la circulation ou même pour balayer les commissariats. Je suis partisan d'une protection vingt-quatre heures sur vingt-quatre pour l'unique raison qu'elle nous permettra *peut-être* de prendre l'assassin en flagrant délit. Je vais aller en discuter tout de suite avec Frick. Si Riley ou Endicott appellent entre-temps, arrange-toi pour les faire patienter sans qu'ils s'affolent.
Après une heure de négociations, et malgré les violentes

objections du capitaine, il fut décidé que six agents seraient mis en civil et divisés en deux équipes chargées d'assurer en permanence, au moyen de trois tours de garde, la protection du peintre et de l'avocat. Comme Frick avait lui aussi ses problèmes avec la poussée de fièvre criminelle du printemps, il désigna pour cette tâche les hommes dont il pouvait le plus facilement se passer, six agents particulièrement bornés ou complètement blasés, dont l'absence n'aurait aucun effet sensible sur le travail du district. Les six hommes commencèrent par se réjouir de ces vacances inattendues, puis changèrent de ton lorsqu'ils apprirent qu'un meurtrier qui avait déjà tué à deux reprises risquait de leur tomber sur le dos sans prévenir au milieu de leur mission. Ils se mirent alors à discuter avec véhémence pour savoir qui assurerait le service des morts, le plus intéressant des trois parce que Riley et Endicott seraient alors endormis, enfermés à double tour dans leurs demeures respectives, et que les hommes chargés de leur protection à ce moment-là pourraient en profiter pour dormir quelques heures ou s'occuper de leurs propres affaires. Après quelques minutes, Frick trancha le débat en établissant lui-même les horaires de travail des six hommes. A quatorze heures précises, deux agents sans uniforme quittèrent à contrecœur le commissariat pour se diriger l'un vers Carlson Street et l'atelier de Nelson Riley, l'autre vers Jefferson Avenue et le cabinet de Charles Endicott.

Les deux hommes étaient désormais protégés.

Du moins pouvaient-ils le croire.

Willis prit son service en sifflotant un quart d'heure avant l'heure prévue.

Carella était sur la brèche depuis l'aube, mais il assura néanmoins son tour de garde jusqu'à minuit moins le quart. Les deux inspecteurs eurent à s'occuper d'une attaque à main armée, d'une tentative de viol, de trois agressions sur la voie publique et d'un cambriolage. Personne n'essaya d'assassiner Endicott ou Riley, pour le plus grand soulagement des deux abrutis qui assuraient leur protection depuis quatre heures moins le quart. A onze heures quarante-cinq, le deuxième couple de foireux prit la relève et apprit que le peintre et l'avocat étaient en sécurité jusqu'au matin. A la même heure, Carella et Willis furent relayés par les inspecteurs de l'équipe de nuit.

Tous les deux étaient libres jusqu'à la fin du week-end.

Carella alla retrouver sa femme et ses enfants à Riverhead.

Willis regagna immédiatement la vieille demeure de Harborside.

Une aile de la maison avait été fermée — « pour réduire la note de chauffage », expliqua-t-elle — et elle y entreposait une invraisemblable collection de souvenirs qui n'avaient pas trouvé leur place dans la partie « habitée » de son domaine. Willis, en y pénétrant avec elle, eut le regard immédiatement attiré par un vase aux couleurs vives, de toute évidence peint à la main, posé sur ce qui semblait être une table à café recouverte d'un châle rouge. Marilyn lui expliqua qu'elle avait acheté le vase dans le quartier, à un artiste installé sur le trottoir qui ne semblait capable que de produire des horreurs en argile, à l'exception de cette pièce dont elle était immédiatement tombée amoureuse, tout en se doutant que les couleurs s'affadiraient avec le temps. Le vase avait d'abord contenu un bouquet de fleurs artificielles, mais elle les avait enlevées lorsqu'elle s'était aperçue qu'il y avait une fuite dans le plafond de la pièce. Elle aurait pu placer un traditionnel pot de chambre ou une carafe sous la fuite, mais elle avait jugé plus esthétique de déplacer le vase, la caisse et le châle pour qu'ils recueillent les gouttes qui perlaient du plafond. N'avait-elle pas eu raison ? Il apprit ainsi que le châle avait été un de ses premiers achats à Buenos Aires, où elle s'était enfuie pour échapper à Joseph Seward, et que ce qu'il avait pris pour une table à café était en réalité une caisse d'oranges qu'elle avait trouvée dans l'arrière-cour d'une épicerie, qu'elle avait voulu faire décorer par une extraordinaire boutique qu'elle connaissait sur le Stem, mais qu'elle avait décidé de laisser en l'état lorsqu'elle avait découvert la fuite dans le plafond.

Après le vase et la caisse, le regard de Willis se porta sur quatre laisses pendues à l'un des murs de la pièce.

Elle avait adopté un chien lorsqu'elle s'était installée dans la maison. Un énorme labrador nommé Iceberg parce qu'il était noir comme du charbon. Mais elle était alors occupée à courir les décorateurs et les antiquaires pour se créer un véritable foyer, et elle ne trouvait jamais le temps de promener l'animal dans le parc, aussi avait-elle fini par en faire cadeau à un homme qu'elle considérait comme son ami.

— Un ami ou une relation ? demanda Willis.

— Un ami, du moins pour moi, répondit-elle.

Peu de temps après, le chien avait été écrasé par une voiture. Cet incident aurait pu mettre un terme à son amitié pour l'homme en question, mais elle avait continué à le voir jusqu'au jour où elle avait appris qu'il avait une femme et quatre enfants à Las Vegas. Elle lui avait alors expliqué qu'elle n'aimait ni les menteurs ni les coureurs de jupon, et encore moins les gens qui laissaient par négligence un malheureux chien se faire écrabouiller par une Cadillac. Elle avait gardé les laisses uniquement parce qu'elle envisageait d'avoir un jour un autre chien, mais cette possibilité se situait dans un avenir qu'elle n'était pas encore en mesure de prévoir.

La pièce où elle avait entraîné Willis était remplie de cartons de toutes sortes. Certains contenaient des lettres qu'elle avait reçues lorsqu'elle vivait en Californie avec son athlète tabasseur, ou à Houston, lorsqu'elle était sous la coupe de Joseph Seward. Elle ne tenait apparemment pas à s'étendre sur le sujet. « L'histoire classique, dit-elle. On tombe amoureuse d'un gars, et on se retrouve sur le trottoir sans avoir compris comment... » La seule chose certaine était qu'elle était passée directement du cogneur de Californie au maquereau de Houston. Sa mère ne l'avait jamais retrouvée, n'avait jamais épousé un millionnaire. Elle lui avait raconté ça uniquement pour ne pas le perdre, pour éviter d'évoquer l'épisode indigne de Buenos Aires, et il commençait à croire qu'elle avait eu raison.

La plupart des cartons contenaient des journaux et des coupures de presse.

Willis remarqua une série d'articles sur le cancer du sein.

— Je suis terrorisée à l'idée d'avoir un jour un cancer du sein. Quand j'étais dans le métier, j'avais toujours peur d'attraper une maladie vénérienne. J'ai eu de la chance de ce côté, mais je plains sincèrement les filles qui se prostituent aujourd'hui. Tout ce que nous avions à craindre était une maladie pénible, mais qui pouvait être soignée et guérie. Tandis que l'herpès est inguérissable, et que le sida est une condamnation à mort. Je ne pensais pas au cancer du sein à cette époque, j'aurais peut-être dû, d'ailleurs. J'ai commencé à être angoissée quand ma mère est morte d'un cancer. Alors je me suis mise à collectionner tous ces articles, parce qu'on ne sait jamais ce qui peut arriver. Est-ce que tu m'aimerais encore si je n'avais plus qu'un seul sein ?

Il y avait aussi de nombreuses photos de modèles découpées dans *Vogue, Harper's Bazaar, Seventeen*...

— Quand j'étais à Buenos Aires, je rêvais d'être un des modèles qui posent pour les grands couturiers. Elles gagnaient quelque chose comme soixante, soixante-dix dollars de l'heure, alors que je pouvais aisément demander cinq fois plus pour le même temps de travail, mais tu ne peux pas imaginer ce que j'aurais donné pour changer de place avec elles ! Je m'entraînais pendant des heures à prendre des poses, nue devant mon miroir. J'ai des hanches étroites, ce qui est un avantage pour un modèle, et des seins plutôt menus...

— Tes seins ne me paraissent pas trop petits.

— Je n'ai quand même pas le type maternel, reconnais-le ! dit-elle en riant, mais merci de toute façon pour le compliment.

Plusieurs des cartons entassés dans la pièce étaient bourrés de documents sur la Première Guerre mondiale, parmi lesquels des vieux journaux de 1919 qu'elle avait trouvés dans un magasin d'occasions de Basington Street.

— C'est une guerre qui me fascine littéralement. Ces millions d'hommes entassés dans des tranchées, des deux côtés du *no man's land*, couverts de rats et de vermine, qui se branlaient pour tuer le temps en attendant de se faire tuer pour de bon. Ça n'avait rien à voir avec la guerre moderne, où les gens se contentent de se balancer des bombes et des missiles sur la tête. Tu vas te moquer de moi, mais tu sais ce que j'aimerais faire un jour ? Ecrire un livre sur la guerre de 14-18. Je sais que c'est ridicule, que je n'ai pas le moindre talent pour ça, mais il y a des gens moins doués que moi qui parviennent à se faire éditer, non ?

Une des choses positives qu'elle avait ramenées de Buenos Aires était une connaissance parfaite de l'espagnol et de toutes ses nuances, qui stupéfia Willis lorsqu'elle l'utilisa le samedi soir en rentrant du restaurant pour invectiver un chauffeur de taxi portoricain qui avait cru malin de leur faire faire un détour de plusieurs blocs avant de les déposer dans Harborside. « *Vete al carajo !* » (Va crever en enfer !) et « *Hijo de la gran puta* » marquèrent les préliminaires de l'altercation. Mais quand elle lança « *Cabeza de mierda* », le petit chauffeur jaillit de son véhicule en hurlant à son tour des invectives colorées, et ils se retrouvèrent tous les deux face à face sur le trottoir, dressés sur leurs ergots comme des coqs, entourés d'une foule amusée et ricanante, alors qu'un agent en uniforme jugeait plus diplomatique de s'intéresser à ce qui se passait de l'autre côté de la chaussée. Plus tard, lorsqu'ils furent au lit, elle expliqua à Willis qu'elle avait simplement accusé le Portoricain d'avoir de la merde dans la tête.

A l'occasion de ce week-end, il put se rendre compte qu'elle n'avait rien d'une femme d'intérieur.

Une femme de ménage venait nettoyer l'appartement pendant quelques heures le lundi, le mercredi et le vendredi, mais dans l'intervalle Marilyn, comme elle le disait, laissait la maison « reprendre son état naturel ». Le superbe évier de la cuisine débordait de vaisselle sale, la jeune femme estimant que récurer un plat ou une poêle graisseuse n'avait aucun sens tant qu'il restait des ustensiles propres dans les placards. Le réfrigérateur, évidemment neuf et du dernier modèle, ne contenait que quelques pots de yaourt, une laitue en train de pourrir et une demi-plaquette de beurre rance. Marilyn mangeait rarement chez elle, et lorsqu'il lui arrivait de le faire, elle préférait acheter le nécessaire en rentrant dans une épicerie du Stem située à deux blocs de la maison plutôt que de faire des courses régulières pour approvisionner son frigo. Il y avait des amas de linge sale sur le sol de la chambre et même dans le salon, juste à côté de la porte intérieure. Marilyn avait l'habitude de se déshabiller dès qu'elle avait franchi l'entrée de son logis, laissant tomber son manteau ou sa veste, son corsage, son pantalon ou sa jupe, ses chaussures ou ses bottes, à l'endroit même où l'envie lui en prenait, et de se promener ensuite dans l'appartement vêtue seulement d'une petite culotte. Elle expliqua à Willis que personne ne pouvait la voir ainsi de la rue, et que même si d'aventure un homme traversant le parc levait la tête vers ses fenêtres et l'apercevait en petite tenue, il ne découvrirait rien de plus que ce que des milliers d'autres hommes avaient déjà vu avant lui.

— Excuse-moi, dit-elle aussitôt en voyant l'expression de son visage. Ce que je viens de dire t'a blessé ?

— Oui, avoua-t-il.

— Je te promets de ne plus jamais parler de mon métier. Je le jure devant Dieu. Mais c'est difficile. Je l'ai fait pendant très longtemps, tu sais.

— Je sais.

Il était en train de penser qu'un grand nombre de flics finissaient par se marier avec d'anciennes prostituées et se demandait pourquoi.

Il se demandait également pourquoi l'idée de mariage lui était venue à l'esprit.

Le dimanche après-midi, ils fumèrent de l'herbe.

Ils étaient couchés tous les deux lorsqu'elle se leva brusquement, dans le plus simple appareil, pour se diriger vers une des vieilles commodes. Lorsqu'elle le rejoignit dans le lit, elle serrait dans sa paume ce qu'il prit au premier regard pour deux grosses cigarettes.

— Je ne fume pas, dit-il.

— Ce sont des pétards, lui expliqua-t-elle en lui en tendant un. Du hasch. Et plutôt raide.

— Ça aussi, c'est un pétard, protesta-t-il en saisissant son sexe tendu. Et ne me dis pas qu'il n'est pas raide !

— J'aurais du mal, convint-elle en souriant. Mais il pourrait l'être encore plus. Fume avec moi, s'il te plaît. On va se mettre en forme, tous les deux.

— Mais je *suis* déjà en forme ! Regarde ça !

— Laisse ton truc tranquille un moment. C'est de l'herbe de première qualité qu'il y a là-dedans. Faire l'amour sera encore meilleur après.

— Comment ? Comment ça pourrait être encore meilleur ?

Elle le regarda d'un air stupéfait.

— Tu ne *sais* pas ? Tu n'as jamais fumé un pétard, ou un joint, ou un stick de ta vie ?

— Jamais.

— Seigneur, un puceau ! Laisse-moi faire, je vais te montrer...

— Je ne suis pas sûr d'avoir envie d'apprendre.

— Ne sois pas idiot, Hal ! Je suis sûre que même le chef de la police fume de l'herbe de temps en temps.

— Peut-être, mais...

— Hal ! Je ne vais pas te planter une seringue dans le bras ! — Voyant qu'il hésitait, elle poursuivit rapidement : — Tout ce que tu as à faire est d'aspirer très fort, beaucoup plus fort que pour une cigarette normale, puis d'avaler la fumée et de retenir ton souffle le plus longtemps possible...

— J'ai déjà vu des fumeurs, dit-il d'un ton pincé.

— Lorsque tu relâches ton souffle, tu ne dois pas exhaler la plus petite trace de fumée...

— Marilyn...

— Regarde-moi faire, et cesse de te conduire comme une poule qui a peur de rater son œuf. Je vais tirer la première bouffée pour te montrer. Tu tireras ensuite la seconde, tout de suite après. Ne gaspille pas la marchandise, Hal, ce n'est pas une Camel.

Elle aspira profondément, puis tendit le pétard à Willis, qui l'imita et fut pris d'une violente quinte de toux.

— Tssst, tsst ! dit-elle en faisant claquer sa langue. Recommence.

Il essaya à nouveau. Cette fois il ne toussa pas.

— Très bien fit-elle. A mon tour.

Ils se passèrent et se repassèrent la cigarette à plusieurs reprises, jusqu'à ce qu'elle soit réduite à un minuscule mégot qu'ils ne pouvaient plus saisir sans se brûler les doigts. Marilyn le prit entre le pouce et l'index, le téta une dernière fois bruyamment en arrondissant les lèvres, puis l'écrasa dans le cendrier posé sur la table de chevet.

— Disparition des preuves, murmura-t-elle. Au cas où tu aurais l'intention de me prendre en flagrant délit.

— Je ne suis pas en service.

— Du moins, pas *ce* service-là ! dit-elle. Comment es-tu ? Tu sens quelque chose ?

— Absolument rien.

— Attends quelques minutes. C'est souvent long à démarrer la première fois.

— Ça ne démarre pas du tout.

— Tu n'as pas l'impression que tout ce qui t'entoure devient plus net, plus tranché, plus aigu ?

— Pas le moins du monde.

— Ça ne produit pas le même effet sur tout le monde, le rassura-t-elle. Pour moi tout est plus clair. Toutes les lignes. Tout. Plus net et plus aigu.

— Tu oublies tranché.

— Net, aigu et tranché, approuva-t-elle. Pour certaines personnes, le monde semble se perdre dans le brouillard.

Mais pas pour moi. Je me sens détendue, et tout m'apparaît plus tranché, avec une acuité plus nette.

— Je ne sens rien, grommela-t-il. Et rien ne m'apparaît.

— Comment me vois-tu ? demanda-t-elle.

— A poil. Comme avant.

— Tu ne me ressens pas plus aiguë, plus tranchée ?

— Non. Tu es ronde et douce.

— Il y a des fumeurs qui voient des choses rondes et douces.

— Surtout quand ils les ont sous les yeux.

— Ne te moque pas, dit-elle. Essaye de te lever et de traverser la chambre, d'accord ? Mince, qu'est-ce qui est arrivé à *ton* pétard ? Il n'est même plus raide !

— Ton herbe l'a peut-être rendu rond et doux, lui aussi ?

— Non. L'herbe est un aphrodisiaque, tu verras. Lève-toi et marche jusqu'au mur.

— Ça me fera bander à nouveau ?

Elle ignora sa question.

— Je veux me rendre compte de ton sens du temps. Et de la distance. Pour beaucoup de gens, les distances n'ont plus la même valeur. Le mur qui est en face d'eux peut leur paraître à des millions de kilomètres. Et il leur faut une éternité pour l'atteindre. Essaye, je te dis !

— Je veux bander ! protesta-t-il.

— Marche jusqu'au mur !

— Tu ne me mets pas un bandeau sur les yeux ?

— Est-ce que le mur te semble éloigné ?

— J'ai l'impression qu'il est à sa place.

— Quelle place ?

— Là-bas, au bout du tunnel, dit-il, et il commença à glousser.

— Un des hommes que j'ai connus...

— Tu m'as promis de ne plus jamais m'en parler !

— Non, non, celui-là était un ami. Un vrai. Il disait que l'enfer n'était rien d'autre que Holland Tunnel [1]. Que le Diable et les damnés y étaient enfermés pour toujours à cause des embarras de la circulation.

— Où se trouve Holland Tunnel ? demanda Willis. A Amsterdam ?

1. Un des tunnels routiers qui relient Manhattan à la partie continentale de New York.

— A New York. Mon ami vivait à New York. Il m'a dédié un poème.

— En hollandais ?

Willis gloussa à nouveau.

— En anglais. Il l'avait écrit lui-même. Tu aimerais que je te le récite ?

— Non, déclara Willis en pouffant de rire.

— « Ce fut fabuleux quand les crapauds bavants... »

— Les *quoi ?*

— Les crapauds bavants. Ne m'interromps pas, s'il te plaît ! « Ce fut fabuleux quand les crapauds bavants mirent le feu aux sous-vêtements de Gimpel. Tante Mimsy se trouvait alors à Borough Park, et les rats de Nome la mangèrent toute crue. »

— Les rats de quoi ?

— De Nome.

— En Alaska ?

— Je crois. Ils l'ont dévorée.

— Qui ?

— Tante Mimsy. Juste comme ceux de Mexico. Ou de n'importe où dans le monde. Les rats, je veux dire.

— Mexico ? Qu'est-ce qu'ils ont fait là-bas ?

— Bouffé Tante Mimsy. Ce sont des anthropologues, tu sais.

— Tu veux dire des anthropophages.

— Exactement.

— Tu sais qu'il y a un marteau avec nous ? demanda Willis.

— Où ?

— Sur la table.

— Quelle table ?

— Celle où tu as oublié ton téléphone et ta lampe. Il y a un marteau avec.

— Ah oui, dit Marilyn. C'est le mien.

— Je ne savais pas que tu construisais des maisons, hoqueta Willis.

— C'est pour me défendre, expliqua Marilyn. J'ai découpé un article de journal là-dessus. On disait que c'était le meilleur moyen pour une femme de protéger sa vertu.

— Est-ce que tu as un permis de port d'armes pour ce marteau ?

Willis ne pouvait plus s'arrêter de rire.

— Je suis sérieuse, dit Marilyn.

— Moi aussi. Tu as le droit de le porter sur toi, ou seulement de le garder à la maison ?

— Une femme sait *toujours* se servir d'un marteau. Il n'y en a pas une au monde qui n'ait pas eu un jour l'occasion de planter un clou ou d'enfoncer une cheville. Elle sait comment le tenir, comment l'abattre, comment l'*utiliser*. Je ne donnerais pas cher de la peau du premier guignol qui entrerait chez moi avec l'intention de me maltraiter. A Mexico, les gens employaient des marteaux pour tuer les rats.

— A Mexico ?

— C'est ce que j'ai dit. Il y avait des rats presque aussi gros que des crocodiles. La nuit, ils grimpaient sur le visage de ceux qui dormaient et essayaient de leur grignoter les joues. C'étaient de vrais cannibales, ces bestioles.

— Les cannibales ne se nourrissent que des membres de leur propre espèce, énonça solennellement Willis.

— C'est une très bonne idée, souffla Marilyn. Mange-moi.

Ils firent l'amour sans relâche, pendant tout l'après-midi du dimanche et jusqu'à une heure avancée de la nuit, où ils se retrouvèrent dans les bras l'un de l'autre, épuisés, se murmurant des confidences sur leurs couleurs favorites, leurs parfums de glace préférés, les films, les spectacles télévisés, les chansons qu'ils aimaient particulièrement. A un moment de leur conversation, elle lui révéla que le tube *Clair de lune sur le Vermont* n'avait pas dans son texte deux vers qui tenaient debout. Il lui demanda d'où elle tenait cette information capitale, et elle lui avoua qu'elle l'avait apprise d'un joueur de trombone qu'elle avait rencontré autrefois.

— Tu ne m'as jamais parlé de ce musicien, dit-il d'une voix où perçait un début de reproche.

— Je ne peux pas te raconter tout ce que j'ai fait dans ma vie, protesta-t-elle. Ni avec qui je l'ai fait. Ça n'aurait aucun sens. Mais pour *Clair de lune* je te garantis que c'est vrai. Essaye pour voir...

— Je ne connais pas les paroles. Dis-moi plutôt qui était ce joueur de trombone.

— Pour quoi faire ? Pour que tu te mettes à nouveau en colère, comme tu l'as fait vendredi dans le parc ?

— Je ne me mettrai pas en colère.

— C'est simplement un homme que j'ai connu. Sans plus.

— Un client ?
— Oui.
— Où ?
— A Buenos Aires.
— C'était un Argentin ?
— Non. Il venait de La Nouvelle-Orléans.
— Excuse-moi. J'oubliais que les Argentins ne jouent que de la guitare.
— Tu vois ? Tu commences à t'énerver...
— Pas du tout, mentit-il.
— Je pense qu'il y a une chose que nous devrions régler sur-le-champ entre nous, dit-elle. Sur-le-champ et pour toujours.
— Je t'écoute.
— J'ai été une putain, d'accord ? C'est une chose que je n'ai jamais avouée à quelqu'un d'autre dans cette ville...
— Tu ne me l'as pas avouée. J'ai découvert la vérité en m'adressant à la police de Houston.
— De quelque manière que tu l'aies apprise, le fait est que tu es le seul à le savoir. Je peux continuer ?
Il haussa les épaules.
— Ce que je veux dire, c'est que si ce que j'ai été autrefois doit nous opposer à chacune de nos rencontres... Je ne peux pas surveiller mon langage ou censurer mes souvenirs en permanence, Hal, je suis désolée...
— Personne ne t'en demande autant.
— Bien sûr que si ! J'ai été une pute, Hal. Essaye simplement d'admettre que je n'en suis plus une aujourd'hui.
— Qu'est-ce qui me le prouve ?
— Oh, merde ! dit-elle en se levant brusquement. C'est reparti !
— Où vas-tu ?
— Chercher un autre joint.
— Pour te débiner ? C'est toi qui voulais qu'on parle de ça ! Alors parlons-en !
— Va te faire voir ! J'ai besoin d'un autre pétard.
— Marilyn !
Elle s'immobilisa au pied du lit, entièrement nue, les poings sur les hanches.
— Ecoute-moi bien, maintenant ! cracha-t-elle. Je ne veux plus entendre une seule question sur les hommes que j'ai connus, s'ils étaient des clients ou des amis, combien ils me payaient, s'ils me prenaient debout ou à genoux, s'ils

m'enfonçaient des concombres ou autre chose dans le cul ! J'ai fait tout ce que tu peux imaginer, et même pire ! Si tu désires avoir avec moi la relation que je souhaite avoir avec toi...

— Quelle sorte de relation ?

— Une relation franche et honnête, répondit-elle sans hésiter. Et si tu te permets le moindre commentaire ironique sur les mots que je viens d'employer, je jure devant Dieu que je te brise la tête avec mon marteau !

— Je ne te ferai pas de remarque déplacée, dit-il en essayant de sourire. J'ai toujours été terrorisé par les marteaux.

— Excellente plaisanterie ! ricana-t-elle. Dommage que je sois trop sérieuse pour l'apprécier à sa juste valeur !

— Je suis aussi sérieux que toi, Marilyn.

— Tu penses que je continue à me prostituer ?

Il ne répondit pas.

— Tu penses que j'ai connu ce joueur de trombone la semaine dernière, et non pas il y a cinq ans à Buenos Aires, n'est-ce pas ?

— Je me trompe ?

— Cette fois, je crois que le marteau est la seule solution ! hurla-t-elle en tendant le bras pour s'en emparer.

Il lui saisit le poignet.

— Calme-toi, Marilyn.

Elle fit de violents efforts pour se dégager.

— Calme-toi, répéta-t-il d'une voix plus douce.

— Lâche-moi tout de suite ! ordonna-t-elle. Je ne supporte pas la contrainte physique.

Il la libéra à contrecœur.

— Tu as envie de parler ?

— Non. J'ai envie que tu te rhabilles et que tu foutes le camp de chez moi !

— D'accord, dit-il.

— Attends ! Ce n'est pas ce que je veux !

— Qu'est-ce que tu veux, Marilyn ?

— Je veux que tu viennes habiter ici !

Sa réponse le laissa sans voix, la gorge nouée par l'émotion. Il essaya de lire la vérité sur son visage, mais les rideaux tirés la laissaient dans la pénombre. Parlait-elle sérieusement ? Désirait-elle sincèrement qu'il...

— Comme ça tu n'auras plus de doutes, poursuivit-elle d'une voix étranglée. Tu auras la preuve irréfutable que je suis honnête. Et peut-être... peut-être alors, pourras-tu m'aimer réellement...

Il se sentit ému jusqu'aux larmes et porta immédiatement une main à son visage pour dissimuler ses yeux. Il ne voulait pas qu'elle le voie ainsi — et en même temps il en avait terriblement, horriblement envie.

— Tu acceptes ? demanda-t-elle d'une voix éperdue.

— J'ai cru que tu ne me le demanderais jamais, parvint-il à articuler avant que les larmes jaillissent de ses yeux et qu'il se mette à sangloter comme un enfant.

— Mon bébé, murmura-t-elle en se jetant sur lui pour l'entourer de ses bras, il ne faut pas pleurer comme ça, il n'y a aucune raison de pleurer. Seigneur, que vais-je faire de cet homme ? Je t'en supplie, mon chéri, ne pleure plus !

Elle couvrit de baisers ses joues trempées de larmes, ses yeux gonflés, sa bouche sanglotante.

— Si tu savais à quel point je t'aime, Hal...

A travers sa détresse, il se demanda depuis combien de temps une femme n'avait pas prononcé ces mots pour lui. Retenant ses larmes pour un court instant, il parvint à répondre :

— Moi aussi je t'aime, Marilyn...

Et ce fut le début, le vrai début de leur rencontre.

10

La surveillance exercée vingt-quatre heures sur vingt-quatre autour de Riley et d'Endicott eut au moins un avantage : personne n'essaya de les assassiner tant qu'elle fut maintenue. Mais au bout d'une semaine, le lieutenant Byrnes convoqua Carella dans son bureau et lui demanda combien de temps cette plaisanterie allait durer.

— Il y a deux manières d'envisager les choses, expliqua-t-il. D'un côté, notre homme peut avoir découvert la présence des agents en civil et renoncé à toute action tant qu'ils seront dans les parages. D'un autre côté, il ne demeure pas impossible que Riley ou Endicott soit notre assassin, et dans ce cas, protégés nuit et jour comme ils le sont, il paraît évident qu'ils ne feront pas un mouvement tant qu'ils auront nos six connards au cul. Ce n'est pas ton avis ?

On était le 11 avril, un vendredi matin qui respirait le printemps par tous ses pores, et il y avait désormais presque trois semaines que McKennon avait été trouvé baignant dans ses déjections dans son appartement de Silvermine Oval. Deux semaines et quatre jours représentaient une sorte d'impasse pour une enquête qui n'avait pas progressé d'un pouce depuis la découverte du cadavre. C'était ce que Frick avait expliqué à Byrnes en début de matinée. Frick était responsable de l'ensemble des activités du commissariat, et Byrnes, qui était en charge de la brigade des inspecteurs, se permettait parfois de ne pas tenir compte de son avis, mais cette fois-ci Frick avait nettement marqué un point. Le capitaine voulait récupérer ses agents, aussi minables fussent-ils, et il était hors de question de lui démontrer qu'il avait tort.

— Frick veut ses hommes, dit Byrnes.
— Alors, fais-les revenir, répondit Carella.
— Tu penses que c'est une solution ?
— Je pense que les seuls suspects que nous avons sous la main pour l'instant sont Riley, Endicott et la femme Hollis. Si c'est elle qui est coupable, elle ne risquera rien tant que les deux autres seront sous surveillance. Si c'est un des deux autres, il ne tentera rien tant qu'il sera protégé, parce que ses allées et venues sont étroitement surveillées. D'une certaine manière, la protection que nous leur avons accordée nous conduit à un *statu quo*...
— Comment vois-tu les choses, Steve ? J'ai besoin de savoir. Tu as parlé de trois suspects...
— Trois suspects *potentiels*, je tiens à le préciser.
— D'accord. Admettons que ce soit la femme. Juste pour réfléchir. Quel serait son motif ?
— Je n'en ai pas la moindre idée. J'ai vérifié les testaments des victimes. McKennon est mort intestat, et Hollander a tout légué à sa sœur. La femme Hollis a prétendu qu'ils étaient ses meilleurs amis, et j'ai tendance à le croire. D'autant que Willis, qui a interrogé tout le monde, en paraît lui aussi convaincu. Par ailleurs, elle a des alibis en béton pour chacun des deux meurtres...
— Des alibis qui ne tiennent que grâce au témoignage des deux autres *suspects*.
— Je le sais très bien, soupira Carella.
— Tu as vérifié l'entourage de McKennon ?
— Plutôt deux fois qu'une. Je ne vois aucune piste de ce côté-là.
— Hollander ?
— L'homme était plutôt un ermite. Sa seule relation véritable était celle qu'il entretenait avec la femme Hollis.
— Il était comptable, c'est ça ? Comment l'avait-elle rencontré ?
— Je l'ignore.
— Est-ce qu'il faisait des travaux de comptabilité pour elle ? Est-ce qu'elle lui confiait une partie de ses comptes, par exemple ?
Carella secoua la tête.
— Assure-toi de ce détail. Il se pourrait qu'il soit d'une extrême importance. Elle a peut-être tué McKennon uniquement pour nous lancer sur une fausse piste, alors que son objectif réel était Hollander, qu'elle voulait faire dispa-

raître parce qu'il avait découvert des informations gênantes pour elle.

Carella ne paraissait pas emballé par cette idée.

— C'est une possibilité, non ? insista Byrnes.

— A première vue, oui.

— Tu dis qu'elle a fait le tapin, autrefois ?

— Une erreur de jeunesse, Pete. A Houston, il y a sept ans. On ne l'a arrêtée qu'une seule fois.

— Je n'ai jamais rencontré une putain qui pense à autre chose qu'au fric. — Carella approuva de la tête. — Où a-t-elle gagné tout l'argent dont elle dispose aujourd'hui ? Votre rapport indique qu'elle vit plus qu'à son aise dans une vieille maison de Harborside...

— Je ne sais pas, admit Carella. Il faudra que je demande à Willis. C'est surtout lui qui s'est occupé d'elle.

— Vérifie avec lui. Avec elle, aussi. Sais-tu ce que Hollander a fait le dimanche de Pâques, avant de rentrer chez lui vers sept heures et demie ?

— Il est allé voir sa sœur. Celle qui est citée dans son testament.

— Tu l'as interrogée ?

— Evidemment.

— Qu'est-ce qu'il lui laisse ?

— Des clopinettes.

— J'ai vu des gens en égorger d'autres pour hériter de dix dollars.

— Pas elle, Pete. Elle est mariée à un plombier, elle a deux gosses et un troisième dans le placard. Je la vois mal...

— Une femme enceinte peut très bien tuer quelqu'un, non ?

— Elle en est à son huitième mois. Elle se déplace avec autant d'agilité qu'un éléphant qui aurait un pied dans le plâtre. Par ailleurs, elle regardait la télévision avec une voisine la nuit où Hollander a tiré le gros lot.

— De quelle heure à quelle heure ?

— Elle est rentrée chez elle un peu après onze heures.

— La voisine a confirmé ?

— Sans hésiter.

— A quelle heure Hollander est-il mort ?

— D'après le médecin légiste, tard dans la nuit ou très tôt dans la matinée.

— Que faisait-elle à ce moment-là ?

— Elle dormait avec son mari. Ensuite elle s'est levée et elle a emmené ses gosses à l'école.

Byrnes poussa un soupir.

— Un suspect de moins... Reste la femme Hollis. Appelle-la. Essaye de découvrir comment elle a connu Hollander, s'il travaillait pour elle, d'où lui vient son argent. Ça nous fera peut-être un point de départ, même si elle nous raconte des craques.

Ce fut ainsi que Carella apprit que Willis était l'amant de Marilyn. Lorsqu'il composa le numéro de Harborside, une voix masculine lui répondit. Il la reconnut aussitôt.

— Hal ? bredouilla-t-il, totalement pris de court.

— Je sais que je suis en retard, grogna Willis.

Carella jeta un rapide coup d'œil à l'horloge murale de la permanence. Elle indiquait neuf heures et quart. Willis aurait dû être à son poste depuis au moins une demi-heure.

— Excuse-moi, dit-il, j'ai dû me tromper de...

Mais au même instant ses yeux se posèrent sur l'agenda ouvert devant lui. Le numéro qu'il avait composé était bien celui de Marilyn Hollis. Il y eut un long silence sur la ligne, suivi de la voix mi-chagrine, mi-provocante de Willis :

— Je me suis installé ici.

— Oh ! fit Carella. — Puis aussitôt, sans se rendre tout à fait compte de ce qu'il disait : — Pour quoi faire ? Pour la surveiller jour et nuit ?

— Je n'ai pas besoin de tes plaisanteries vaseuses ! aboya Willis. Je serai là dans une heure.

Puis il raccrocha brusquement.

Carella contempla le combiné pendant une brève seconde et le reposa lentement. Pendant un long moment, il garda les yeux fixés sur le téléphone.

Walter Johnson, de la *Food and Drug Administration*, rappela ce matin-là à dix heures. On était le 11 avril. Carella l'avait appelé le 2 pour avoir des informations, et depuis la question lui était totalement sortie de l'esprit. Carella avait pour habitude de faire confiance aux autres, de considérer que leur sens des responsabilités était aussi élevé que le sien. Lorsqu'il demandait quelque chose à quelqu'un, il n'y pensait ensuite plus du tout jusqu'à ce qu'une note portée sur son agenda lui rappelle que le service requis n'avait pas été rendu, que la tâche confiée n'avait pas été accomplie. Dans cette ville où la bureaucratie était un pouvoir en elle-même, il s'accordait généralement deux semaines avant de reprendre son téléphone pour rappeler le coupable à l'ordre. Sur son calendrier, un second appel à la FDA n'était prévu que pour le 16. En ce sens, Johnson était largement en avance.

— Je sais que je suis très en retard, s'excusa-t-il.

C'était décidément un refrain ce jour-là. Mais Willis n'était toujours pas arrivé.

— Vous avez quelque chose pour moi ? demanda Carella.

— Vous vouliez savoir quelles sont les applications commerciales de la nicotine, c'est ça ?

— Oui.

— Qu'est-ce que vous cherchez ?

— Nous enquêtons actuellement sur un empoisonnement criminel à la nicotine.

— C'est plutôt rare, non ?

— C'est le premier de ce genre qui nous tombe sur les bras.

— La victime aurait-elle mangé des cigares ou des cigarettes ?

— Nous n'en avons aucune preuve.

— Parce que ça aurait pu suffire, vous savez. La dose mortelle est estimée à combien ? Quarante, cinquante milligrammes ?

— Dans ces eaux-là.

— L'équivalent de trois cigarettes ou de deux cigares. Si votre victime les a avalées. Mais vous me dites que ce n'est pas le cas ?

— Nous ne le pensons pas.

— Vous désirez donc savoir comment votre assassin a pu se procurer des produits contenant de la nicotine ?

— C'est exactement ça.

— Je me suis livré à une petite vérification sur ordinateur avant de vous appeler. J'ai les résultats sous les yeux. L'APE — l'Agence pour la protection de l'environnement — a actuellement vingt-quatre pesticides reconnus dont l'un des composants actifs est la nicotine. Plus quatre autres dans lesquels un des agents mortels est un dérivé de la nicotine. Il existe également deux autres produits, datant des années quarante, qui sont essentiellement à base de poudre de tabac.

— Tous ces composés sont des insecticides ?

— Pas nécessairement. Certains sont destinés à éloigner les animaux domestiques. Le produit antichiens le plus vendu contient environ six pour cent de nicotine. Le pourcentage est beaucoup plus faible dans le produit mixte antichiens et antichats que l'on répand devant les portes. Quant aux insecticides proprement dits, leur teneur en nicotine peut varier de un sept centième pour cent à des doses extrêmement fortes, comme quatre-vingt-dix-huit pour cent. Certains sont soumis à législation, d'autres sont en vente libre.

— Ils sont répertoriés par qui ?

— Par l'APE en premier lieu, qui peut autoriser, restreindre ou interdire leur mise en vente. Par chacun des Etats, ensuite, qui prend ses décisions en application de ses propres lois. Beaucoup de produits ne sont pas encore répertoriés aujourd'hui, uniquement parce que l'APE n'a pas encore déterminé s'ils devaient être vendus sans contrôle au public ou restreint à certains utilisateurs.

— Quel genre d'utilisateurs ?

— Tous les exterminateurs de vermine que vous pouvez imaginer. Les gens qui assurent la dératification, les gardes-forestiers, les jardiniers, les gens qui entretiennent les pelouses...

— Combien y a-t-il de produits non répertoriés ?

— Ils le sont presque tous, ce qui signifie que n'importe qui peut se les procurer n'importe où. Considérons le vaporisateur de jardin Black Leaf 40, par exemple. Il est en vente libre dans vingt-deux Etats, et il contient quarante pour cent de nicotine. Pour les pourcentages plus élevés, il faut une autorisation spéciale. Votre homme n'exerce pas un métier qui lui permettrait de l'obtenir ?

— Nous ne savons absolument pas ce qu'il fait, dit Carella.

— Soit. Admettons qu'il appartienne au commun des mortels. Il achète du Black Leaf, ou un autre insecticide contenant quarante pour cent de nicotine. Il veut obtenir un alcaloïde pur, en l'occurrence la nicotine. Qu'est-ce qu'il fait, d'après-vous ?

— Je n'en ai aucune idée.

— Je vais essayer de vous expliquer le processus le plus simplement possible. Il commence par mesurer le degré d'acidité, le pH du produit. Puis il s'arrange pour le rendre de moins en moins acide, de plus en plus basique...

— Comment ?

— En ajoutant de la soude caustique, pour éliminer peu à peu les sulfates. Lorsqu'il y est parvenu, après un certain nombre de passages, il ne lui reste plus que la nicotine et de l'eau, qu'il mélange dans un autre récipient...

— Avec quoi ?

— Avec de l'éther, par exemple. En distillant le produit et en ajoutant toujours plus d'éther, il se débarrasse de l'eau et finit par obtenir ce qu'il cherchait : de la nicotine pratiquement pure.

— C'est un travail de longue haleine, non ?

— Et difficile, approuva Johnson. Sauf s'il dispose d'un laboratoire équipé. Mais le résultat est garanti.

— A condition qu'il sache comment s'y prendre, fit remarquer Carella.

— Ou qu'il n'utilise pas un autre procédé, ajouta Johnson. Il aurait très bien pu s'y prendre aussi comme mon père dans notre ferme du Kentucky.

L'homme de la FDA avait maintenant toute l'attention de Carella.

— Comment faisait-il ?

— Mon père fabriquait lui-même son insecticide. Il mettait du tabac et de l'eau dans une cafetière, laissait mijoter le tout pendant une semaine, puis le faisait bouillir. Il obtenait ainsi une sorte de décoction, qu'il mélangeait ensuite avec du savon pour qu'elle adhère aux feuilles qu'il badigeonnait. Votre assassin pourrait très bien avoir procédé d'une façon identique. Faire bouillir des cigares ou des cigarettes dans de l'eau, puis distiller la pâte ainsi obtenue pour isoler le poison. — Johnson marqua une pause. — Vous disposez d'un labo, si je ne me trompe ?

— Oui.

— Appelez vos gars là-bas. Demandez-leur ce qu'ils pensent de cette idée de distillation.

— Je vous remercie, dit Carella. Vous m'avez été extrêmement utile.

— A votre service, répondit Johnson en raccrochant.

Carella était en train de composer le numéro du labo lorsque Willis fit irruption dans la salle des inspecteurs. Machinalement, les deux hommes levèrent les yeux sur l'horloge. Il était dix heures et quart.

— Le capitaine Grossman, s'il vous plaît, dit Carella dans le combiné.

— Désolé d'être en retard, murmura Willis en se dirigeant vers son bureau.

Meyer Meyer, qui attendait d'être relevé depuis une heure et demie, se leva dignement, alla prendre son chapeau au portemanteau, alluma une cigarette et sortit sans un mot.

— Il n'est pas là ? s'inquiétait Carella au téléphone. Ici l'inspecteur Carella. Pouvez-vous lui demander de m'appeler dès qu'il sera rentré ? Dites-lui que c'est urgent.

Il raccrocha le combiné et se tourna vers Willis.

— Tu as envie qu'on en parle ?

— De quoi ?

— De tes relations personnelles avec un suspect.

Willis fit rapidement le tour de la pièce du regard. Assis derrière son bureau, en manches de chemise devant la fenêtre grande ouverte sur Grover Avenue, Andy Parker tapait laborieusement, avec un seul doigt, sur une vieille Underwood. Parker entrait parfaitement dans la définition de la première catégorie de flics qu'avaient établie Brown et Kling. Il s'était présenté avec une barbe de plusieurs jours au commissariat bien avant que les héros de *Miami Vice* aient mis cette pratique à la mode, parce qu'il estimait indigne de lui de se vêtir et de se raser régulièrement pour faire le boulot d'imbécile qu'on lui demandait. Il lui fallait en général un minimum de deux heures pour rédiger un rapport, même si le coupable avait été pris la main dans le sac et avait tout avoué sur-le-champ. Sa philosophie consistait à bouger le moins de muscles possible pendant son tour de service. Il n'était pas recommandé de discuter de choses délicates à portée de ses oreilles, car sa conception de la délicatesse et de la discrétion était à peu près aussi atrophiée que son goût du travail.

— On va ailleurs ? proposa Carella.

— Je te suis, dit Willis.

Ils franchirent le portillon de bois, descendirent le couloir et pénétrèrent dans la salle des interrogatoires. Carella referma la porte derrière eux, puis ils s'assirent de part et d'autre de la longue table, Willis tournant le dos au miroir sans tain qui permettait de surveiller la pièce du bureau voisin.

— Alors ? demanda Carella.

— Alors ça ne te regarde pas, dit fermement Willis.

— Je suis tout à fait d'accord. Mais ça regarde le service.

— Au cul le service ! Je peux vivre où je veux, avec *qui* je veux !

— Je n'en suis pas certain quand le *qui* en question est suspecté d'avoir commis deux homicides.

— Marilyn Hollis n'est pas coupable ! cracha Willis avec une soudaine passion.

— Je n'en suis personnellement pas convaincu. Et le lieutenant partage mon point de vue.

— Rien ne vous autorise à penser...

— Rien ne nous autorise non plus à penser le contraire ! Qu'est-ce qui t'arrive, Hal ? Tu *sais* qu'elle est notre suspect numéro un...

— Au nom de quoi ? Selon le règlement, lorsque quelqu'un a un alibi irréfutable...

— Tu sais où tu peux te mettre tes alibis irréfutables, Hal ? Certains des criminels les plus astucieux que nous avons arrêtés ensemble avaient des alibis qui auraient pu résister à n'importe quel tremblement de terre.

— Marilyn n'est pas une criminelle ! hurla Willis.

Un silence pesant s'abattit sur la pièce.

— Qu'est-ce que nous faisons à ce point-là ? demanda finalement Carella. Tu vis avec cette femme, alors que nous continuons à enquêter sur elle...

— Je me moque totalement de ce que *tu* fais ! coassa Willis.

— Nous échangeons des points de vue dans la salle des interrogatoires, poursuivit Carella, imperturbable, et je ne sais pas si ce que nous disons ne lui sera pas immédiatement répété...

— Tu peux au moins supposer que je ne ferai rien pour nuire à l'enquête ! protesta Willis.

Un nouveau silence les sépara.

— Je veux lui parler, énonça calmement Carella. Dois-je passer par ton intermédiaire pour obtenir un rendez-vous ?

— Tu mènes ton affaire comme tu veux.

— Je croyais jusqu'à présent que c'était *notre* affaire.

— C'est toujours le cas. Il se trouve simplement que nous ne suspectons pas les mêmes personnes.

— Elle est chez elle en ce moment ?

— Elle y était quand je suis parti.

— Dans ce cas, si tu n'y vois pas d'inconvénient, je vais m'y rendre tout de suite.

— Je te conseille de l'appeler d'abord.

— Hal... commença Carella.

Puis il se tut et secoua tristement la tête. Il laissa Willis seul dans la salle des interrogatoires, le dos tourné au miroir qui permettait de surveiller les accusés.

— Qu'est-ce que vous voulez savoir ?

Elle portait un jean et une chemise d'homme. Carella se demanda si c'était celle de Willis. Ils se trouvaient dans le salon lambrissé, et à onze heures du matin les murs épais de la vieille demeure étouffaient presque entièrement les bruits de la circulation dans Harborside. Il avait du mal à réaliser que la jeune femme qu'il avait en face de lui était « tombée » une fois pour prostitution. Elle avait la beauté d'une adolescente. Une peau lumineuse, des yeux bleus innocents, aucun maquillage, pas même une trace de rouge à lèvres. Mais il n'oubliait pas la règle des souris. Si vous trouvez une seule souris dans votre grange, vous pouvez aussitôt en déduire sans vous tromper qu'il y en a plusieurs centaines que vous ne voyez pas. La même règle s'applique à la prostitution. Si une fille est prise une seule fois, cela signifie presque toujours qu'il y a au moins mille autres fois où elle ne s'est pas fait prendre.

— Quelques détails sur Basil Hollander, dit-il.

— Par exemple ?

— Comment vous l'avez connu.

— Au sens biblique du terme, répondit-elle en souriant.

Un vieux truc commun à toutes les prostituées. Faire du sexe une plaisanterie innocente, qu'on partage avec les connaisseurs.

— Nous sommes déjà au courant, répliqua-t-il sèchement. Nous désirons savoir comment vous l'avez rencontré.

— Pourquoi souhaitez-vous savoir cela, monsieur Carella ?

— Parce qu'il s'agissait de l'un de vos amis. Il est mort. Un autre de vos amis est mort peu de temps avant. Cela répond-il à votre question ?

— Je n'apprécie guère votre ironie, dit-elle. Pourquoi me détestez-vous ?

— Je ne vous déteste pas, mademoiselle Hollis. Pas plus que je ne vous aime. Je fais simplement mon travail de...

— Je vous en prie ! Epargnez-moi le couplet classique

sur votre sainte mission ! Hal m'a déjà suffisamment bassiné les oreilles avec ça !

Hal, bien sûr. Comment avait-il imaginé qu'elle l'appellerait ? Inspecteur Willis ?

— Pourquoi me condamnez-vous ? insista-t-elle. Est-ce parce que nous vivons ensemble ?

Directement au cœur du sujet, sans se soucier de l'*autre* sujet, de la question qu'il lui avait posée sur sa rencontre avec Basil Hollander, à laquelle elle n'avait toujours pas daigné répondre.

— Les affaires de Hal ne regardent que lui, dit-il, oubliant ce qu'il avait affirmé à son coéquipier une heure auparavant. Mes affaires à moi...

— Je croyais que Hal et vous faisiez équipe, le coupa-t-elle.

— Je le croyais aussi.

— Mais vous ne le croyez plus, n'est-ce pas ? Simplement parce qu'il vit avec une femme que vous soupçonnez d'être une criminelle ?

— Je n'ai rien dit de tel.

— Mais vous le pensez, et ça revient au même. Vous croyez réellement que j'ai tué Jerry et Baz ?

— Je n'ai aucune preuve formelle...

— Laissons tomber les preuves formelles, monsieur Carella. Elles indiquent seulement que je *ne peux pas* matériellement avoir assassiné l'un ou l'autre de mes amis. Mais ce n'est pas ce qui est essentiel pour vous. Ce qui compte, comme on dit, c'est votre intime conviction. Et votre intime conviction, toujours comme on dit, vous persuade que je suis deux fois meurtrière...

— Je pense que mon travail...

— Nous voilà encore avec votre travail...

— Que vous ne facilitez pas, soit dit en passant.

— En vivant avec votre collègue ?

— Non. En refusant de répondre à une question que je vous ai posée il y a cinq minutes.

— Déjà cinq minutes ? Comme le temps passe vite, quand on est en bonne compagnie !

— Pourquoi *me* détestez-vous ? demanda-t-il brusquement.

— Parce que je vous ai déjà rencontré mille fois, monsieur Carella. Vous êtes le flic classique. Hal mis à part. Vous pensez que qui a péché une fois péchera toujours.

Qu'un léopard ne modifie pas ses taches. Qu'une femme qui a fait le trottoir une fois le fera toujours.

— Si c'est l'opinion que vous avez de moi, c'est votre problème. En attendant je vous ai posé une question. Comment avez-vous rencontré Basil Hollander ?

— A un concert, soupira-t-elle.

— Lequel ?

— Une des prestations de l'Orchestre philharmonique.

— Quand ?

— En juin dernier.

— Une rencontre de hasard ?

— Pendant l'entracte. Nous avons commencé à discuter et nous nous sommes aperçus que nous avions les mêmes goûts. Nous avons immédiatement sympathisé.

— Quand avez-vous commencé à vous voir régulièrement ?

— Environ une semaine plus tard. Il m'a appelée pour m'annoncer qu'il avait des billets pour l'opéra. Je n'aime pas beaucoup l'opéra, mais j'ai accepté parce que c'était lui et nous avons passé une merveilleuse soirée. — Elle eut un sourire presque complice. — Néanmoins, je n'apprécie toujours pas l'opéra.

Un goût plutôt sûr, apprécia Carella. Les putains de Houston préféraient l'Orchestre philharmonique à l'opéra. Il s'accrocha à cette pensée. Peut-être avait-elle raison à son sujet. Peut-être était-il dans le métier depuis trop longtemps et s'accrochait-il à des idées reçues qui n'avaient de sens que pour lui ? Mais il n'avait encore jamais rencontré une putain repentie, ni un voleur à main armée réformé. Encore moins un criminel qui appréciait les symphonies et les opéras.

Par respect pour Willis, il ne chercha pas à savoir quand elle avait commencé à coucher avec Hollander. La discrétion qu'il s'imposa le mit immédiatement mal à l'aise. Il sentait qu'il était en train de compromettre l'enquête. D'ordinaire, l'intimité et l'intensité des relations entre un homme et une femme étaient un des éléments déterminants dans une affaire, surtout quand la jalousie paraissait en être le motif principal. Au lieu de cela, il lui demanda :

— Basil était comptable, n'est-ce pas ?

— Vous le savez aussi bien que moi.

— Justement. Quand l'avez-vous su ?

— Qu'il était comptable ? — Elle lui lança un regard étonné. — Quel intérêt...
— A-t-il travaillé pour vous ?
— Basil ? Jamais de la vie !
— Vous avez un comptable, cependant ?
— Oui.
— Comment s'appelle-t-il ?
— Marc Aronstein.
— Depuis combien de temps s'occupe-t-il de vos comptes ?
— Je l'ai engagé quand je suis arrivée de Buenos Aires. — Elle vit son air surpris. — Hal ne vous a pas dit ?
— Quoi ?
— Que j'ai été putain à Buenos Aires.
— Non. Pendant combien de temps ?
— Cinq ans.
— Et à Houston ?
— Un an seulement. Je suis partie juste après mon arrestation.
Elle avait une histoire criminelle plus riche qu'il ne l'avait cru. Willis n'avait décidément pas choisi la facilité.
— Vous êtes allée directement en Argentine ?
— Non. Je suis d'abord passée par Mexico.
— Pour travailler ?
Elle eut un sourire énigmatique.
— En touriste.
— Vous y êtes restée longtemps ?
— Environ six mois.
— Quel âge avez-vous, mademoiselle Hollis ?
— C'est vous le limier, monsieur Carella. Je vais vous laisser faire les calculs. J'ai quitté ce qu'on a coutume d'appeler le foyer familial trois mois avant mon seizième anniversaire. J'ai vécu un peu plus d'un an à Los Angeles avant de partir pour Houston.
— Pourquoi avez-vous choisi Houston ?
— Je comptais me faire admettre à Rice.
— Mais vous y avez renoncé ?
— Oui. J'ai rencontré un homme qui m'a — comment dit-on ? — détournée du droit chemin.
— Joseph Seward ?
— Non. Seward est venu plus tard.
— Combien de temps êtes-vous restée à Houston ?
— Je vous l'ai déjà dit. Un an. Vous y êtes ? Bon. J'ai

vécu ensuite six mois à Mexico, cinq ans à Buenos Aires et je suis ici depuis quinze mois. Qu'est-ce que vous obtenez ?

— Vous vous êtes enfuie à seize ans ?

— Presque.

— Je dirais vingt-quatre ans.

— J'en aurai vingt-cinq en août.

— Vous avez eu une existence très agitée, fit remarquer Carella.

— Encore plus que vous croyez.

— Vous nous avez dit que votre père vous avait offert...

— Non, c'était un mensonge. Et je suis sûre que vous le savez très bien. N'essayez pas de me tendre un piège, monsieur Carella. Je déteste les gens qui ne vont pas droit au but.

— Dans ce cas, comment avez-vous acquis cet immeuble ?

— Hal ne vous l'a pas expliqué ? Je suis revenue d'Amérique latine avec près de deux millions de dollars. La maison m'en a coûté sept cent cinquante mille. J'ai placé le reste. C'est la raison pour laquelle j'ai besoin d'un comptable.

— Marc Aronstein ?

— Oui. De la société Harvey Roth. Dans Battery Street, près du Old Seawall.

— Mademoiselle Hollis, vous n'avez jamais discuté de questions financières avec Basil Hollander ?

— Jamais.

— Avez-vous eu des ennuis avec le Trésor ?

— Une fois.

— A quel sujet ?

— Toujours la même histoire. Les déductions VD. Voyages et distractions.

Dans son métier, Carella n'avait aucune déduction pour ce genre de choses. Il n'avait d'ailleurs aucune idée de ce qu'elles recouvraient.

— Je vois, dit-il. Vous en avez parlé avec M. Hollander ?

— Je vous ai déjà dit que je n'abordais jamais les problèmes d'argent avec lui.

— Même en sachant qu'il était comptable ?

— Nous avions d'autres sujets de conversation.

— Savait-il que vous êtes une ancienne prostituée ?

— Non.

— Et les autres ? McKennon ?

— Non plus.
— Riley ? Endicott ?
— Encore non.
— La nuit où McKennon a été empoisonné...
— Je faisais du ski à Snowflake.
— Avec Nelson Riley ?
— Oui.
— Et quand Hollander a été tué...
— Je me trouvais chez Chip Endicott.
— Qui sont tous les deux d'excellents amis à vous.
— Qui étaient, corrigea-t-elle.
— Que voulez-vous dire ?
— Hal désire que je cesse de les voir.
C'est à ce point-là, pensa-t-il.
— Vous allez le faire ?
— Bien sûr. — Elle se tut un instant et lui sourit. — Je l'aime, vous comprenez ?

11

Une voiture de patrouille était garée en travers du trottoir, devant l'immeuble de Nelson Riley, lorsque Marilyn s'y rendit le samedi matin à dix heures. Une soudaine angoisse la saisit à la gorge, elle hésita un instant au bord de la chaussée, puis elle prit une profonde inspiration et s'engouffra dans l'entrée.

Pendant la semaine, l'atelier de fabrication de chapeaux qui occupait le cinquième étage du bâtiment payait un liftier noir pour faire fonctionner l'ascenseur. Les propriétaires de l'atelier n'appréciaient guère que Riley ait peint au niveau de son étage une énorme femme nue, débordante de chair, qui s'ouvrait littéralement en deux, de la poitrine au pubis en passant par le nombril, lorsque les doubles portes s'écartaient. L'atelier étant fermé le samedi et le dimanche, les visiteurs devaient se débrouiller eux-mêmes, ces jours-là, avec le vieux mécanisme à levier, actionnant un tambour, qui faisait monter ou descendre la machine.

Marilyn avait toujours eu le plus grand mal à s'en servir. Comme à chacune de ses visites, elle dut actionner le levier à plusieurs reprises vers l'avant et l'arrière pour parvenir à immobiliser le sol de la cabine à la hauteur du troisième étage. Elle ouvrit alors la grille de protection, repoussa les deux parties de la femme peinte, referma soigneusement les deux portes derrière elle, puis descendit le couloir en direction du loft de Riley.

La porte de l'atelier était ouverte.

Deux agents en uniforme se trouvaient à l'intérieur. L'un d'eux prenait des notes sur son carnet pendant que l'autre, les poings sur les hanches, écoutait Riley lui expliquer qu'un inconnu était entré chez lui par effraction la nuit précédente.

— A la minute même où la police vous retire sa protection, protestait Riley, quelqu'un en profite pour s'introduire chez vous !

— Une minute ! dit l'agent qui prenait des notes. De quelle protection parlez-vous ?

— J'avais un flic qui me suivait comme mon ombre vingt-quatre heures sur vingt-quatre.

— Pour quoi faire ?

— Parce qu'ils pensaient que j'étais menacé.

— Qui ?

— Les inspecteurs qui dirigent l'enquête.

— Quels inspecteurs ?

— Des gars du 87e district, dans le nord.

L'agent qui avait les poings sur les hanches demanda :

— Sur quoi enquêtent-ils ?

— Sur un meurtre, dit Riley. Salut, Marilyn ! Entre !

— Tu as entendu ça, Frank ? demanda l'agent au carnet.

— J'ai entendu, Charlie.

Frank désigna Marilyn, qui venait de les rejoindre au centre de l'atelier.

— Qui est-ce ?

— Une amie, répondit Riley en déposant un baiser sur la joue de la jeune femme.

— Qu'est-ce qui vous fait croire que quelqu'un est entré ici en votre absence ? s'enquit Charlie.

— La fenêtre de mon living a été forcée, expliqua Riley en se tournant aussitôt vers Marilyn. C'est un monde, non ?

Les deux agents contournèrent le mur à mi-hauteur qui marquait les frontières du « living ».

— Vous vivez ici ? demanda Frank.

— Je vis ici et je travaille là.

— Quel genre de travail ? demanda Charlie.

— Je suis peintre.

— Vraiment ? s'exclama Frank. Vous devriez me donner votre carte. Mon beau-frère cherche quelqu'un pour repeindre sa maison.

— Je ne suis pas peintre *comme ça*. — Riley eut un large geste de badigeonneur. — Je suis peintre *comme ça*. — Il fit mine de brandir un minuscule pinceau. — Je peins des tableaux. Ceux qui sont contre le mur.

Les deux agents les regardèrent sans exprimer la moindre réaction, puis Charlie hocha la tête d'un air entendu.
— C'est là que vous dormez, sur ce water-bed ?
— Oui.
— On dit que c'est très confortable.
— C'est parfait, répliqua Riley en se contenant à grand-peine. Maintenant, si vous voulez bien examiner la fenêtre, vous pourrez voir qu'elle a été forcée.
Charlie se déplaça jusqu'au pied du lit et se mit à étudier soigneusement la fenêtre. Frank vint se pencher par-dessus son épaule. Derrière eux, Marilyn se détourna pour retenir un fou rire.
— Vous voulez parler de ces marques, là ? demanda Charlie.
— Exactement.
— Elles n'y étaient pas auparavant ?
— Non.
— Elles sont donc récentes ?
— Elles datent de cette nuit.
— Qu'est-ce que tu en penses, Frank ?
Frank haussa les épaules.
— Ça pourrait être un pied-de-biche. Peut-être pas.
— On vous a volé quelque chose ? demanda Charlie.
— Pas à ma connaissance.
— Alors pourquoi nous avez-vous appelés ?
Riley le regarda avec étonnement.
— Je croyais que les *effractions* intéressaient la police...
— Les *vols* avec effraction, oui. Mais les effractions toutes seules, ça n'a pas de sens.
— D'ailleurs, il n'y a rien d'intéressant à voler ici, surenchérit Frank en faisant des yeux le tour du loft.
— Les toiles figuratives de M. Riley peuvent valoir jusqu'à cinq mille dollars l'une ! protesta Marilyn.
— Les quoi ?
— Les peintures.
— Sans blague ? — L'agent procéda à une nouvelle inspection, plus intéressée, de la pièce. — Ces trucs ?
— Aucune de ces pièces de valeur n'a disparu ? demanda Charlie en appuyant sur le mot valeur pour bien montrer qu'il n'était pas dupe.
— Non.
— Donc, *rien ne manque*, d'accord ?
— D'accord.

— Alors qu'est-ce qu'on fait ici ?
— Je vous ai appelés parce que deux personnes ont déjà été assassinées et...
— Dans notre secteur ?
— Non, mais...
— Vous auriez dû raconter ça au 87e, expliqua Charlie. Si c'est eux qui s'occupent des homicides, c'est eux que ça intéresse.
— Merci du conseil, dit Riley.
— Il n'y a pas de quoi. Quand j'écrirai mon rapport, je signalerai que le 87e est déjà sur l'affaire.
— Vous devriez mettre des barreaux à cette fenêtre, conseilla Frank. Avec l'escalier d'incendie dehors et tous ces tableaux qui n'ont pas de prix. — Il haussa les épaules, l'air perplexe. — Avec des barreaux personne ne pourrait entrer.
— Et comment je sortirais s'il y avait un incendie ? ricana Riley.
— En appelant les pompiers, expliqua Charlie.
— On a fini ici ? demanda Frank.
— On a fini, dit Charlie en refermant son carnet.
Riley poussa un soupir.
— A une autre fois, lança Charlie.
Dès qu'ils eurent disparu, Riley laissa éclater sa colère.
— La meilleure police du monde, hein ?
— On voit que tu ne connais pas ceux de Houston...
— Quelqu'un pénètre chez moi, et tout ce qu'ils trouvent à faire, c'est me donner des conseils pour griller dans un incendie !
— Tu es sûr que quelqu'un est vraiment entré ?
— Absolument. Ces marques n'étaient pas là la nuit dernière.
— Tu es certain que tu ne devrais pas appeler...
— Pour quoi faire ? Pour qu'ils m'expliquent une nouvelle fois combien ils sont désolés de ne plus rien pouvoir pour moi ? Tu aurais dû les entendre. On aurait dit un disque enregistré ! La recrudescence des crimes dans cette ville et la faiblesse de nos effectifs nous contraignent à renoncer à notre surveillance... Surveillance des lieux et du sujet, comme ils disaient. Les lieux, c'était ici, et le sujet c'était moi. Sauf que maintenant je ne suis plus un sujet. Je suis en train de redevenir une *cible*, et ces messieurs n'y peuvent apparemment plus rien !

Marilyn ne répondit pas. Brusquement, Riley se détendit, sourit et lui ouvrit les bras :

— Tu peux m'embrasser, quand même !

— Il faut que je te parle, Nelson, dit la jeune femme en reculant instinctivement.

— Plus tard ! Tu veux boire quelque chose ?

— Non merci.

— J'ai un whisky qui a au moins douze ans d'âge sur cette étagère. Tu es certaine que tu ne veux pas y goûter ?

— Pas maintenant.

— Tu es splendide, tu sais. Je ne t'ai pas encore dit que tu étais splendide ?

— Merci.

Elle portait une jupe plissée, des collants, un corsage clair avec un col claudine, un cardigan plus sombre, tous dans des tons de bleu qui s'harmonisaient avec la couleur de ses yeux, de même que le sac de cuir qui lui pendait à l'épaule et que la barrette qui retenait ses cheveux blonds derrière sa nuque pour former une queue de cheval.

— Tu es *vraiment* très belle.

— Merci encore.

Il fronça les sourcils.

— Quelque chose ne va pas ?

— Non. Tout va très bien.

— Les flics t'ont fait des ennuis ?

— Ils m'ont posé des questions. Mais je n'appellerais pas ça des ennuis.

— Tu es sûre que tu ne veux pas un verre ? — Elle secoua la tête. — Un café ?

— Je vais le faire moi-même.

— Je n'ai que de l'instantané...

— Je suis au courant.

Elle marcha sans hésiter jusqu'à l'évier, prit la bouilloire et commença à la remplir.

— Ça t'ennuie si j'en profite pour ranger un peu ce bordel ? J'ai terminé un gros morceau la nuit dernière et je suis sorti en laissant tout en plan. J'aime bien que l'atelier soit propre pour le week-end. — Il eut un rire amusé. — On ne sait jamais qui peut débarquer à l'improviste...

Marilyn alluma le réchaud et y posa la bouilloire.

— J'ai eu plusieurs fois l'intention de t'appeler, lança Riley de l'autre côté de la paroi.

— Je suis heureuse que tu ne l'aies pas fait, répliqua

Marilyn en sortant deux tasses et un pot de café en poudre.

— Pourquoi ? Tu étais occupée ?

— Très.

Elle versa la poudre dans les tasses sans cesser de surveiller la bouilloire.

— Moi aussi, dit joyeusement Riley. C'est pourquoi finalement je ne t'ai pas donné signe de vie. Tu vois le gros morceau, là-bas ?

Elle revint dans l'atelier.

— Tu reconnais ?

— Snowflake.

— J'ai eu une semaine infernale à essayer de peindre ces flocons. Qu'est-ce que tu en penses ? On a vraiment l'impression qu'il neige, non ?

— Tout à fait.

— On ne mettrait pas un chat dehors par ce temps-là, commenta-t-il avec un brin de vanité. Il te plaît ?

— Beaucoup.

— La fille en parka jaune, c'est toi.

— Ma parka n'était pas...

— Je sais, je sais. — Il continuait d'admirer son œuvre, les yeux brillant de plaisir. — Alors tu l'aimes vraiment ?

— Je te l'ai déjà dit.

Elle regagna la cuisine pendant qu'il s'installait sur son tabouret, le dos tourné au mur de séparation, pour nettoyer ses brosses et ses pinceaux. Lorsqu'il se retourna, elle se tenait près de l'étagère, la bouteille de scotch entre ses mains.

— Douze ans ! s'extasia-t-il. Un cadeau du patron de la galerie.

Elle ouvrit la bouteille, la renifla, plissa le nez et la referma aussitôt.

— Ça ne te tente vraiment pas ?

— Pas à cette heure de la journée. De toute manière, je déteste le scotch.

Il plongeait l'une après l'autre ses brosses dans l'essence de térébenthine, faisant disparaître soigneusement la peinture séchée qui adhérait aux poils.

— Du travail d'amateur, grommelait-il. Esquinter le matériel pour aller fêter un succès...

Elle l'observa en silence derrière son dos pendant un long

moment. Il ne releva la tête que lorsque la bouilloire se mit à siffler.

— Le café est prêt, annonça-t-elle.

— Il y a du lait dans le frigo. Le sucre est...

— Je le prends noir.

— C'est vrai. Je devrais le savoir, depuis le temps.

Elle vint poser les deux tasses sur la table de travail et prit place sur le tabouret qui lui faisait face. L'odeur du café se mêlait à celle de la térébenthine. Posément, elle ouvrit son sac, en sortit un paquet de Virginia Slims et un briquet en or à ses initiales. Après avoir allumé une cigarette, elle tira une longue bouffée, puis rangea soigneusement le paquet et le briquet devant elle sur la table, les manipulant avec un soin méticuleux. Il observait ses mains. Brusquement, elle releva la tête, cherchant visiblement ses yeux.

— Nelson, dit-elle, je veux que nous cessions de nous voir.

Il la regarda en silence.

— D'accord ? insista-t-elle.

— Pour quelle raison ?

— Nous ne nous voyons plus, c'est tout.

— Pas si vite ! protesta-t-il. Je veux savoir. C'est parce que je ne t'ai pas appelée ? Je ne croyais pas que ce genre de connerie avait de l'importance entre...

— Ce n'est pas ça.

— Alors quoi ?

— J'ai rencontré quelqu'un.

— Qu'est-ce que tu veux dire ?

— Qu'est-ce que tu *crois* que je veux dire, Nelson ? Je suis engagée avec quelqu'un.

— *Engagée ?* Toi ?

— Exactement. Je ne vois pas ce qui te permet...

— Engagée ? répéta-t-il. Après tout ce que tu m'as dit *contre* l'engagement ?

— Je le pensais sincèrement.

— Après tout ce que tu m'as raconté sur la *liberté* ?

— Je ne *mentais* pas, Nelson ! Tu n'as pas le droit...

— Et tu m'accuserais, en plus ! — Il secoua la tête. — Ecoute, reconnais que la nouvelle est plutôt un choc pour moi... et je pèse mes mots. Tu n'as cessé de m'expliquer pendant des semaines que ce que nous partagions était exactement ce qu'il nous fallait, que nous ne devions surtout pas chercher plus ! Bavarder, nous amuser, passer de bons moments ensemble, c'était le fin du fin de la vie pour toi. Ce n'est pas ce que tu m'as toujours dit, Marilyn ?

— C'est effectivement ce que je t'ai dit.

— Et brusquement...

— Brusquement est le mot juste.

— Qui est-ce ? Un de ces autres amis dont tu ne me parlais jamais ?

— Non.

— Qui, alors ?

— Ça n'a aucune importance.

— Ça en a beaucoup pour moi. Qui ?

— Il s'appelle Hal Willis.

— *Quoi ?*

— Hal...

— Le *flic ?* Le petit gars qui est venu m'interroger ici ? Tu te moques de moi, ou quoi ?

— Je ne plaisante pas, Nelson.

— Seigneur, je veux bien que tous les goûts soient dans la nature, mais il y a quand même des limites...

— Je t'ai *dit* que je ne plaisantais pas. Laisse tomber, d'accord ?

Il y eut un lourd silence dans l'atelier.

— D'accord, soupira finalement Nelson.

Un nouveau silence.

— Comme ça, c'est fini...

— Fini, approuva-t-elle.

— Six mois, sept mois de...

— Nelson, le coupa-t-elle gentiment, nous avons été de bons amis. Pourquoi ne nous séparerions-nous pas comme de bons amis ?

— Pourquoi pas ? — Il eut un sourire brusque, inattendu. — Tu veux aussi faire tes adieux au water-bed ?

— Je ne crois pas que j'en aie envie.

— Juste quelques vagues, insista-t-il lourdement, le regard voilé.

Elle lui sourit, se leva, fit glisser son sac sur son épaule, contourna rapidement la table de travail et vint déposer un baiser sur sa joue.

— Nelson, dit-elle. Adieu...

Elle le regarda un instant, comme si elle s'apprêtait à ajouter autre chose, puis secoua la tête, fit demi-tour et sortit de l'atelier.

Il entendit ses hauts talons claquer le long du couloir. Il perçut le grincement de l'ascenseur qui montait jusqu'au troisième étage. Le glissement des lourdes portes. Puis le bruit de la cabine qui redescendait, de plus en plus faible, de plus en plus lointain.

Ensuite, il n'y eut plus que le silence, et l'odeur entêtante de la térébenthine.

Terrifiant, pensa-t-il.

Une manière fantastique de commencer le week-end.

Quelqu'un entre chez moi par effraction et Marilyn se casse. Comme une voleuse elle aussi, tout bien considéré. Bonjour, je prendrais volontiers un café, Nelson, et à propos c'est fini entre nous. Je suis engagée ailleurs. Marilyn *engagée* ? Ça, c'est la meilleure de l'année ! Et avec un flic, en plus ! Un flic pas plus haut que trois pommes et demie.

Il eut brusquement envie de pleurer.

Du calme, se dit-il. Cette ville *grouille* de femmes. Il y en a des essaims entiers dans les galeries, toutes mûres et prêtes à être croquées. Mais aucune ne vaudra jamais Marilyn.

Marilyn était la perle rare.

Etait.

Imparfait de l'indicatif ne *remplaçant* jamais le présent.

Nelson... adieu.

« *Yo te adoro* », lui avait-elle dit une fois pendant qu'ils jouaient sur le water-bed. Elle murmurait toujours ces choses-là en espagnol, et il n'était pas toujours sûr de bien les comprendre. Comme si elle se protégeait, comme si elle voulait lui faire comprendre à sa manière qu'elle ne le pensait pas vraiment, qu'il ne s'agissait que d'un instant de leur vie, qu'il n'y avait entre eux aucune promesse, aucun engagement, aucun lien définitif.

Il se demanda à quel point il s'était lui-même engagé avec elle.

Il y avait à peine dix minutes qu'elle avait franchi la porte, et il avait déjà envie de se jeter par la fenêtre.

« *Yo te adoro.* »

Murmuré la tête posée sur son bas-ventre, les lèvres sur son pénis.

Pas de drame, se répéta-t-il. Il y a d'autres femmes dans le monde.

Il s'écarta de sa table de travail et de l'odeur de térébenthine pour se diriger vers la cuisine — « Ton petit nid, lui disait-elle, je suis ton oisillon dans ton petit nid. » Quelle autre femme lui dirait jamais cela ?

Après s'être soigneusement lavé et essuyé les mains, il leva les yeux sur la pendule.

Onze heures moins vingt.

Etait-ce une heure décente pour commencer à noyer son chagrin ?

Au diable la décence !

Il s'approcha de l'étagère qui surmontait le lit, prit la bouteille de scotch, la déboucha, sortit un verre du placard, se versa trois doigts de liquide ambré et offrit un toast à une rupture qui lui faisait mal comme il ne l'aurait jamais cru possible.

— Marilyn, dit-il à haute voix, je crois que je t'aimais !

Il porta le verre à ses lèvres et avala une longue rasade.

La pendule indiquait onze heures moins dix-huit minutes.

Sa première réaction ne fut rien de plus qu'un réflexe. Il recracha aussitôt la boisson au goût effroyable — essaya du moins de la recracher, mais il en avait déjà avalé la plus grande partie, et seul un mince filet de salive brunâtre se répandit sur le réfrigérateur.

Il sentit un feu insupportable lui brûler la bouche, la gorge, descendre comme une lave en fusion dans son tube digestif. Lâchant le verre, qui se brisa en mille éclats sur le carreau de la cuisine, il se rua sur l'évier, saisit un autre verre sur le comptoir, le remplit d'eau froide pour diluer la salive épaisse qui lui engluait maintenant la bouche. Il tenta à nouveau de recracher le poison qui le consumait de l'intérieur, mais ne parvint qu'à rendre un flot de salive mêlée d'eau et se sentit brusquement pris de nausées. Il lâcha le second verre, qui rebondit dans l'évier sans se casser, et se mit à vomir une bile amère, aux vagues relents de café, cependant que l'impression de recevoir des coups de couteau dans l'estomac le contraignait à se plier en deux.

Il s'éloigna en titubant de l'évier.

Le téléphone.

Un médecin.

Il s'effondra sur le water-bed, le bras désespérément tendu pour essayer d'atteindre le combiné. Ce fut à cet instant que ses intestins le lâchèrent à leur tour. Une humidité visqueuse emplit ses pantalons, une odeur caractéristique emplit ses narines. Cette perte de contrôle sur son corps fut sans doute ce qui l'effraya le plus, mais il ne disposa que de quelques secondes pour s'en désoler, car l'instant suivant il se retrouva pris de convulsions sur le lit, les bras et les jambes s'agitant spasmodiquement, la tête rejetée en arrière, cherchant vainement son souffle avec la sensation terrifiante que ses poumons n'acceptaient plus d'air, que sa gorge était close, qu'aucun oxygène n'alimenterait plus sa vie. Marilyn, pensa-t-il en un dernier éclair, Marilyn, si tu savais...

Puis il ne pensa plus, parce qu'il était mort.

La pendule de la cuisine indiquait onze heures moins seize.

Grâce à la diligence du 6e district, Carella et Willis se retrouvèrent sur les lieux à minuit douze. Un sculpteur qui vivait au même étage que Riley était venu lui rendre visite pour lui faire admirer sa dernière création. Il avait ouvert la porte de l'atelier et découvert Riley gisant sur le waterbed au milieu de ses déjections. Il avait immédiatement appelé la police. La voiture de patrouille qui avait été chargée de répondre à l'appel était celle de Frank et Charlie. Après avoir jeté un rapide coup d'œil sur la victime, ils avaient signalé qu'ils avaient un cadavre sur les bras au 74 Carlson Street. Ils avaient également précisé que la victime, avant d'en être une, leur avait expliqué le matin même qu'elle était liée à un double homicide sur lequel enquêtaient les inspecteurs du 87e. Le 6e district avait prévenu le 87e à onze heures quarante et une. Il avait fallu moins d'une demi-heure à Willis et Carella pour atteindre Carlson Street.

Les deux agents se trouvaient encore dans l'atelier. Leur sergent les avait rejoints, ainsi qu'un capitaine en uniforme — les homicides, surtout quand on ne savait pas quelles surprises ils pouvaient réserver, attiraient souvent les huiles et les demi-huiles.

— Le médecin légiste est en route, annonça le capitaine.

— Nous avons répondu à un appel de la victime ce matin à dix heures, expliqua le sergent. L'homme affirmait que sa fenêtre avait été forcée la nuit dernière.

— Rien n'avait été volé, dit précipitamment Charlie, impatient de couvrir ses arrières.

— Nous comptions inclure dans notre rapport que l'affaire relevait du 87e, insista Frank d'un ton d'excuse. On dirait qu'on a été pris de court.

Le capitaine leur lança un regard neutre. Tous deux savaient ce que signifiaient les regards neutres des gradés. Ils étaient dans la merde jusqu'au cou, et personne ne les en sortirait.

— Cette bouteille de whisky près du placard, intervint le sergent. Elle pue comme une pièce où une demi-douzaine de politiciens auraient essayé de se mettre d'accord sur un programme électoral.

Carella se demanda si le sergent avait eu l'intelligence de ne pas la toucher.

— On a trouvé un paquet de cigarettes et un briquet de femme avec des initiales, M.H., dans l'autre pièce, ajouta le capitaine.

Carella lança un long regard à Willis.

— Il y avait une femme avec lui un peu après dix heures, s'empressa de dire Charlie avec l'espoir qu'en apportant une information capitale il sauverait peut-être sa têtc.

— Une grande femme blonde, précisa Frank pour ne pas demeurer en reste.

— Elégante, renchérit Charlie.

— Vêtue de bleu, pour aller avec ses yeux, contre-attaqua Frank.

— La victime nous l'a présentée comme une amie, insista Charlie.

— Vous avez noté son nom ? demanda le sergent.

— Carolyn, je crois, dit Charlie.

Non, songea Carella. Certainement pas Carolyn.

— Carolyn comment ? s'enquit le capitaine.

— Je ne sais pas, avoua Charlie.

— Nous répondions seulement à un appel pour effraction, expliqua Frank. La femme n'était pas en cause.

— Cela ne vous empêchait pas de relever son identité ! répliqua sèchement le capitaine.

Nous l'avons déjà, pensa Carella.

— Rien n'a été volé, répéta Charlie, en haussant les épaules devant l'injustice du monde.

Le médecin légiste apparut à cet instant dans l'atelier.

— Vous avez vu la femme peinte sur la porte de l'ascenseur ? Où est mon client ?

— Sur le water-bed, l'informa le capitaine.

— Seigneur, soupira le praticien. Ça pue comme l'enfer, dans cette turne !

Il s'approcha du lit en évitant les éclats de verre répandus sur le sol.

— Pouah ! fit-il en s'agenouillant à côté du cadavre.

Carella se détourna et passa dans l'atelier proprement dit. Il regarda longuement le paquet de cigarettes et le briquet monogrammé. Tu as fait un long chemin, ma belle, pensa-t-il, et pour en arriver où ? Puis ses yeux se posèrent sur la toile représentant Snowflake. Il nota sans satisfaction particulière que l'artiste avait fini par réussir à rendre l'impression qu'il neigeait.

De l'autre côté du mur, il perçut la voix de Willis :

— Cette bouteille doit être empaquetée et envoyée au labo. L'un de vous l'a-t-il touchée ?

— Pas moi, dit Frank.

— Moi non plus, ajouta Charlie.

— Je l'ai peut-être effleurée, avoua le sergent.

— Pourquoi ? demanda le capitaine. Vous pensez qu'il y a quelque chose dans ce scotch ?

— De la nicotine, dit Willis.

— Vous êtes de la profession ? aboya le médecin légiste.

— Non, mais...

— Alors laissez-*moi* le soin de faire l'autopsie, d'accord ?

Willis le contempla avec une haine non dissimulée pendant quelques secondes, puis rejoignit Carella près de la table de travail. Son regard se posa sur le paquet de cigarettes et le briquet.

— Ils sont à elle, n'est-ce pas ? finit par demander Carella.

Willis hocha la tête.

— Tu savais qu'elle devait venir le voir ?

— Oui.

— D'accord. Qui l'interroge ?

— Moi, dit Willis.

12

Il l'attendait dans le salon.

Lorsqu'elle l'avait quitté le matin même, elle lui avait annoncé qu'elle comptait se rendre chez Riley — « pour en finir une fois pour toutes » —, puis qu'elle irait sans doute faire un tour dans les rues commerçantes, se livrer à quelques emplettes. Elle lui avait dit qu'elle serait de retour à une heure et qu'elle l'appellerait au commissariat pour lui dire comment les choses s'étaient passées.

La pendule qui trônait sur le manteau de la cheminée égrenait lentement les minutes.

Il était maintenant une heure moins une.

Il ne cessait de penser à Riley, au fait que quelqu'un s'était débarrassé de lui en l'envoyant rejoindre McKennon et Hollander. Trois des meilleurs amis de Marilyn assassinés en moins d'un mois. Le seul qui restait était Endicott, et elle prévoyait de le voir la semaine suivante pour lui annoncer la nouvelle, « pour en finir aussi avec lui ».

La pendule sonna.

Un seul coup, sinistre dans le silence du living-room.

Il attendait.

Il entendit sa clé jouer dans la serrure à une heure et quart. Elle entra, laissa tomber son sac sur la table qui se trouvait près de l'entrée et s'apprêtait à gravir les marches de l'escalier lorsqu'elle l'aperçut, assis dans un des fauteuils.

— Eh ! dit-elle d'une voix agréablement surprise. On rentre en avance à la maison ?

— Riley est mort, dit-il.

C'était un coup tiré à bout portant, à la hauteur de la

hanche, destiné à tuer. Elle ne mourut pas, mais faillit défaillir.

— Qu'est-ce que tu dis ? murmura-t-elle.

— Tu m'as parfaitement entendu.

— Mort ?

— Complètement. Raconte-moi ce qui s'est passé avec lui, Marilyn.

— Tu ne crois quand même pas...

— Si tu ne me le racontes pas à moi, tu devras le raconter à Carella. Tu as laissé ton briquet là-bas. Et tu as rencontré deux agents qui t'ont parfaitement reconnue...

— Ainsi, je redeviens suspecte...

— Tu n'as jamais cessé de l'être. En tout cas dans l'esprit de Carella.

— Je n'ai pas tué Nelson ! Seigneur, je ne suis restée chez lui que quelques minutes !

— Qui t'a dit qu'il avait été *tué ?*

— Tu m'as dit qu'il était *mort.* Nelson n'était pas du genre à avoir une attaque cardiaque.

— Raconte-moi *tout* ce que tu as fait chez lui, du moment où tu es entrée au moment où tu es sortie.

Marilyn poussa un soupir.

— Je t'écoute, insista Willis.

— Je suis arrivée un peu après dix heures...

— Et tu es repartie quand ?

— Je ne sais pas exactement. Quelque chose comme dix heures et demie, je pense.

— Ça ne fait pas quelques minutes. Ça fait une demi-heure.

— Si tu veux, admit-elle d'un ton las.

— D'accord. Qu'est-ce que vous avez fait pendant cette demi-heure ?

— Il m'a proposé un verre. J'ai refusé. Nous avons pris un café à la place. Puis je lui ai expliqué la situation.

— Quel genre de verre t'a-t-il offert ?

— Du scotch.

— Tu n'en as pas bu ?

— Non. Il sentait horriblement mauvais.

— Tu n'en as pas bu mais tu l'as senti ?

— Oui. J'ai débouché la bouteille pour me rendre compte.

— Tu as manipulé la bouteille ?

— Oui, je te dis ! Je voulais me faire une idée.

— Et qu'est-ce que tu as senti ?

— Qu'est-ce que tu veux que je te dise ? J'ai senti l'odeur du scotch. C'est une odeur qui me révulse le cœur.
— Tu n'as rien senti d'autre ?
— Si, mais je ne saurais pas te dire quoi. Il y avait quelque chose d'autre à l'intérieur ?
Il ignora sa question.
— Qu'est-ce que tu as fait après ?
— J'ai refermé la bouteille et je l'ai reposée sur l'étagère. Pourquoi ? Nelson a été empoisonné ? Il y avait... autre chose dans le scotch ?
— Qu'est-ce que ça peut te faire ?
— Réponds à ma question, Hal !
— Oui, il a été empoisonné.
— Seigneur, et moi qui ai laissé mes empreintes sur cette bouteille...
— Si tu les as réellement laissées...
— Bien sûr que je les ai laissées ! Tu imagines quelqu'un qui débouche une bouteille sans poser ses doigts dessus ?
— Et si le contenu révèle la présence de poison...
— Ne me raconte pas de craques ! Tu sais déjà très bien que c'est le cas !
— Alors la police voudra en savoir plus sur la raison pour laquelle tu as touché à cette bouteille.
— Je me suis contentée... Qu'est-ce que tu veux dire par la police ? Ton collègue qui soupçonne tout le monde ? Ou toi ?
— Je suis toujours en train de t'écouter, dit sombrement Willis.
— Je n'ai rien versé dans ce scotch ! jura-t-elle.
— Tu as juste pris la bouteille sur l'étagère...
— Oui !
— Tu l'as débouchée...
— Oui, oui, oui !
— Et tu l'as sentie. Pourquoi ?
— Parce que Nelson prétendait que c'était une occasion exceptionnelle. Douze ans d'âge, disait-il. Je n'aime généralement pas le scotch, mais j'ai voulu me rendre compte s'il avait une meilleure odeur que ceux que je connaissais. Les scotches ordinaires ont toujours pour moi un relent de médicament...
— Et celui-là ne l'avait pas ?
— Je ne sais pas ! Je sais seulement qu'il avait une odeur horrible !

— Une odeur de tabac ?

— Je suis incapable de l'affirmer. Si je te disais oui, je serais automatiquement blanchie, parce que ça signifierait que la nicotine, qui a également tué McKennon, avait été versée avant mon arrivée. Mais je ne peux te dire que la *vérité !* Je n'ai rien reconnu, sinon une odeur désagréable, et j'ai immédiatement refermé la bouteille !

— D'accord, convint Willis. Et ensuite ?

— Nous avons pris un café ensemble. Je lui ai annoncé que lui et moi c'était terminé.

— Comment a-t-il pris la chose ?

— Plutôt mal.

— Tu lui as parlé de moi ?

— Evidemment.

Willis hocha la tête.

— Et après ?

— Il voulait que je couche une dernière fois avec lui.

— Tu as accepté ?

— Non.

— Qu'est-ce que tu as fait ?

— Je l'ai embrassé sur la joue et je suis partie.

— Comme ça ?

— Comme ça.

— Et dix minutes, peut-être vingt minutes après, il était mort.

— Je te répète que je ne l'ai pas tué !

— Combien de temps as-tu tenu cette bouteille ?

— Je ne sais pas. Moins d'une minute en tout cas.

— Montre-moi ton sac !

— Quoi ?

— Ton sac. Vide-le sur la table. Je veux voir ce qu'il y a à l'intérieur.

— Pourquoi ?

— Fais ce que je te dis !

Haussant les épaules, elle alla chercher son sac, vint se planter devant son fauteuil et le retourna sans autre forme de cérémonie, laissant les objets qu'il contenait se répandre sur le sol.

— Amuse-toi bien ! *Moi,* j'ai besoin d'un verre.

Elle se versa une large ration de gin sur trois cubes de glace. Après en avoir avalé d'un trait une bonne lampée, elle rejoignit Willis et le regarda d'un air mi-amusé mi-furieux trier le fouillis qui s'étalait à ses pieds. Une trousse de maquillage, un tube de rouge à lèvres, des mouchoirs en papier, un paquet de chewing-gum, un portefeuille rouge, un carnet de chèques, un trousseau de clés, quelques pièces de monnaie...

— Tu n'as pas trouvé le flacon de nicotine ? ironisa-t-elle.

Il commença à remettre un à un les objets dans le sac.

— Où es-tu allée après avoir quitté Riley ?

— En ville.

— Pour faire quoi ?

— Je t'avais dit que j'avais l'intention d'acheter quelques bricoles.

— Qu'est-ce que tu as acheté ?

— Rien. Je cherchais des boucles d'oreilles, mais je n'en ai pas trouvé qui me plaisaient.

— Tu as fait des courses de dix heures trente...

— ... jusqu'à midi environ. Ensuite j'ai mangé un sandwich.

— Où ?

— Dans un snack à côté de Jefferson.

— Et après ?

— J'ai pris un taxi et je suis rentrée.

— Tu es arrivée ici à une heure et quart...

— Je n'ai pas fait attention à l'heure. Tu veux un verre, maintenant ?

— Non.

Willis demeura un long moment silencieux, les mains jointes entre les genoux, la tête baissée.

— Carella va évidemment chercher un motif, murmura-t-il enfin, presque pour lui-même. Trois de tes meilleurs amis assassinés... Il lui faudra une raison, un lien... — Il releva brusquement les yeux sur elle. — Es-tu bien certaine de m'avoir dit *tout* ce que tu avais à me dire, Marilyn ?

— Je t'ai donné mon emploi du temps exact depuis...

— Je ne te parle pas d'aujourd'hui. Je parle de ton *passé.*

Elle le regarda, l'air interloqué.

— Un de ces hommes savait-il quelque chose sur toi que...

— Non !

— ... que tu ne m'as pas raconté ?

— Tu es le seul à qui j'ai tout avoué, Hal. Je n'ai rien révélé aux autres.

— Parlons d'Endicott, par exemple. Sait-il que tu as été une prostituée ?
— Non.
— Qu'est-ce qu'il *sait* exactement ?
— Je lui ai raconté la même histoire qu'aux autres. Que j'avais vécu à Los Angeles et à Houston, que j'avais fait un voyage au Mexique, puis que je m'étais installée...
— Tu ne m'as jamais parlé du Mexique jusqu'ici.
— Je suis sûre que si.
— Non. Qu'est-ce qu'ils s'imaginaient que tu faisais dans toutes ces villes ? De l'import-export ?
— Je leur avais dit que j'avais un père très riche.
— La même blague qu'à moi...
— Oui. Sauf qu'avec toi elle n'a pas tenu la route, et qu'ensuite je t'ai raconté la vérité.
— *Toute* la vérité ?
— Oui.
— Tu en es bien certaine ? Parce que si tu as omis quelque chose — elle secoua violemment la tête — et que ce quelque chose a un lien quelconque avec les assassinats — elle secoua à nouveau la tête — Carella finira certainement par le découvrir. C'est un excellent flic, Marilyn. Il connaît parfaitement son métier.
— Je t'ai tout raconté... murmura-t-elle.
Il y eut un long silence.
— ... tout ce que tu avais besoin de savoir.
— Qu'est-ce que *je n'avais pas besoin* de savoir, Marilyn ?
Elle ne répondit pas.
— Qu'est-ce qu'il y a eu d'autre ? Qu'est-ce qui s'est passé au Mexique ?
Elle se dirigea vers le bar, fit tomber d'autres glaçons dans son verre, les recouvrit de gin, puis rejoignit Willis près de son fauteuil.
— Pourquoi ne monterions-nous pas dans la chambre ? suggéra-t-elle.
— Non.
Pendant un moment interminable, ils ne firent que s'affronter du regard. Puis Willis ordonna d'une voix dure :
— Raconte-moi.

Le premier emploi qu'elle avait trouvé à Houston avait été dans une boîte minable de Telephone Road. Une partie de son travail consistait à danser les seins nus avec ses collègues, l'autre à tenir compagnie aux consommateurs pendant qu'elle n'était pas en scène et à les pousser à boire le plus possible d'un affreux champagne que la maison vendait à prix d'or. Les attouchements étaient occasionnellement tolérés au bar, mais elle avait rapidement appris que certaines filles proposaient des branlettes à dix dollars le coup dans l'arrière-salle et n'avait pas tardé à les imiter.

Il y avait un piano dans la salle, et un homme venait y jouer du jazz de temps à autre, en moyenne deux ou trois fois par semaine. Il était très gentil avec les entraîneuses, ne leur demandant jamais rien, se contentant de les regarder danser en buvant quelques verres pendant qu'il les régalait de sa musique. Marilyn s'était vite aperçue qu'elle l'attirait plus que les autres. Un soir, il avait commencé à lui parler, avec beaucoup de timidité, lui racontant qu'il avait joué à Kansas City, puis lui avait demandé si elle aimerait sortir parfois avec lui. Elle lui avait donné rendez-vous le dimanche suivant, son jour de repos, et ils avaient passé un excellent moment ensemble.

Elle avait commencé à coucher avec lui à leur troisième rencontre. Alors qu'ils se voyaient régulièrement depuis environ trois mois, il lui avait expliqué un jour qu'elle perdait de l'argent à faire ça pour rien, qu'il y avait à Houston des hommes riches, des conventions pratiquement permanentes, des centaines d'occasions de toucher de gros paquets d'argent. Pensait-elle qu'elle pourrait essayer quelques fois ? Essayer quoi, avait-elle demandé. De se faire payer pour ça, avait-il dit. Cent dollars la passe.

Elle avait sérieusement étudié la question.

Elle gagnait deux cent cinquante dollars par semaine à promener ses seins sur une scène, plus environ cent dollars de commission sur les consommations, et une autre centaine de dollars pour les branlettes clandestines. Le pianiste lui faisait miroiter la même somme pour une seule nuit, même en tenant compte du pourcentage qu'il prendrait sur ses bénéfices pour lui amener des clients intéressants — et il en connaissait apparemment assez pour qu'elle ne manque jamais de travail.

Ainsi, six mois à peine après son arrivée à Houston, elle

s'était mise au travail pour un pianiste qui avait su lui parler avec douceur.

Un mois plus tard, le pianiste avait été tué dans une bagarre, et elle avait confié son sort à Joe Seward, qui entretenait déjà une écurie de trois filles, mais qui n'était pas un mauvais maquereau dans son genre. Il n'était pas brutal et ne les battait jamais, à la différence de certains souteneurs qui s'imaginaient que les prostituées ne rapportaient le maximum que lorsqu'elles étaient régulièrement rossées.

La première fois où elle avait été arrêtée, elle avait cru mourir de terreur.

Au Texas, la prostitution — s'il s'agit d'une première inculpation — n'est considérée que comme un délit mineur, justiciable d'une amende ne dépassant pas mille dollars, d'une peine de prison n'excédant pas cent quatre-vingts jours, *ou des deux à la fois*. Marilyn avait été littéralement horrifiée à l'idée de passer trois mois dans une cellule. Mais le juge, tenant compte de son extrême jeunesse, ne l'avait condamnée qu'au minimum. Seward avait payé les cinq cents dollars d'amende sans sourciller et elle s'était retrouvée libre comme l'air, bien décidée à ne plus jamais courir un risque de ce genre.

Elle avait déclaré à Seward qu'elle avait besoin de vacances.

Il l'avait fixée droit dans les yeux — n'importe quel autre maquereau l'aurait battue comme plâtre pour avoir osé faire une telle suggestion — et lui avait dit gentiment :

— D'accord, Mary Ann, tu peux prendre un peu de repos.

Mais elle avait lu dans son regard qu'il savait qu'elle allait partir et qu'il ne la reverrait jamais.

Elle n'avait aucune idée de sa destination quand elle avait quitté Houston, aussi s'était elle fait faire un passeport, pour le cas où elle déciderait de se rendre dans un pays où elle en aurait besoin. Cette demande de passeport avait été sa plus grande erreur, à cause de son arrestation précédente, mais elle l'ignorait évidemment à l'époque. Elle avait donc obtenu le document, avec la photo en noir et blanc d'une jolie blonde de dix-sept ans souriant à l'appareil. Dans la rubrique profession, elle avait inscrit : institutrice.

Elle avait franchi la frontière à Piedras Negras à bord d'une voiture louée à Houston. Elle ignorait où elle allait et ne tenait pas beaucoup à se poser la question. Elle savait seulement qu'elle ne se prostituerait plus jamais. Elle était Mary Ann Hollis, une jeune enseignante en vacances qui disposait d'environ mille dollars pour visiter le Mexique. Elle aviserait lorsqu'elle aurait dépensé la plus grande partie de son argent. Avec un passeport en règle, elle pourrait se rendre dans n'importe quel pays. Avec ses dix-huit ans, qu'elle aurait seulement en août, elle avait tout le temps de penser à son avenir.

En sortant de la Sierra Madre, près de la ville d'Iguala, dans l'Etat de Guerrero, elle avait rencontré un homme qui ressemblait à un fermier, mais qui vendait en réalité de la très bonne marijuana, celle qu'on appelait l'Acapulco Gold. Il la proposait à vingt-deux dollars le kilo, alors qu'elle valait alors trois cents, trois cent cinquante dollars la livre aux Etats-Unis. Elle en avait acheté un kilo sans hésiter.

Elle avait continué à descendre vers le sud, s'arrêtant au gré de ses envies, se dorant au soleil, se prélassant dans des motels, buvant de la tequila et fumant son herbe miraculeuse chaque soir dans sa chambre.

La vie était belle.

Elle était heureuse.

Son seul bagage était un sac de voyage en cuir. Elle y mettait son portefeuille, avec son passeport et son argent, ses bijoux, un étui en plastique contenant son diaphragme, un tube de gelée et son nécessaire de toilette. Dissimulé au fond, sous ses jeans, ses chemises et ses culottes, se trouvait son stock de marijuana, qui diminuait chaque jour à vue d'œil mais qu'elle était encore loin d'avoir épuisé.

A la fin d'un mois d'août écrasant de chaleur, peu après son dix-huitième anniversaire, elle en avait soudain eu assez du Mexique et avait décidé de regagner les Etats-Unis. Portant une paire de sandales, une culotte et un caftan blanc qu'elle avait achetés dans une boutique de la région, elle avait traversé Saltillo en direction de Ramos Arizpe et venait tout juste de dépasser le petit village lorsqu'elle était tombée sur une longue file de véhicules bloqués par un barrage routier surveillé par des Mexicains en uniforme.

Elle ne comprenait alors pas un mot d'espagnol, mais le jeune Américain qui se trouvait dans la voiture précédente lui avait expliqué que les soldats (ou les policiers ?) fouillaient les bagages des voyageurs à la recherche d'armes à feu parce qu'il y avait eu des troubles dans le secteur, ou des menaces lancées par un groupe de révolutionnaires, elle ne savait plus. Elle n'avait pas très bien compris ce qu'il lui disait, parce que dès ses premiers mots elle avait été à nouveau morte de peur.

Non pas à cause des armes, elle n'avait rien à craindre de ce côté-là.

A cause de la réserve de marijuana qu'elle transportait dans son sac.

Il leur avait fallu moins de trois minutes pour trouver la drogue. Alors ils...

— Tu tiens vraiment à entendre la suite ? demanda-t-elle à Willis.

— Oui, dit-il.

13

Ils lui dirent que le consulat américain de Monterey avait été informé de son arrestation. Elle n'en crut pas un mot. A cette époque, au Mexique — et pour ce qu'elle en savait rien n'avait changé depuis —, une violation de la loi sur les stupéfiants était considérée comme un crime, et toute personne suspectée ou accusée d'un crime pouvait être retenue et interrogée pendant soixante-douze heures sans avoir aucun lien avec le reste du monde, sans même disposer du droit de se faire représenter par un avocat. Au bout de six jours, si un magistrat estimait qu'un procès était justifié et si la peine encourue par le prévenu risquait de dépasser deux ans de détention (ce qui était le cas pour Marilyn), celui-ci pouvait rester jusqu'à une année entière en prison sans être déféré devant les tribunaux. La loi mexicaine était (et est encore) basée sur le code Napoléon. En termes simples, cela signifie que, contrairement aux législations anglo-saxonnes, ce n'est pas à la justice de prouver la culpabilité de l'accusé, mais à l'accusé de faire la preuve de son innocence. Quand Marilyn demanda l'autorisation de téléphoner à un de ses proches, le chef de la police locale lui répondit que la question devait être posée au District Attorney, et que celui-ci avait parfaitement le droit de lui refuser toute communication avec l'extérieur.

Huit jours après son incarcération, un officier consulaire américain vint lui rendre visite dans sa cellule du *comisaría.* Il l'informa que, ayant été arrêtée en possession de marijuana, elle risquait, si elle était condamnée, une peine de prison pouvant aller de cinq ans et trois mois jusqu'à douze ans. Il promit d'essayer de contacter les personnes dont elle écrivit le nom pour lui sur une feuille à en-tête de l'ambassade américaine : sa mère, Joseph Seward et l'haltérophile tabasseur de Los Angeles avec lequel elle avait vécu presque un an. Lors de sa visite suivante, l'officier lui apprit avec regret qu'il n'était pas parvenu à retrouver leur trace. Il lui suggéra de lui donner d'autres noms, mais elle ne voyait personne, en dehors de ces trois-là, à qui elle aurait pu tenter de s'adresser.

Le 12 septembre, défendue par un avocat mexicain nommé d'office par le consulat, elle fut jugée par le tribunal de Saltillo et condamnée à douze ans de réclusion pour la possession de deux cent quarante grammes de stupéfiants, tout ce qui lui restait du kilo qu'elle avait acheté à Iguala. Le consul lui dit qu'un fonctionnaire de l'ambassade serait chargé de rendre compte de son procès et de sa condamnation à ses proches et à ses amis aux Etats-Unis. Mais elle ignorait où se trouvait sa mère, et la plupart de ses anciennes amies étaient des prostituées qui changeaient aussi régulièrement de résidence que de lieu de travail.

Le matin du 15 septembre, elle fut transférée en voiture cellulaire à *La Fortaleza*, une prison vieille de plusieurs siècles de l'Etat de Tamaulipas, à quelque trois cents kilomètres au sud-ouest de Brownsville, Texas. Dans la voiture se trouvaient avec elle une femme qui avait assassiné son mari à coups de pioche et un homme qui avait dérobé une machine à écrire dans les bureaux d'une société d'air conditionné de Monterrey. Elle était vêtue du caftan de coton blanc et des sandales qu'elle portait lors de son arrestation. Son sac de voyage avait été mis sous scellés à Ramos Arizpe, sans doute comme pièce à conviction. Sa trousse de maquillage, son diaphragme, son passeport, ses sous-vêtements étaient restés à l'intérieur, ainsi que ses bijoux en or et en argent, qui auraient pu lui être de la plus grande utilité à *La Fortaleza*.

Elle apprit le jour même de son arrivée, simplement en regardant autour d'elle, que le seul moyen d'obtenir quelque chose dans la prison était de payer. Après la fouille personnelle, elle se retrouva nue en compagnie d'une douzaine de prisonnières venues de toutes les villes de la région, devant une longue table sur laquelle étaient empilés des couvertures, des vêtements, des nattes de paille tressées et de minces matelas recouverts de treillis rayés. La femme qui avait tué son mari — une petite brune trapue aux cheveux noirs bouclés, aux yeux marron, avec des seins flasques et d'énormes fesses — ouvrit une bourse de cuir noir pendue à son cou, en sortit une poignée de pesos et les tendit à la matrone qui officiait derrière la table, une femme au visage impassible, aux cheveux teints d'un roux éclatant. La matrone choisit alors un matelas, une couverture, deux culottes en coton et plusieurs blouses d'un gris fané qui semblaient avoir la forme et la texture d'une toile de tente.

Lorsque la femme protesta avec véhémence, la matrone ajouta généreusement à la pile une autre paire de culottes. La meurtrière n'était toujours pas satisfaite, mais cette fois-ci la gardienne secoua la tête et lui fit signe de circuler. Vint alors le tour de Marilyn. Son argent avait disparu quelque part entre le lieu de son arrestation et la prison de Ramos Arizpe, aussi n'avait-elle absolument rien à échanger, sa seule possession étant la longue robe de coton qu'elle tenait sur son bras, qui avait perdu sa blancheur immaculée après trois semaines de détention dans une geôle puante. La matrone lui dit quelque chose en espagnol. Marilyn ne comprit pas. La femme répéta sa phrase. Marilyn secoua la tête. La matrone lui fit alors signe de s'éloigner, sans lui avoir donné un matelas ni le moindre vêtement.

La Fortaleza avait été construite par les Espagnols au XVIe siècle pour assurer en seconde ligne la défense côtière de leur colonie. Située à six cents mètres au-dessus du niveau de la mer, elle dominait toute la région environnante, et l'on pouvait même voir au loin le golfe du Mexique, à une cinquantaine de kilomètres à l'est. Mais les prisonniers qui se trouvaient à l'intérieur ne voyaient que des murs. Entre 1820 et 1830, lorsque le tout jeune gouvernement mexicain avait transformé la forteresse en prison, cent dix condamnés seulement y avaient été transférés. Ils étaient maintenant plus de quatre cent quatre-vingts, parmi lesquels soixante-sept femmes. Comme la prison avait été aménagée à une époque où il n'existait pratiquement pas de femmes criminelles, celles-ci étaient concentrées dans ce qui avait été autrefois le quartier d'isolement des hommes, une prison à l'intérieur de la prison, un blockhaus avec des murs de six mètres de haut au-delà desquels les prisonnières n'apercevaient que les autres murs, plus élevés encore, de l'enceinte générale. Pour faciliter la surveillance, les cellules n'avaient pas de toit. Les détenues y étaient enfermées chaque soir à dix heures et n'en ressortaient que le matin à six heures, lorsque les grilles étaient ouvertes, pour se promener dans la cour intérieure.

Les murs extérieurs de la prison avaient plus de trois mètres d'épaisseur. L'unique entrée, munie d'une herse dont les barreaux avaient plus de dix centimètres de diamètre, conduisait au moyen d'un passage voûté — un souvenir de l'ancienne forteresse — à une seconde porte flanquée à sa gauche du bureau du directeur et à sa droite de la salle d'admission, où les prisonniers fortunés pouvaient se procurer de quoi survivre dans cet enfer. Immédiatement après ces deux pièces, une troisième porte munie de barreaux permettait d'accéder au quartier des hommes, avec sa cour entourée de cellules et d'ateliers de travail. Marilyn et ses compagnes franchirent cette porte, suivies des yeux par les gardiens et les détenus en train de jouer aux cartes, de fumer ou de bavarder tranquillement, puis atteignirent le quartier réservé, protégé par un portail massif doublé d'une énorme porte en bois, qui empêchait les prisonniers mâles d'avoir l'œil constamment fixé sur la population femelle du pénitencier, mais qui ne privait pas les gardiens armés de mitrailleuses postés au sommet des quatre miradors de voir nuit et jour tout ce qui se passait dans le quartier des femmes.

Il y avait six autres détenues dans la cellule de Marilyn.

La pièce, réduite à cause de l'épaisseur des murs, était large de deux mètres et longue d'un peu plus de trois. Deux banquettes de bois superposées étaient fixées aux murs latéraux. L'espace entre les banquettes opposées était d'à peu près un mètre. Entre les barreaux et le pied des banquettes s'étendait un autre espace libre, d'environ soixante centimètres, où était creusé le trou dans lequel les prisonnières pouvaient faire leurs besoins, toujours sous le regard des gardes de service dans les miradors. Pendant les trois premiers jours de sa détention, Marilyn fut incapable de s'accroupir au-dessus du trou. Elle fut également incapable d'avaler la pitance graisseuse, sans goût et sans odeur, qu'on leur servait deux fois par jour, le matin à huit heures et le soir à six heures. Plus tard, elle apprit que les hommes faisaient fonctionner une *cocina* où l'on pouvait acheter une nourriture correcte, mais elle n'avait alors aucun moyen de se payer quoi que ce fût.

Les quatre banquettes étaient occupées par les prisonnières qui pouvaient se vanter du plus long temps de détention. Marilyn et une des nouvelles arrivantes dormaient comme elles le pouvaient sur le sol de pierre. Teresa Delarosa, la meurtrière à la pioche, dormit également un temps sur son matelas posé sur le sol, mais on sut bientôt le moyen horrible — honorable en ce lieu — qu'elle avait utilisé pour décapiter rapidement son mari, et au bout de deux semaines la femme qui utilisait la banquette inférieure gauche lui céda cérémonieusement sa place pour aller dormir elle-même sur la pierre. Marilyn prit l'habitude de dormir assise, le dos au mur, dans l'étroit espace qui séparait les barreaux des banquettes, juste en face du trou où les autres femmes venaient pisser toute la nuit.

Il y avait une douche dans la cour, que les femmes avaient la possibilité de faire fonctionner une fois par semaine. Mais en prison la propreté était considérée comme une lubie ou un luxe plutôt que comme une nécessité. Et puis il y avait les inévitables gardes, dont les jumelles reflétaient les rayons du soleil lorsqu'ils observaient les femmes en train de se laver. Pendant les deux premières semaines, Marilyn refusa de se doucher, n'enleva pas une seule fois son caftan. Ce fut sans doute cette attitude qui attira sur elle l'attention du directeur. Elle ignorait que les gardiens, à cause de la robe blanche qui la recouvrait sans cesse et de ses longs cheveux blonds, l'avaient surnommée *La Araba Dorada* — l'Arabe d'Or.

La première fois qu'elle se risqua à goûter la nourriture de la prison, elle fut prise de violentes nausées et vomit immédiatement tout ce qu'elle avait avalé dans le trou infect qui servait de toilettes collectives. Panchita, une autre prisonnière, apparemment indignée par ce manque de savoir-vivre, se mit à la bourrer de coups de pied. Teresa dit alors quelque chose d'une voix dure. Panchita se retourna et s'adossa au mur, et les deux femmes commencèrent à s'invectiver en espagnol. Teresa avait acheté à la *cocina* des hommes une cuiller aiguisée comme un rasoir et la brandissait en direction de Panchita, murmurant des menaces que Marilyn ne comprenait pas, mais qui lui firent néanmoins froid dans le dos. Après une courte résistance pour la forme, Panchita finit par battre en retraite et alla se réfugier en grommelant sur la banquette qu'elle occupait à droite de la cellule.

Marilyn connaissait le nom de ses compagnes parce qu'elle l'entendait répéter à longueur de journée, mais elle était incapable de comprendre leur langue, et de ce fait ne s'adressait jamais à elles. Elle ne recevait aucun visiteur. Elle n'avait pas d'argent pour envoyer du courrier. Elle était plus isolée que tous les autres occupants de la prison, plus seule qu'elle l'avait jamais été de toute sa vie. Puis brusquement, en l'espace d'un instant, le langage des autres détenues lui devint familier. Alors qu'une seconde auparavant elle n'en saisissait pas un mot, en un éclair il lui devint aussi compréhensible que sa langue natale.

Elle apprit ainsi que Panchita avait été condamnée à perpétuité pour avoir noyé ses deux enfants dans le rio de la Babia. Belita et Engracia étaient homosexuelles et dormaient ensemble, enlacées, sur la banquette inférieure droite, en dessous de Panchita. Leurs discrets orgasmes étaient à peine perceptibles dans la nuit. Une autre détenue, dont personne ne connaissait le nom, vivait dans cette cellule depuis vingt ans. Elle ne prononçait jamais un mot et restait appuyée au mur du fond, se contentant de regarder le soleil qui brillait dans la cour. Les autres l'appelaient *la sordomuda* — la sourde-muette. Beatriz, qui avait été prise dans une attaque à main armée à Matehuala, souffrait de crises d'asthme aiguës qu'elle faisait soigner chaque semaine — en échange de Dieu sait quel service — par l'unique infirmière de *La enfermería.* Souvent, la nuit, il lui arrivait d'étouffer, la bouche ouverte, allongée sur la pierre, en gémissant qu'elle voulait mourir. Elle demandait alors l'heure à la gardienne qui veillait au bout du couloir, et celle-ci lui répondait invariablement : « *Es tarde.* »

Lorsqu'une femme était appelée au bureau du directeur, un messager venu de la prison des hommes était autorisé à franchir le portail de fer forgé, puis frappait à la lourde porte de bois en hurlant le nom de l'élue, associé du mot redouté de toutes, *alcaide,* qui désignait l'individu qui avait tous les pouvoirs sur les occupants de *La Fortaleza. El carcelero,* le détenteur des clés, ouvrait alors la porte intérieure, et la prisonnière était conduite à travers la cour des hommes, sous leurs regards ironiques ou concupiscents, jusqu'à un banc de bois installé près du bureau, où elle attendait patiemment que Sa Seigneurie soit prête à la recevoir.

Le 10 octobre, moins d'un mois après son arrivée, Marilyn entendit son nom hurlé par le messager, suivi du mot *alcaide*. La porte de bois s'ouvrit et elle suivit l'homme dans la cour des mâles, le soleil éclatant transperçant son caftan crasseux et dessinant ses longues jambes sous le tissu de coton.

Elle s'assit sur le banc de bois et attendit.

Des lézards verts — il y en avait partout dans la prison — se prélassaient nonchalamment dans l'allée. Au bout d'un long moment, le directeur cria qu'il était prêt à la recevoir. Le messager, Luis, un détenu de confiance qui livrait également la nourriture de la *cocina* aux femmes qui pouvaient la payer, ouvrit la porte du bureau, y fit entrer Marilyn, puis se retira en refermant le battant derrière lui.

Le nom du directeur était affiché sur son bureau, sur une petite plaque de bois gravée dans les ateliers de la prison : HERIBERTO DOMINGUEZ. C'était un homme de petite taille, à la peau basanée, au visage orné d'une fine moustache. Il portait l'uniforme vert olive de tous les employés de l'administration pénitentiaire, mais des galons verts et rouges cousus sur son col indiquaient son rang et sa fonction. Une cravache en cuir était posée près de sa main droite. A sa gauche, une photographie encadrée montrait une femme et deux enfants.

— Assieds-toi, dit-il en espagnol.

Elle s'assit.

— J'ai reçu des choses de valeur qui t'appartiennent.

Elle ne répondit pas.

— Ton passeport, par exemple. C'est important, non ?

— Oui, acquiesça-t-elle en espagnol. C'est très important.

— Des bijoux, aussi. Nous ne volons pas les prisonniers, ici à la Forteresse. Ce n'est pas comme dans d'autres prisons. Saltillo est la pire pour ça. Mais pas nous. Tes affaires sont en sécurité avec moi.

— *Mil gracias.*

— *Tu hablas español muy bien.*

— *Solo un poco.*

— Si, si, insista-t-il, tu te débrouilles remarquablement. Ces bijoux pourraient t'aider à améliorer ta vie en prison. J'ai cru comprendre que tu dormais à même le sol et que cette robe était ton seul vêtement.

— *Es verdad.* C'est vrai.

— Tu aimerais bien les récupérer ?

— Oui.

— Dans ce cas tu les auras. — Il sourit. — Mais en échange d'un autre bijou.

Elle ne comprit pas tout de suite et secoua la tête.

— *Tu mejor tesoro,* expliqua-t-il. Ton bijou le plus précieux.

— Merci bien ! dit-elle en se levant aussitôt et en se dirigeant vers la porte.

— *Un momento !* cria-t-il. C'est moi qui décide quand un entretien est terminé !

— Je veux qu'on me ramène à ma cellule !

— On ne t'y ramènera que quand j'en aurai donné l'ordre !

— Je veux téléphoner à mon consul !

— Autrefois les prisonniers avaient le droit de téléphoner à l'extérieur. Mais l'un d'eux en a profité un jour pour organiser une évasion. — Il haussa les épaules. — Depuis, ce droit a été supprimé. Pour tous.

— Quand le consul viendra me voir...

— Ah oui ! Il est censé passer une fois par mois. Mais nous sommes au bout de la terre, ici. Tu ne l'as pas encore vu ?

— Quand il viendra...

— Nous avons eu un détenu américain, une fois. Le consul lui rendait visite trois fois par an, quatre les bonnes années.

— Quand il viendra, je lui dirai que vous avez mon passeport !

— Oh, mais il le sait très bien ! Les affaires personnelles des condamnés sont toujours remises aux autorités de la prison, qui en ont la charge jusqu'à leur sortie. Je garde ton passeport pour ton bien, *querida.* Je pourrais le brûler si je voulais, et tu aurais toutes les peines du monde à en obtenir un autre au moment de ta libération. Mais ne parlons pas de l'avenir pour l'instant. Tu as un besoin plus urgent de tes bijoux que de ton passeport. Avec un peu de monnaie d'échange, la vie peut être relativement agréable ici. Les bijoux t'aideront à vivre mieux. *Je* peux t'aider à vivre mieux.

Il se leva, saisit négligemment la cravache au passage et contourna le bureau. Il mesurait au moins vingt centimètres de moins qu'elle, un petit bonhomme court sur pattes portant de hautes bottes de cuir et une culotte de cheval. Il s'approcha d'elle en souriant.

— Relève ta robe ! ordonna-t-il.

— Non ! cria-t-elle en se ruant vers la porte.

Elle était fermée de l'extérieur.

Il s'avança calmement vers elle pendant qu'elle secouait frénétiquement la poignée et lui abattit violemment la cravache sur l'épaule. Comme elle se retournait instinctivement, les mains levées pour se protéger, il la fouetta à nouveau à deux reprises, une première fois juste sous la clavicule, la seconde fois en travers des seins. Eperdue de douleur, elle parvint à le repousser, le contourna, se rua sur la fenêtre aux volets clos et les ouvrit brusquement. La fenêtre était munie de barreaux.

Elle se mit alors à courir comme une folle dans la pièce, allant de la fenêtre à la porte, hurlant alternativement « *help !* » en anglais ou « *socorro !* » en espagnol, tournant sur elle-même, essayant de protéger ses épaules, ses mains, ses bras, sa poitrine, son visage des coups qui pleuvaient méthodiquement sur elle. Sursautant à chaque nouvelle morsure du fouet, les épaules lacérées, les bras couverts de sang, elle finit par succomber et se laissa tomber à genoux devant lui, ses mains couvrant son visage, en murmurant d'une voix de plus en plus plaintive à travers ses sanglots :

— Aidez-moi, par pitié ! Aidez-moi !

Il ne cessa pas de la frapper.

Les coups, précédés du sifflement de la cravache et des grognements de l'homme, continuèrent de s'abattre sur ses épaules jusqu'à ce qu'elle se retrouve couchée à plat ventre sur le sol, ses mains ensanglantées nouées derrière sa nuque. Il la fit alors rouler sur elle-même du bout du pied, puis releva le bas de son caftan avec l'extrémité de son fouet.

— Tu as de belles jambes, dit-il. *Tienes hermossa piernas.*

Avec ses deux mains, il retroussa le caftan jusqu'à sa taille, puis recula en levant à nouveau la cravache comme s'il avait l'intention de fouetter son sexe ainsi découvert. Elle geignit de terreur, mais au lieu du sifflement attendu, elle l'entendit rire et le vit commencer à déboutonner lentement sa braguette.

Il la paya plus tard comme il l'avait promis.

Avec un bracelet en or qu'elle avait acheté à Los Angeles.

Elle vendit le collier pour seize cents pesos, l'équivalent de deux cents dollars à l'époque, la moitié du prix qu'elle l'avait payé aux Etats-Unis. Elle s'acheta des vêtements, des couvertures et un matelas. L'argent qui lui restait devait lui permettre de s'offrir les repas de la *cocina*. Pour qu'on ne le lui vole pas, Belita, qui avait passé la plus grande partie de sa vie en prison depuis l'âge de quatorze ans, lui apprit à le dissimuler en le plaçant dans une capote anglaise (achetée à Luis) qu'elle s'enfonçait ensuite dans l'anus. Le nom espagnol de cette pratique était *meterselo en el culo*.

Elle acheta également du papier à écrire, des enveloppes, des timbres, et donna deux cents pesos à Luis pour qu'il poste une douzaine de lettres adressées à des gens qu'elle avait connus à Los Angeles et à Houston. Mais elle découvrit plus tard que tout le courrier de la prison passait par le bureau du directeur, et quand elle ne reçut aucune réponse elle comprit que Dominguez avait détruit ses missives, par crainte de voir remis en cause l'arrangement avantageux qu'il avait passé avec elle — *nuestro pacto secreto*, comme il l'appelait.

Tous les jours à trois heures précises, Luis venait la chercher à la porte du quartier des femmes, et toute la population de la prison savait alors que le directeur allait prendre son plaisir avec la *Araba Dorada*. Le surnom lui était roté parce que Dominguez exigeait qu'elle enlève sa blouse grisâtre et qu'elle mette son caftan — son *vestido de novia*, sa robe de mariée — pour venir le voir. Il ne se servait plus de sa cravache avec elle, sauf pour soulever le bas de son vêtement quand elle se tenait debout devant lui et admirer chaque jour pendant plusieurs minutes, comme s'il la découvrait pour la première fois, la blondeur de sa toison pubienne.

Il avait pris l'habitude de l'appeler Mariucha, le diminutif espagnol de Mary, et lui caressait tendrement le sexe, espérant une réaction sensuelle de sa part, mais elle demeurait de glace, comme elle l'aurait fait devant un gynécologue. Après un moment, il lui demandait de relever sa robe jusqu'à la taille, puis il commençait à déboutonner lentement sa braguette, avec des gestes théâtraux et un sourire de vainqueur, comme si ce qui allait en sortir promettait d'être la huitième merveille du monde. Mais quand la montagne finissait par accoucher, c'était une souris qu'elle avait devant les yeux. Promenant avec fierté sa minuscule érection, il la conduisait alors jusqu'au vieux sofa de cuir dressé contre le mur et lui faisait l'amour hâtivement, mécaniquement, atteignant en quelques minutes l'orgasme dont il rêvait depuis le déjeuner.

Ensuite il se mettait en colère, hurlant à pleins poumons, l'accusant de détruire ses croyances religieuses et ses valeurs morales, la couvrant d'invectives en espagnol, dont sa connaissance trop fraîche de la langue ne lui permettait pas toujours de comprendre la signification.

Elle demeurait terrorisée par le fouet.

Il ne la battait plus. Mais il le gardait toujours à la main, même quand il la chevauchait. Elle supportait ses insultes, la soumission qu'il lui imposait, le contact répugnant de son corps, l'intrusion de son sexe dégoûtant dans son vagin, ses humiliantes éjaculations quotidiennes uniquement parce qu'elle avait peur qu'il la batte à nouveau si elle provoquait sa fureur. Elle était prête à tout accepter pour éviter une nouvelle séance de flagellation. Puis un soir, brusquement, il lui vint à l'idée qu'elle pouvait tomber enceinte de ses œuvres et devoir porter dans son ventre un monstrueux petit fœtus à son image. Cette possibilité l'effraya encore plus que la perspective d'être battue.

Quand, un jour du début de novembre, il lui offrit généreusement un nouveau bijou pour la récompense de l'ardeur qu'elle essayait de simuler, elle lui demanda à la place de lui rendre son diaphragme. Il n'en avait jamais vu de sa vie et n'avait aucune idée de son utilité. Il se demandait seulement comment un objet pareil pouvait être plus précieux qu'un bijou. Convaincu qu'il était en train de se faire rouler, il l'examina longuement sous tous les angles, cherchant vainement ce qui constituait sa valeur. N'ayant rien trouvé, il finit par hausser les épaules et le lui tendre, ainsi que le mystérieux tube de gelée qu'elle lui avait également demandé.

Vers la fin de novembre, l'intérêt qu'il lui portait sembla diminuer rapidement, presque du jour au lendemain. Selon les potins de la prison, son épouse Margarita, une imposante femme qui ne s'en laissait pas compter, avait eu vent de son *pacto secreto* avec une détenue et lui avait imposé d'y mettre fin en le menaçant, s'il n'obtempérait pas sur-le-champ, de confier la guérison de son honneur blessé à son propre frère, un lutteur célèbre qui venait de remporter un prix à Mexico — à moins que ce fût Acapulco ou

Tampico. Les rumeurs étaient vagues, mais qu'elles aient été justifiées ou non, les convocations cessèrent effectivement, et lorsque le mois se termina, Marilyn était convaincue qu'elle n'entendrait plus jamais parler de Dominguez.

Quelques jours plus tard, à l'heure fatidique, des coups furent frappés contre la porte de bois et la voix de Luis retentit à nouveau, criant « *Alcaide* » et réclamant l'Arabe d'Or. Marilyn lança un regard désespéré à Teresa.

Le temps était exceptionnellement froid et humide. Les cellules n'étaient évidemment pas chauffées. Seules les gardiennes avaient droit à des braseros allumés dans le couloir ouvert à tous vents.

— *Ponete el vestido de novia,* ordonna Luis.

Sans un mot, Marilyn ôta le vieux pardessus élimé qu'elle avait acheté avec le reste de son argent, sa blouse grise, sa culotte de coton, sortit le caftan de sous son matelas, le fit passer par-dessus sa tête, puis renfila son pardessus. S'accroupissant, elle mit son diaphragme en place sous le regard intéressé de Luis.

— *Puerco de mierda !* lui hurla-t-elle.

Il se mit à rire. Lorsqu'elle sortit de la cellule, Teresa lui prit les mains un instant et lui murmura « *coraje* ». Courage.

Dans la cour, les hommes qui se promenaient en soufflant sur leurs doigts ou en battant des bras pour se réchauffer lui lancèrent les plaisanteries habituelles.

— *Hola, Arabe !*

— *Quieras acostarti conmigo ?*

— *Mira, Arabe ! Mira mi pija !*

Cette fois, Dominguez n'était pas seul dans son bureau. Un homme d'une quarantaine d'années au visage chevalin, portant l'uniforme des gardiens de prison, lui tenait compagnie, arborant un sourire emprunté, se balançant gauchement d'un pied sur l'autre, caressant machinalement la maigre moustache qui fleurissait sous son nez d'ivrogne.

— Mariucha, dit Dominguez en souriant, je te présente le señor Perez. Il s'intéresse beaucoup à toi.

Marilyn ne dit rien. Elle se tenait près de la porte que Luis venait de refermer à clé derrière elle. Les volets de la fenêtre étaient clos. Elle attendait.

— Le señor Perez et moi avons passé un petit arrangement, annonça Dominguez.

— Quel arrangement ? ne put-elle s'empêcher de demander.

— Un arrangement qui satisfera tout le monde, ne t'inquiète pas.

— Quel arrangement ? répéta-t-elle.

Elle commençait à trembler. Elle enfonça ses mains dans les poches de son manteau, avec l'espoir que les deux hommes ne s'en apercevraient pas.

— Enlève ton pardessus, ordonna Dominguez. Relève ta robe.

— Non, répliqua-t-elle d'une voix à demi étranglée. Dites à Luis d'ouvrir la porte. Je veux rentrer dans ma cellule.

— Ce que tu désires n'intéresse personne, dit calmement Dominguez. Le señor Perez est prêt à payer pour passer un moment avec toi. Mais il veut d'abord voir ce que vaut la marchandise. Relève ta robe !

— Non ! répéta-t-elle en sortant les mains de ses poches, les poings serrés.

Dominguez s'était déjà mis en mouvement, en tapotant doucement le creux de sa paume avec l'extrémité de la cravache.

— Ne t'approche pas de moi, chien de merde, ou je te tue, cracha-t-elle en anglais.

Puis elle hurla en espagnol, en fouillant désespérément la pièce des yeux à la recherche d'une arme quelconque :

— *Te mataré !*

Au premier coup qui la cingla, elle essaya vainement de lui arracher la cravache des mains. Alors Dominguez, devant le gardien qui le regardait faire en souriant, se mit à la frapper avec rage, méthodiquement, sans interruption, la contraignant à tomber à genoux, puis à se rouler sur le sol pour échapper aux morsures du fouet. Lorsqu'il la crut à sa merci, il se pencha sur elle et tenta de déboutonner son manteau, mais elle lui mordit la paume et continua de se débattre, s'attirant cette fois une grêle de coups de poing qui s'abattirent sur son visage et sa poitrine.

Son nez se mit à saigner, elle était persuadée qu'il était cassé, mais elle ne cessa de lutter que lorsque ses forces finirent par l'abandonner. Elle essaya une dernière fois de lui échapper en roulant sur le côté lorsqu'il voulut à nouveau lui enlever son manteau, elle hurla, elle lui cracha au visage, mais il se mit alors à la gifler du plat et du revers de la main, un coup à droite, un coup à gauche, jusqu'à ce que son regard se couvre d'un voile de sang et qu'elle perde à demi conscience. Il ouvrit alors son manteau, releva son caftan jusqu'à ses hanches, et elle trouva encore l'énergie, du plus profond de sa terreur, de se cambrer, de ruer, de lancer des coups de reins et de jarret qui l'obligèrent à reprendre sa cravache et à cingler ses cuisses nues avec une violence accrue, les couvrant de marques rouges entrecroisées qui semblaient transpirer du sang. Lorsqu'elle fut tout à fait vaincue, tremblante et gémissante sur le sol de pierre, il s'écarta d'elle et lança à Perez :

— *Lleva la puta !* Prends la putain !

Lorsqu'il la fit appeler à nouveau, quelques jours plus tard, elle avait dans sa poche la cuiller aux bords coupants, aiguisée comme un rasoir, que Teresa avait achetée aux hommes de la *cocina.* Il y avait un autre gardien dans le bureau, un individu trapu, aux membres épais, dont l'un des sourcils broussailleux portait la cicatrice oblique d'un coup de couteau. Il l'examina avec intérêt pendant qu'elle pénétrait dans la pièce, sa main refermée dans sa poche autour du manche de la cuiller.

— Montre-lui, ordonna Dominguez.

Elle secoua la tête.

Sans cesser de sourire, Dominguez saisit la cravache et contourna son bureau.

— Tu as besoin d'une autre séance ?

Elle ne répondit pas. Au moment où il levait la cravache sur elle, une demi-seconde avant qu'elle ait pu frapper, il vit l'objet qu'elle tenait à la main.

Il se tourna par réflexe sur le côté pour éviter le coup qui le visait au cœur, reçut la lame effilée au gras du biceps et battit en retraite, son regard exprimant une terreur abjecte, tandis qu'elle avançait vers lui comme dans un songe, les yeux mi-clos, les lèvres retroussées sur ses dents comme un carnassier se préparant à déchirer sa victime. Elle serait sans doute parvenue à ses fins si le second homme, le gardien, ne s'était pas trouvé dans la pièce. Voyant qu'elle ne lui prêtait aucune attention, il s'écarta de son chemin, la contourna, se retrouva derrière elle, fit un seul bloc de ses deux poings massifs et les lui abattit violemment sur la nuque. Elle tituba sous le choc et lui fit face, le menaçant de la cuiller qu'elle serrait toujours dans sa paume, mais il lança cette fois-ci ses deux mains jointes dans un mouvement oblique, comme un batteur de base-ball, et son second coup l'atteignit à la tempe. Elle se sentit chavirer, sentit le monde chavirer autour d'elle, lâcha la cuiller, qui rebondit sur la pierre avec un tintement métallique, et se retrouva à genoux, le souffle coupé, incapable de se redresser. Dominguez se rua alors sur elle et se mit à la fouetter sans retenue, en hurlant des injures. Il ne s'arrêta que lorsque le gardien, saisissant son bras pour arrêter le prochain coup, lui fit remarquer dans un murmure que l'Arabe d'Or avait perdu conscience.

Elle reprit connaissance des heures plus tard dans ce que les détenus appelaient *El Pozo*, un cachot creusé à même le sol de pierre et recouvert d'une grille, dans lequel il était impossible de se tenir debout, de s'allonger, de s'asseoir confortablement, ou même de se coucher sur le côté en se roulant en boule. Elle s'y accroupit comme elle put, nue, les lèvres fendues et gonflées, tremblant dans l'air froid de la nuit, hurlant sa rage à qui pouvait l'entendre, plaidant pour qu'on la libère, demandant qu'on prévienne le consul américain. Elle évita le plus longtemps possible de souiller l'étroit espace où elle pouvait à peine se mouvoir, mais la nature finit par l'emporter et l'odeur de ses excréments la rendit malade, lui faisant vomir tout ce qu'elle avait encore dans l'estomac. Personne ne vint s'occuper d'elle. Personne ne lui apporta à manger ou à boire. Elle était comme emmurée vivante, totalement soumise à la souffrance et au dégoût, impuissante à soulager la douleur de son dos constamment courbé, à empêcher l'engourdissement progressif de ses membres, à soigner les plaies vives de ses lèvres et de ses épaules marquées par le fouet. Elle ne vivait plus que par les paroles qui pouvaient encore sortir de sa gorge enflammée.

Elle appela les gardiennes, qui ne répondirent pas.

Elle appela Teresa jusqu'à en perdre le souffle, mais bien que celle-ci pût l'entendre de sa cellule, elle ne fut pas autorisée à s'approcher de la cage.

Sanglotante, elle demanda au président des Etats-Unis de bien vouloir intercéder en sa faveur.

Elle s'adressa également au pape. Se souvenant des prières qu'elle avait apprises à Saint-Ignatius et les récitant à haute voix, elle supplia Sa Sainteté de venir dans la prison pour voir de ses propres yeux l'injustice qui lui était faite.

D'une voix de plus en plus faible, elle répéta inlassablement le nom de sa mère à travers ses larmes, ses nausées et ses sanglots.

— Maman, s'il te plaît, aide-moi, maman ! Dis-leur que je suis une gentille petite fille !

Le cinquième jour, la fièvre l'emporta. Dans son délire, elle s'imagina attendant un train sur le quai surélevé d'une gare, dans une ville inconnue, un parapluie à la main, observant avec appréhension des hordes de rats qui grimpaient aux piliers métalliques et se répandaient entre les rails.

Des centaines et des centaines de rats.

Des milliers et des milliers de rats.

Qui se rapprochaient inexorablement du quai.

Elle était debout sur la plate-forme, par une belle journée ensoleillée, et des millions de rats déferlaient dans sa direction. Ils étaient gris, marron, noirs, avec de longucs queues qui s'agitaient dans la lumière du soleil, de longues dents acérées que le soleil faisait étinceler, des corps velus qui semblaient luire sous le soleil. Elle essaya de leur expliquer qui elle était, ouvrit le parapluie au-dessus de sa tête malgré le beau temps, dans un geste absurde qui lui paraissait alors la seule chose à faire, mais rien ne pouvait les arrêter.

Ils lui mordaient maintenant les pieds, commençaient à s'attaquer à ses jambes. Elle voulut les frapper avec le parapluie. Ils le dévorèrent, grignotant implacablement la soie noire, les baleines, la poignée de bois. Ils atteignirent sa poitrine, le feu s'étendit en elle, elle les supplia d'arrêter, de lui rendre son parapluie, de la laisser tranquille. Ils ne l'écoutèrent pas. Ils la recouvrirent entièrement, s'attaquant à son visage, le mordillant, le déchirant férocement malgré tous les efforts qu'elle faisait pour les écarter. Sa bouche s'emplit de sang. *Assez !* hurla-t-elle, *assez !* et elle s'éveilla pour découvrir que son cauchemar n'en était pas un, que des rats gros comme des chats de gouttière avaient envahi son cachot, reniflant ses excréments séchés, courant sur son corps nu, léchant les gouttelettes de sang qui perlaient encore à ses lèvres.

Elle se mit à hurler comme une folle.

Elle hurla pendant des heures.

Au matin du sixième jour, une gardienne envoyée par Dominguez vint la délivrer. La femme ouvrit la serrure et fit glisser la grille, puis eut une grimace de dégoût et se boucha le nez lorsque l'odeur pestilentielle qui montait du cachot atteignit ses narines. Elle tendit une main à Marilyn pour l'aider à sortir du trou. Celle-ci essaya de se mettre debout, mais un vertige la prit et elle se retrouva à genoux, éblouie par le soleil matinal, la cour de la prison tournoyant autour d'elle. Sa seconde tentative pour se redresser n'eut pas plus de succès. Sans attendre plus longtemps, la gardienne se dirigea vers la douche des femmes. Marilyn parvint à la suivre en titubant. La température était fraîche ce matin-là et la douche n'offrait que de l'eau froide, mais elle demeura longtemps sous le jet glacé, lavant son corps du sang et des excréments séchés, se purifiant elle-même, s'emplissant peu à peu d'un étrange sentiment de victoire. Ses lèvres étaient enflées et éclatées, elle pouvait à peine ouvrir son œil droit, tous les muscles de son corps la faisaient souffrir, mais elle avait la merveilleuse certitude d'avoir gagné.

Lorsque Luis vint la chercher la fois suivante, le caftan blanc soigneusement plié sur son bras, elle refusa de le porter, exigeant de garder la blouse grise qui était l'uniforme de toutes les prisonnières. Il haussa les épaules. En traversant la cour des hommes, il essaya de lui pincer les fesses, mais elle le rembarra violemment, sous les rires et les huées des prisonniers. En arrivant devant la porte de Dominguez, il tenta de lui caresser la poitrine. Elle recula en s'accroupissant, comme si elle était prête à lui sauter à la gorge, et son visage se vida de toute couleur. Il frappa timidement au panneau de bois.

— Oui, répondit la voix de Dominguez. Fais-la entrer !

Il y avait une douzaine de gardiens dans le bureau.

Elle s'évanouit avant que le cinquième ait pu finir de prendre son plaisir avec elle.

Il devrait la tuer la prochaine fois.

Elle le forcerait à la battre jusqu'à ce qu'il la tue, à coups de cravache ou à coups de poing, peu lui importait. Elle avait été prostituée à Houston, mais ce qu'elle vivait à *La Fortaleza* n'avait rien à voir avec la prostitution. Elle y était possédée et traitée comme un animal et aucun homme, qu'il s'agisse de Dominguez ou d'un autre, n'avait le droit de se l'approprier de cette façon.

Il ne la fit plus appeler à son bureau jusqu'en décembre, quelques jours avant Noël. A nouveau, elle refusa de porter le caftan, et lorsque Luis lui dit que le directeur tenait à ce qu'elle soit particulièrement belle ce jour-là, elle lui répondit en anglais :

— Qu'il aille se faire enculer !

Elle le suivit vêtue de sa blouse grise et de son pardessus bleu désormais sans boutons, qu'elle serrait frileusement autour de sa taille. La cour des hommes l'accueillit avec un silence inhabituel. Les prisonniers savaient ce qu'elle avait subi et n'avaient pas le cœur à plaisanter ni à lui lancer les invites grossières dont ils l'avaient abreuvée jusque-là.

Un homme était assis dans le fauteuil de bois près du bureau de Dominguez. Il portait un costume bleu sombre, une cravate grise, une chemise de soie à rayures, des chaussures noires impeccablement cirées. Un chapeau gris reposait sur ses genoux. Agé d'une soixantaine d'années, il respirait l'élégance et la distinction. Sa moustache noire était soigneusement taillée. Ses yeux marron intelligents suivirent la jeune femme avec intérêt lorsqu'elle entra dans la pièce et s'immobilisa devant le bureau.

— C'est elle, dit Dominguez.

— Parle-t-elle l'espagnol ? demanda l'homme.

Sa voix était très basse, presque un murmure. Marilyn eut l'impression qu'il ne cherchait pas à l'impressionner, et qu'il n'avait probablement jamais eu besoin de hausser le ton depuis qu'il était sur terre. Il s'était adressé à Dominguez, mais son regard demeurait fixé sur elle, l'examinant posément, calmement, sans exprimer la moindre convoitise ni la moindre gêne. S'il me touche, pensa-t-elle, je lui arrache les yeux. Cette fois ils devront me tuer pour obtenir ce qu'ils désirent.

— Tu as entendu la question, Mariucha ? insista Dominguez.

Elle ne répondit pas. Le directeur haussa les épaules.

— Oui, elle parle parfaitement notre langue, dit-il.

— Mais vous ne tenez sans doute pas à l'employer ? s'enquit l'homme d'un ton courtois.

— Qui êtes-vous ? demanda-t-elle soudain en espagnol.

— Très bien ! Très très bien ! Je suis Alberto Hidalgo.

— *Don* Alberto, corrigea aussitôt Dominguez.

— Vous me faites un grand honneur, protesta Hidalgo en secouant énergiquement la tête sans cesser de sourire. Mais c'est un honneur immérité, je vous assure.

— Qu'est-ce que vous pensez d'elle ? demanda abruptement Dominguez.

— Elle me paraît un peu maigre.

— C'est l'ossature qui compte. Le reste peut toujours venir après. — Dominguez eut un gloussement et se tourna vers Marilyn. — Don Alberto est venu spécialement d'Amérique du Sud pour te voir. Nous essayons actuellement de te faire sortir de la Forteresse.

— Mon cul, dit Marilyn en anglais.

— *Como ?* demanda Hidalgo.

— Comment pourriez-vous arranger ça ? reprit-elle en espagnol.

— Don Hidalgo a beaucoup d'amis influents au Mexique, expliqua Dominguez. Tu pourrais lui être confiée, finir ta peine sous sa responsabilité. Les autorités acceptent parfois ce genre d'accommodement.

— Il n'y a rien de certain, évidemment, précisa Hidalgo. Nous pensons en ce moment à l'Argentine, mais des difficultés imprévues peuvent toujours surgir.

— Pas pour un homme comme vous ! s'exclama Dominguez.

— Peut-être. Nous verrons bien.

— Mais *si* un accord est possible ?

— Dans ce cas, je suis intéressé, affirma Hidalgo. Mais la jeune dame préfère peut-être rester ici...

— Je ne pense pas qu'elle en ait sérieusement envie, dit Dominguez en souriant.

— *Señorita ?*

— Qu'est-ce que vous êtes ? demanda Marilyn en espagnol. Un mac ?

— Non, mille fois non ! répondit-il avec un charmant sourire. Un mac ? Qu'est-ce qui a pu vous donner cette idée ?

— Mon petit doigt, ricana-t-elle en anglais.

— *Como ?*

— Qu'est-ce que vous êtes, alors ?

Il haussa les épaules.

— Tout simplement un homme d'affaires. Peut-être un sentimental, aussi. L'idée qu'une femme aussi belle que vous puisse languir pendant des années en prison a quelque chose qui me révolte profondément. — Il se tourna vers Dominguez. — A-t-elle encore son passeport ?

— Oui, je l'ai mis en sécurité.

— Cela facilitera certainement les choses, approuva Hidalgo en revenant aussitôt à Marilyn. C'est à vous de prendre la décision, mademoiselle. Seriez-vous intéressée si nous pouvions trouver un arrangement ?

Elle n'hésita qu'une brève seconde. Elle ne doutait pas un instant que l'homme fût autre chose que ce qu'elle avait pensé au début de leur conversation : un maquereau en train d'acheter une putain. Mais elle n'avait aucun espoir de s'évader de la Forteresse, alors que s'il l'installait dans une ville, elle trouverait peut-être un jour une chance de s'échapper.

— Oui, dit-elle. *Muy bien.*

— Dans ce cas, l'affaire est conclue.

— Elle ne vous fera aucun ennui, déclara fièrement Dominguez, ajoutant quelque chose qu'elle ne comprit que plus tard : *Ya esta domesticada.*

Elle est déjà dressée.

14

— Ensuite ? demanda Willis.

— Le plus incroyable, répondit-elle. Je suis restée à peu près un an avec Hidalgo. Puis un jour il m'a convoquée, m'a tendu mon passeport et m'a annoncé que j'étais libre.

— Pourquoi a-t-il fait ça ?

Marilyn haussa les épaules.

— Peut-être estimait-il que je l'avais déjà largement remboursé... Je ne sais pas. Ou alors c'était un sentimental, comme il se plaisait à le dire.

— Je n'ai jamais rencontré de maquereau sentimental, rétorqua Willis.

— Toujours est-il qu'il n'a rien fait pour me retenir. Je me suis mise à mon compte à Buenos Aires et j'ai encore travaillé pendant quatre ans, en économisant tout ce que je pouvais, avant de venir m'installer ici.

— Avec un magot de deux millions de dollars...

— Quelque chose comme ça, oui.

— En divisant par quatre, ça représente un bénéfice annuel de cinq cent mille dollars.

— Ça n'a rien d'étonnant, tu sais. Tu n'imagines pas les sommes qui se dépensent dans certains cercles de Buenos Aires. Et je ne prenais jamais moins de trois cents dollars pour une passe.

Willis fit rapidement le calcul. A ce tarif-là, et pour réaliser un gain de cette importance, elle avait dû faire en moyenne mille sept cents passes par an. Entre trente et trente-cinq chaque semaine. Un minimum de cinq par nuit. Et ce « travail » avait duré quatre ans...

— Ça t'étonne que je ne sois pas usée jusqu'à la corde ? lui demanda-t-elle comme si elle avait deviné ses pensées.

Willis ne répondit pas. Il était en train de calculer que quatre fois mille sept cents faisaient six mille huit cents. Si on y ajoutait l'année pendant laquelle elle avait appartenu à Hidalgo, on parvenait au total impressionnant de huit à neuf mille passes. Marilyn Hollis avait couché avec neuf mille hommes, l'équivalent de la population mâle adulte d'une ville de trente à quarante mille habitants. S'il n'y avait eu que des hommes dans le lot. Peut-être avait-elle également offert ses services à quelques centaines de femmes ? A une demi-douzaine de chiens policiers ? A un étalon arabe ! Seigneur !

Il secoua la tête.

— Tu vas t'en aller, maintenant, murmura-t-elle.

Il demeura un long moment silencieux avant de lui demander :

— Aucun d'eux ne le savait, n'est-ce pas ?

— Si tu veux dire...

— Je veux dire McKennon, Hollander et Riley.

— Aucun.

— Endicott ?

— Non plus. Tu es le seul à qui j'ai osé le dire.

— Je ne connais pas ma chance, grommela Willis.

Un silence pesant s'abattit sur la pièce. Marilyn gardait les yeux fixés sur l'inspecteur.

— Qu'est-ce que tu vas raconter à ton collègue ? finit-elle par demander.

— A propos de *ça ?* Certainement rien.

— A propos de la bouteille de scotch. Celle que j'ai touchée chez Nelson.

— Je vais lui répéter ce que tu m'as dit.

— Parce que tu me *crois ?*

Willis hésita longuement avant de répondre.

— Oui, murmura-t-il enfin en la prenant dans ses bras.

L'homme aux poignets menottés qui était assis en compagnie de Meyer et Hawes dans la salle des interrogatoires était un quinquagénaire à l'air respectable, au visage ouvert et avenant. Il portait un pantalon brun-ocre, un blouson de sport marron et une chemise de sport crème. Ses cheveux grisonnaient sur ses tempes, sa moustache était poivre et sel. L'arme posée devant lui sur le bureau était un .38 Smith et Wesson.

— Je vous ai maintenant lu vos droits, dit Meyer. Vous savez que vous pouvez exiger la présence d'un avocat. Vous savez également que vous pouvez refuser de répondre à toutes nos questions, ou cesser d'y répondre à partir du moment où vous estimerez que...

— Je n'ai pas besoin d'un avocat, le coupa l'homme. Je suis assez grand pour vous répondre tout seul.

— Vous êtes conscient que cet appareil est un magnétophone et que tout ce que vous direz sera enregistré et pourra être retenu contre vous ?

— J'en suis parfaitement conscient.

— Etes-vous prêt à répondre aux questions que l'inspecteur Hawes et moi-même avons l'intention de vous poser ?

— Il me semble que je vous l'ai déjà dit.

— Vous avez bien *compris* que vous avez droit à un avocat si vous...

— Je l'ai très bien compris. Je n'en vois pas l'utilité.

Meyer regarda Hawes, qui hocha la tête.

— Puis-je connaître vos nom et prénom, s'il vous plaît ? demanda Meyer.

— Peter Jannings.

— Comment épelez-vous votre nom de famille ?

— J-A-N-N-I-N-G-S.

— Peter Jannings. Sans autre prénom ? Sans initiale ?

— Non.

— Quelle est votre adresse actuelle, monsieur Jannings ?

— 5318 South Knowlton Drive.

— Le numéro de votre appartement ?

— 3-C.

— Quel âge avez-vous, monsieur Jannings ?

— Cinquante-neuf ans.

— Vous ne les paraissez pas, fit remarquer Meyer en souriant.

Jannings se contenta de hocher la tête. Meyer supposa qu'il avait déjà dû entendre ce compliment à de nombreuses reprises.

— Reconnaissez-vous cette arme ? poursuivit-il. Je veux parler du Smith et Wesson calibre .38, modèle 32, communément appelé Terrier Double Action, que vous avez actuellement sous les yeux.

— Je la reconnais, dit Jannings. C'est la mienne.

— Avez-vous un permis pour cette arme, monsieur Jannings ?

— Oui.
— De port ou de détention ?
— De port. Je travaille dans le commerce du diamant.
— Etiez-vous en possession de cette arme... je me réfère à nouveau au Smith et Wesson modèle 32... étiez-vous en sa possession au moment de votre arrestation ?
— Oui.
— S'est-elle déroulée à quinze heures quarante-cinq, cet après-midi ?
— Je n'ai pas pensé à regarder l'heure.
— Les officiers de police qui vous ont appréhendé l'ont signalée dans leur rapport...
— Dans ce cas, je leur fais entièrement confiance.
— Vous avez été arrêté dans un cinéma à salles multiples appelé le Twin Plaza, c'est exact ?
— C'est exact.
— Au 3748 Knightsbridge Road ?
— Je n'ai pas pris garde à l'adresse.
— Il s'agit d'un complexe composé de deux salles, le Twin Plaza Un et le Twin Plaza Deux. Vous vous trouviez dans ce complexe au moment de votre arrestation ?
— Oui.
— Dans la salle du Twin Plaza Un ?
— C'est cela.
— Teniez-vous cette arme à la main, je veux parler du Smith et Wesson modèle 32, lorsque vous avez été interpellé ?
— Oui.
— Aviez-vous utilisé cette arme récemment ?
— Très récemment, oui.
— Combien de fois ?
— J'avais tiré quatre balles.
— Aviez-vous visé une personne en particulier ?
— Oui.
— Qui ?
— Une femme.
— Pouvez-vous nous dire son nom ?
— Je l'ignore totalement.
— Etes-vous conscient, monsieur Jannings, que la spectatrice assise directement derrière vous, derrière le siège que vous occupiez lorsque les policiers vous ont arrêté, a été atteinte à la tête et à la poitrine par quatre balles tirées à bout portant ?

— J'en suis pleinement conscient. Je vous ai déjà dit que j'ai tiré quatre fois.

— Sur la personne qui était assise derrière vous, nous sommes bien d'accord ?

— Absolument.

— Savez-vous que cette personne est décédée pendant son transfert à l'hôpital ?

— Je l'ignorais. Mais vous m'en voyez ravi.

Meyer lança un long regard à Hawes. Sur la table, le magnétophone tournait régulièrement, en produisant un bourdonnement à peine perceptible.

— Monsieur Jannings, interrompit Hawes, pouvez-vous nous dire pourquoi vous avez battu cette femme ?

— Bien sûr. Elle parlait.

— Je vous demande pardon ?

— Elle n'a pas cessé pendant tout le film.

— De parler ?

— Oui.

— Monsieur Jannings...

— Elle parlait à haute voix dans mon dos, sans *jamais* s'arrêter. Elle décrivait les personnages. « Regarde, c'est le mari ! Tiens, voilà son petit ami ! Tu as vu ça, un lion ? Un autre là-bas ! » Elle expliquait leurs déplacements. « Ça, c'est sa ferme à elle. Maintenant ils sont dans la forêt. Dans le cabinet du médecin. C'est lui le médecin. » Elle essayait de prévoir la suite de l'histoire. « Je suis sûre qu'ils vont coucher ensemble, tu verras. Quand le mari va s'en apercevoir... » Au moment où le médecin annonce : « Vous avez la syphilis », elle a poussé un cri. « Elle a *quoi ?* » Je me suis tourné vers elle et je lui ai dit : « La *syphilis*, madame ! » Elle m'a répondu : « Occupez-vous de vos affaires, voulez-vous ? C'est à mon mari que je parle. » Je me suis retourné vers l'écran et j'ai essayé de me replonger dans le film. Elle a ricané : « De toute façon, je suis certaine qu'elle a attrapé ce truc avec son mari ! » J'ai serré les dents et je me suis contenu pendant un bon moment, en tentant par tous les moyens d'échapper à ses commentaires ineptes. Mais j'ai craqué après la scène du cimetière, quand Meryl Streep s'éloigne en regardant au loin et qu'on comprend sans un mot tout ce qu'elle éprouve à cet instant. La femme derrière moi a dit : « Cette fille avec le mari, c'est la riche héritière qu'il a épousée. » Je me suis retourné une seconde fois : « Madame, si vous tenez à parler tout le temps, pourquoi ne restez-vous pas chez vous à regarder la télévision ? » « Je vous ai déjà dit de vous occuper de vos affaires ! » m'a-t-elle répliqué. « C'est ce que je fais, madame. J'ai payé ma place pour pouvoir regarder ce film. » « Alors regardez-le et taisez-vous ! » C'est à ce moment-là que je l'ai descendue.

Meyer et Hawes se regardèrent.

— Mon seul regret est d'avoir attendu si longtemps, poursuivit Jannings d'une voix paisible. J'aurais dû l'abattre tout de suite. Je n'aurais pas manqué les trois quarts du film.

Meyer se demanda si un bon avocat pourrait lui obtenir les circonstances atténuantes, ou même un verdict de légitime défense.

Le capitaine Samuel Isaac Grossman était penché sur un microscope quand Carella pénétra dans le labo de la police, le samedi après-midi un peu avant cinq heures. Les jours commençaient à s'allonger vraiment. Derrière les hautes baies vitrées donnant sur High Street, les premières lueurs roses du crépuscule teintaient à peine le ciel clair, et les fenêtres des immeubles qui se dressaient en face reflétaient encore les rayons du soleil couchant. Grossman était entièrement absorbé par son travail. Grand, mince, avec des allures de gentleman farmer qui paraissaient déplacées dans le décor austère du laboratoire, il était perché sur un tabouret, l'œil fixé à l'oculaire, sa main droite reposant sur un des boutons de réglage de l'appareil. Carella attendit.

— Qui que vous soyez, je sais que vous êtes là, dit Grossman au bout de quelques instants en faisant tourner son tabouret et en rechaussant ses lunettes. Tiens, tiens, nous avons un visiteur plutôt rare, aujourd'hui. Comment allez-vous ?

Les deux hommes se serrèrent la main.

— Connaissez-vous celle du vieillard qui va consulter un urologue ? demanda Grossman.

Carella secoua la tête en souriant à l'avance.

— L'urologue l'interroge : « Qu'est-ce qui ne va pas ? » « Je ne peux plus pisser », répond le vieux. « Quel âge avez-vous ? » « Quatre-vingt-douze ans. » « Alors c'est normal, dit l'urologue, vous avez déjà pissé plus que tout le monde. »

Carella éclata de rire.

— Un autre homme va voir le même urologue et lui explique qu'il a perdu son pénis dans un accident de voiture. « Pas de problème, le rassure l'urologue, on va vous en greffer un autre. » « Je ne savais pas que vous pouviez faire ça. » « Bien sûr que si, répond l'urologue. Je vais vous montrer quelques spécimens, pour que vous puissiez choisir. » Il sort un premier moulage de pénis. L'homme secoue la tête : « Il est trop court. » L'urologue lui présente un second moulage. L'homme n'est toujours pas satisfait : « J'aurais aimé quelque chose de plus... consistant. » L'urologue lui montre alors le plus gros moulage de sa collection, un pénis défiant presque les lois de la nature. L'homme l'examine et hoche la tête. « C'est tout à fait ça, dit-il. Vous l'avez aussi en blanc ? »

Carella éclata à nouveau de rire.

— Celle-là, il faudra que je la raconte à Artie !

— J'adore les blagues d'urologue, dit paisiblement Grossman. Qu'est-ce qui vous amène ici ?

— Je vous ai appelé hier.

— On ne m'a pas transmis le message. De quoi s'agit-il ?

— J'aimerais savoir comment on peut obtenir de la nicotine pure à partir de mégots de cigarettes.

Grossman haussa les sourcils.

— J'enquête actuellement sur un empoisonnement à la nicotine, expliqua Carella. Peut-être même deux.

— Ce sont des choses plutôt rares, de nos jours.

— Justement. Je pars du principe que le coupable n'a pas trouvé le poison en l'extrayant d'un insecticide quelconque, simplement parce que ça me paraît trop compliqué. C'est pourquoi j'aimerais que vous me disiez *si* et *comment* il a pu le fabriquer en utilisant ce qu'il avait sous la main.

— Des mégots de cigarettes ?

— Ou de cigares. Du tabac à fumer, à priser, à chiquer, n'importe quoi.

Grossman hocha la tête.

— Vous pensez que c'est possible ? insista Carella.

— Bien sûr.

— Comment ?

— Vous savez comment on produit le whisky ?

— Non. Mon père ne fait que du vin.

— Ça, c'est de la fermentation. C'est un procédé proche,

mais qui ne donnerait rien avec votre tabac. Ce qu'il vous faut, c'est une bonne distillation.

— Ce qui signifie ?

— Vous avez du temps devant vous ?

— C'est si compliqué que ça ?

Grossman haussa les épaules.

— Pour moi, non. Pour vous, je ne sais pas.

— Essayez toujours, dit Carella avec un sourire engageant.

— Bon. Je suppose que votre suspect n'a accès à aucun laboratoire...

— Rien ne semble l'indiquer pour l'instant.

— Je suppose également qu'il ne connaît personne, en Georgie ou ailleurs, qui sache fabriquer le bon vieux whisky clandestin de la Prohibition.

— C'est l'hypothèse qui me paraît la plus vraisemblable à ce stade de l'enquête.

— Dans ce cas, il n'a qu'une solution : construire lui-même un alambic.

— Comment ?

— Je constate que vous ne savez pas grand-chose au sujet de la distillation...

— Absolument rien, avoua Carella.

— C'est parfait. Ils m'ont envoyé l'idiot de la classe. Bien. La distillation consiste à transférer un liquide ou un solide dans son état gazeux jusqu'à un autre endroit où il est à nouveau transformé en liquide ou en solide.

— Pour quoi faire ?

— Pour le purifier.

—Qu'est-ce que vous appelez un autre endroit ? Le New Jersey ? Le Kansas ?

Grossman eut un rire amer.

— Ils vous ont *vraiment* choisi, hein ? Ça ne fait rien. Suivez-moi bien...

— Je ne fais que ça, protesta Carella.

— On obtient de l'alcool de grain en distillant un moût fermenté de céréales — du seigle, de l'orge, du blé, du froment... Ça n'a d'importance que pour le futur consommateur. On chauffe le moût. Le gaz qui s'en élève, la vapeur, si vous préférez, est canalisé dans des tubes qui l'éloignent du foyer, puis envoyé dans d'autres tubes plus froids. Lorsque la vapeur se condense dans le récipient qui se trouve à l'extrémité de l'appareil, vous avez un liquide fortement alcoolisé. Le tord-boyau que vous cherchiez.

— Et si je veux du poison ?

— C'est le même cinéma. Admettons que vous utilisiez des cigares. Un cigare contient en moyenne entre quinze et quarante milligrammes de nicotine. Bien que la dose mortelle soit estimée aux environs de quarante milligrammes, vous ne risquez pas de tomber raide mort si vous fumez un cigare, et seulement d'être malade à crever si vous en avalez un. En revanche, si vous distillez l'alcaloïde qu'il contient...

— Hmm, toussota Carella. N'oubliez pas que je suis le cancre de la classe.

— D'accord. Nous allons procéder par étapes. Première étape : vous faites une bouillie avec une douzaine ou deux douzaines de cigares, une centaine si vous voulez. Deuxième étape : vous faites chauffer votre mélange. Sous une pression atmosphérique normale, la nicotine bout sans se décomposer aux environs de cent vingt degrés.

— C'est un détail important ?

— A peine une constatation statistique. Troisième étape : vous faites monter la vapeur dans un tube. Vous avez déjà vu des photos d'alambics avec leurs tubes coudés et leurs serpentins ? Les tubes coudés canalisent la vapeur, les serpentins la condensent. C'est la quatrième étape : la condensation.

— Hmm, fit discrètement Carella.

— La condensation ne pose aucun problème. C'est un processus naturel. La vapeur se refroidit dans les serpentins, donc se condense, et vous recueillez à la sortie un liquide incolore qui est plus ou moins votre alcaloïde... votre nicotine en l'occurrence.

— Pourquoi plus ou moins ?

— Parce qu'elle est plus ou moins *pure.* D'où les étapes suivantes. La cinquième, la sixième, et ainsi de suite. Vous reprenez votre produit et vous le distillez à nouveau, autant de fois qu'il vous semble nécessaire pour obtenir l'alcaloïde le plus pur possible. Là enfin vous avez votre *vrai* poison. De la dynamite en bouteille. Vous en laissez tomber une goutte dans leurs verres et vos ennemis tombent morts à vos pieds.

— Je m'attendais à quelque chose de plus compliqué, dit Carella en souriant. Ou alors je suis moins idiot que vous le

pensez. Pouvez-vous m'accorder une dernière faveur ?
— Laquelle ?
— Dessinez-moi un alambic.

Le lundi matin de bonne heure, Carella se retrouva de nouveau dans High Street, non pour poser d'autres questions à Grossman, mais pour présenter à un juge du tribunal, quelques portes plus loin, deux requêtes écrites demandant l'autorisation de procéder à des perquisitions à domicile. La première requête était rédigée ainsi :

1. Je suis inspecteur de police, actuellement affecté au 87ᵉ district.

2. Je dispose d'informations, basées sur les rapports d'autopsie du bureau du médecin légiste, selon lesquelles la nicotine aurait été utilisée comme arme du crime dans deux homicides sur lesquels j'ai présentement mission d'enquêter.

3. D'autres informations, fournies par le capitaine Samuel Grossman, du laboratoire de la police, m'ont convaincu que la nicotine sous sa forme concentrée (toxique) peut être obtenue par distillation à partir de cigarettes ordinaires, de cigares, ou de n'importe quelle sorte de tabac.

4. Ma conviction personnelle, soutenue par d'autres renseignements obtenus au cours de mon enquête, m'incline à penser qu'un matériel de distillation, communément appelé « alambic » (croquis ci-joint), pourrait être découvert au domicile de Mlle Marilyn Hollis, résidant 1211 Harborside Lane, à Isola.

5. En me basant sur les informations incontestables citées ci-dessus, ainsi que sur ma conviction et mes connaissances personnelles, j'estime raisonnable de supposer que la possession d'un tel appareil par Mlle Hollis pourrait constituer une preuve de culpabilité dans les deux homicides précités.

En conséquence, je prie respectueusement le tribunal de délivrer un mandat de perquisition (formulaire ci-joint) autorisant une perquisition légale de l'immeuble situé 1211 Harborside Lane.

Je certifie sur l'honneur qu'aucune autre demande identique n'a été faite à ce jour devant un autre tribunal ou un autre juge.

La seconde requête était en tous points semblable à la

première, à l'exception du nom mentionné (Charles Endicott Jr) et de l'adresse (493 Burton Street). Chacune des deux demandes était accompagnée d'une photocopie du schéma d'un alambic artisanal que Carella avait demandé à Grossman.

Le juge lut soigneusement la première requête, commença à lire la seconde, puis releva la tête et demanda :

— Elles sont absolument identiques, n'est-ce pas ?

— Oui, Votre Honneur, répondit Carella. Seuls le nom et l'adresse sont différents.

— Et vous enquêtez actuellement sur deux empoisonnements à la nicotine, c'est cela ?

— Oui, Votre Honneur. Plus un troisième meurtre, commis avec un instrument tranchant non encore identifié, auquel ne s'appliquent pas les mandats de perquisition demandés ici.

— Sur quoi repose votre estimation raisonnable, inspecteur Carella ?

— Votre Honneur, les trois victimes étaient des amis proches de Mlle Hollis. M. Endicott est également...

— Je vous demande si vous estimez avoir une raison valable de violer le domicile privé d'un citoyen pour y effectuer une perquisition.

— Votre Honneur, je reconnais que ma raison peut être discutée...

— Je suis heureux de vous l'entendre dire, inspecteur.

— Mais si quelqu'un a fabriqué ce poison...

— C'est exactement le point, inspecteur. *Quelqu'un* l'a probablement fabriqué. Mais qu'est-ce qui vous permet de croire, ou même de supposer, qu'il s'agit de Mlle Hollis ou de M. Endicott ?

— Les trois victimes avaient des relations intimes avec Mlle Hollis.

— Et M. Endicott ?

— Egalement.

— Connaissait-il les victimes ?

— Non, du moins si nous croyons...

— Quelle est votre hypothèse, dans ce cas ? Que vos deux suspects ont agi de concert ?

— Je ne dispose d'aucune preuve qui puisse soutenir cette théorie.

— Avez-vous une preuve qui vous permette d'envisager une arrestation ?

— Non, Votre Honneur.

— Avez-vous une preuve qui vous permette de penser qu'il y a effectivement un alambic chez l'une des deux personnes suspectées ?

— Non, Votre Honneur. Mais la nicotine a nécessairement été distillée...

— Nous ne sommes pas en Union soviétique, inspecteur Carella.

— Je le sais, Votre Honneur. Nous sommes en Amérique, et trois personnes ont été assassinées. Si je peux découvrir l'alambic...

— Vos requêtes sont conjointement rejetées, dit le juge.

Ainsi commença la matinée du lundi.

Pour arranger les choses, il pleuvait à verse.

Carella était trempé comme une soupe lorsqu'il entra dans la salle de permanence. Une épaisse enveloppe brune portant le sceau du bureau du médecin légiste était posée sur son bureau. Il lui jeta un rapide coup d'œil au passage en se dirigeant vers le lavabo, où il utilisa plusieurs serviettes en papier pour sécher ses cheveux. Andy Parker était assis à sa place habituelle, feuilletant un rapport de routine sur un cambriolage.

— J'en ai entendu une bien bonne hier, lança Carella.

— Oui ? répondit Parker en levant les yeux.

Carella lui raconta l'histoire du pénis noir.

— Je ne vois pas ce qu'elle a de drôle, dit Parker sans rire. Les croque-morts ont laissé une enveloppe pour toi.

— Je l'ai vue, merci.

Carella regagna son bureau et ouvrit l'enveloppe. Elle contenait le rapport dactylographié de Blaney sur le meurtre de McKennon.

Il leva les yeux sur le calendrier. On était le 14 avril. McKennon avait été assassiné le 24 mars.

Trois semaines pour obtenir un rapport officiel d'autopsie était plutôt une bonne performance dans cette ville. Il le feuilleta rapidement. Il ne signalait rien de plus que ce que Blaney lui avait déjà appris au téléphone, à l'exception d'un relevé de l'état des dents de la victime, qu'il lut en détail avant de le remettre dans l'enveloppe avec les autres feuillets. Ayant refermé l'enveloppe, il se dirigea vers le classeur métallique marqué M-Z, ouvrit le premier tiroir et glissa le rapport dans le classeur portant le nom de McKennon. Puis il se tourna vers la pendule murale. Elle indiquait neuf heures vingt.

— Le lieutenant est là ? demanda-t-il à Brown.

— Il est arrivé à neuf heures.

— Willis devrait être là ?

— En principe.

Carella hésita. Devait-il l'appeler chez Marilyn Hollis ? Il consulta sa propre montre. Neuf heures vingt et une. D'un pas ferme, il se dirigea vers la porte du lieutenant.

— Entrez ! cria Byrnes.

Il était assis en pleine lumière, devant sa fenêtre ouverte. La clarté blafarde du jour dessinait autour de sa tête l'auréole d'un saint.

— Comment ça s'est passé avec le juge ? demanda-t-il.

— C'est tout juste s'il ne m'a pas mis dehors.

— Ça ne m'étonne pas.

— Moi non plus. Mais c'était une chance à tenter.

— Et maintenant ?

— Je veux des hommes derrière Hollis et Endicott vingt-quatre heures sur vingt-quatre. Et pas des demeurés, cette fois.

— Pour les protéger ?

— Pour les surveiller.

— Accordé, dit Byrnes en hochant la tête.

Il y avait un détail dans l'histoire de Marilyn qui ne cessait de tracasser Willis.

Il l'avait immédiatement repéré, lorsqu'elle lui avait expliqué que Hidalgo lui avait rendu son passeport et sa liberté après seulement un an de bons services. Pourquoi avait-il agi ainsi ? Les explications plutôt simplistes qu'elle lui avait données alors ne l'avaient pas convaincu. Hidalgo avait dû payer très cher pour obtenir l'« Arabe d'Or ». Un investissement de cette sorte, pour un « homme d'affaires » comme lui, aussi « sentimental » fût-il, devait forcément représenter une promesse de gros bénéfices — surtout dans le domaine qui semblait être sa spécialité. Que Marilyn soit persuadée qu'elle avait largement payé sa dette était une chose, mais Willis savait d'expérience que les maquereaux ne calculaient jamais de cette manière, tout simplement parce qu'ils étaient des maquereaux, des gens qui vivaient de l'exploitation des autres et qui n'avaient jamais aucun intérêt à tuer la poule aux œufs d'or. Marilyn en avait manifestement été une. Dans ce contexte, le geste de générosité de l'Argentin était tout simplement incompréhensible. Il désirait de toute son âme croire ce qu'elle lui avait raconté, mais cela lui était totalement impossible.

Il ne se trouvait pas dans la salle des inspecteurs ce matin-là parce qu'il menait son enquête ailleurs, sur place aurait-il pu dire. Marilyn avait quitté la maison à dix heures et demie pour se rendre à un rendez-vous chez son coiffeur. A onze heures moins le quart, Willis avait poussé la porte de la partie de l'appartement qu'elle considérait comme abandonnée et s'était introduit dans la pièce où elle entassait tous ses vieux souvenirs. Il ne savait pas exactement ce qu'il cherchait. Des indices, des preuves, des détails, des informations sur les cinq années qu'elle avait vécu au total à Buenos Aires.

Il ne découvrit aucune lettre.

Il réfléchit à la question et conclut qu'il n'y avait rien d'anormal à cela. Elle avait perdu la trace de tous ses amis et ne savait même pas où se trouvait sa mère. De plus, à raison de cinq passes par nuit, elle n'avait pas dû avoir beaucoup de temps à elle pour écrire.

Il ne trouva pas non plus la moindre trace de transaction financière.

Aucun chéquier, aucun reçu, pas la moindre facture, pas le moindre relevé de banque. Pour une femme qui avait amassé en « indépendante » une somme de deux millions de dollars, cette absence de documents était plutôt étrange. Où avait-elle mis l'argent qu'elle gagnait apparemment au jour le jour ? Sous son matelas ?

Il y avait bien sûr des gens tout à fait normaux qui se conduisaient ainsi. Ne supportant pas la moindre paperasse, ils se débarrassaient systématiquement de tous leurs papiers à l'instant même où ceux-ci devenaient inutiles. Mais Marilyn ne semblait pas appartenir à cette catégorie. Elle était plutôt de l'espèce inverse, de celle qui garde pendant des siècles des cartons de vieux journaux inutiles, des photos, des articles, avec une répugnance marquée à jeter quoi que ce soit. Il y avait là quelque chose qui ne collait pas. Puisqu'elle avait conservé des monceaux de vieilleries, pourquoi n'avait-elle gardé aucun souvenir matériel de l'aventure qui lui avait permis d'acquérir définitivement son indépendance ?

Il commença à fouiller parmi les coupures de presse.

Sa collection, pour fragmentaire qu'elle fût, relevait d'un esprit proprement encyclopédique. Elle avait découpé et classé tout ce qui avait à un moment ou un autre frappé son imagination ou éveillé son intérêt. Il trouva un article sur un procédé qui permettait d'enregistrer les mouvements d'un corps de ballet. Un article sur la cérémonie du thé pratiquée au Japon par les moines zen. Des coupures sur Marie Curie, sur le mobilier de l'Egypte antique, sur l'art du massage, sur Robert Burns, sur les statistiques. Des exposés sur l'art et l'architecture en Grande-Bretagne, sur Wolfgang Amadeus Mozart, sur les guerres puniques, sur les motos, sur la photographie en couleurs, sur la vie de Géronimo.

Posé sur une pile de documents, au sommet du dernier carton, il découvrit finalement un encart publicitaire, orné d'une splendide photographie, dont la lecture lui coupa le souffle :

LE DISTILLATEUR ELECTRIQUE GAGGIA

Avec ce distillateur fabriqué à Milan, en Italie, vous pouvez extraire les parfums, les huiles, les saveurs, des herbes, des fruits, des fleurs, des matières organiques les plus diverses et obtenir chez vous, directement, les produits frais pour votre cuisine, les eaux de toilette, les crèmes de beauté dont vous avez besoin. La résistance électrique de l'appareil peut chauffer graduellement un litre un quart de matière liquide ou solide, transformant progressivement en vapeur l'arôme ou le composant que vous désirez isoler. La vapeur passe ensuite dans un condensateur en pyrex refroidi par trois litres d'eau (continuellement brassée par une pompe électrique de six watts) et le distillat est recueilli dans un flacon en pyrex. Des tubes en verre et en cuivre, des joints en laiton garantissent la pureté de la distillation. Une hélice à mouvement électrique de dix-huit watts assure le refroidissement de l'eau. Un thermomètre à mercure (inclus dans le prix de vente) est fixé au sommet de l'appareil pour vous permettre de choisir la température idéale pour chaque opération particulière.

Socle en plastique noir renforcé. Commutateur de mise en marche. Fonctionne sur secteur. Hauteur : 75 cm. Largeur : 50 cm. Longueur : 33 cm. Poids total : 16 kg.

Référence 20659R. Prix : 395 dollars.

PAYABLE CONTRE REMBOURSEMENT
GARANTIE ILLIMITEE

15

Meyer Meyer trouvait ennuyeux d'avoir à filer un avocat, parce qu'à ses yeux *tous* les avocats étaient ennuyeux. Il n'en avait rencontré que trois dans sa vie qui ne l'étaient pas. Tous les autres étaient aussi tristes que des annuaires téléphoniques. Pour arranger les choses, ils étaient plus souvent ses adversaires que ses alliés. « Dites-moi, inspecteur Meyer, lorsque vous avez procédé à l'arrestation de cet homme, étiez-vous conscient que... »

Bien sûr, il n'avait pas encore rencontré tous les avocats de cette planète, et il était toujours possible qu'il tombe un jour sur le quatrième phénomène qui ferait exception à la règle. Il pouvait toujours rêver. Mais pour l'instant il haïssait les avocats, et Charles Endicott Jr en était indiscutablement un.

De plus, c'était un avocat qui avait — peut-être — assassiné trois personnes, ce qui, si c'était bien le cas, le rendait mille fois plus intéressant et mille fois plus dangereux que la morne majorité de ses confrères. En tout état de cause, Meyer n'était pas enchanté d'avoir à le suivre. Il aurait préféré que le lieutenant confie cette tâche à un autre inspecteur.

Par ailleurs, il pleuvait comme vache qui pisse.

Meyer avait commencé son travail deux heures plus tôt en étudiant tous les rapports rédigés par Willis et Carella. Puis il avait appelé le bureau d'Endicott en se faisant passer pour le lieutenant Charles Wilson, responsable des relations publiques du commissariat, et lui avait demandé si les officiers préalablement chargés d'assurer sa protection s'étaient montrés courtois et respectueux dans l'accomplissement de leur mission. Endicott l'avait rassuré sur ce point, puis avait voulu savoir pourquoi ils avaient été brusquement retirés. Meyer lui avait répondu que cette question ne relevait pas de sa compétence, mais qu'il était content d'apprendre que ses hommes s'étaient bien conduits.

Il n'avait appelé que pour s'assurer que l'avocat se trouvait bien à son bureau.

Il était alors onze heures sept. Il avait achevé cinq minutes auparavant la lecture des dossiers McKennon, Hollander et Riley. Il désirait se trouver à pied d'œuvre avant la pause de midi, de manière à commencer sa prise en chasse sans perdre de temps. Le lieutenant l'avait informé que Hawes le remplacerait à seize heures, puis serait relevé à son tour à minuit par O'Brien, et qu'il reprendrait lui-même la surveillance le lendemain à huit heures. Ce qu'on appelait une filature sans dentelles — et qui ne le mettait pas plus en joie que tout le reste.

A midi moins le quart, il appela à nouveau Endicott, cette fois d'une cabine publique de Jefferson Avenue, située en face du lieu de travail de l'avocat. Adoptant une voix rauque très basse, entrecoupée de grognements, il demanda si Me Endicott s'occupait d'affaires de divorce. Lorsqu'on lui répondit que les divorces faisaient effectivement partie des activités du cabinet Hackett, Rawlings, Pearson, Endicott, Lipstein et Marsh, il se présenta sous le nom de Martin Milstein et proposa un rendez-vous avec Endicott pour le vendredi à seize heures trente qui fut immédiatement accepté. Il rappellerait plus tard pour se décommander, mais il avait appris ce qu'il voulait savoir : Endicott était toujours dans l'immeuble. Il ne lui restait plus qu'à espérer que son homme sortirait pour déjeuner entre midi et une heure, comme le font habituellement tous ceux qui travaillent dans des bureaux dans cette partie de la ville.

Le seul inspecteur de la brigade qui connaissait personnellement Endicott était Hal Willis. Pour une raison qui n'avait pas été révélée à Meyer, il avait été jugé préférable que celui-ci ne fasse pas partie de l'équipe de surveillance. C'est pourquoi un des agents du capitaine Frick, en civil pour l'occasion, attendait Meyer près de la porte de la cabine. Le policier était un de ceux qui avaient assuré à tour de rôle la protection de l'avocat. Sa seule tâche consistait à désigner Endicott à Meyer. Dès que l'identification initiale aurait été établie, il rejoindrait le 87e district pour y retrouver son uniforme et ses occupations habituelles.

Les deux hommes se mirent à faire le pied de grue sous la pluie battante. L'agent ne cessait de maugréer contre le mauvais temps. Meyer surveillait la façade de l'immeuble. Il n'avait apparemment qu'une seule entrée. Si Endicott en sortait pour aller déjeuner, il ne pourrait pas leur échapper.

— Ne quitte pas cette porte des yeux, dit-il à l'agent.

— Vous croyez que j'ai pas compris ? protesta le policier.

C'était justement la question que Meyer était en train de se poser.

A midi douze, le compagnon de Meyer lui donna un brusque coup de coude. L'homme qui franchissait la porte, grand et mince, avec des yeux marron et des cheveux blancs, correspondait exactement à la description que l'inspecteur avait lue dans les rapports. L'agent hocha la tête et Meyer se mit aussitôt en route. Endicott portait un imperméable Burberry, ce qui ne facilitait évidemment pas la tâche de son poursuivant dans une ville où les Burberry semblaient jaillir de terre comme des champignons à la moindre goutte de pluie. C'était aussi un homme qui marchait rapidement et qui semblait soit particulièrement pressé, soit totalement indifférent aux inconvénients de l'orage. Nu-tête, il fonçait sous les trombes comme un émule de Gene Kelly, pataugeait allègrement dans les mares, traversait aux carrefours sans se soucier des feux et des voitures. Meyer haïssait profondément ce genre de filature-marathon. Il lui préférait de beaucoup les surveillances qui l'obligeaient à passer de longues heures dans un bar, confortablement assis devant un verre.

Il pouvait dire qu'il était servi. Endicott franchit la longueur de huit blocs sans s'abriter une seule fois. Meyer aurait parié sa chemise, d'ores et déjà trempée, qu'il sifflotait entre ses dents.

Finalement, il quitta Jefferson Avenue pour s'engager dans une ruelle transversale, fouettée par les vents venus de la rivière Harb, où la pluie tombait pratiquement à l'horizontale. Il s'élança sous ce déluge comme un galion prenant la mer, parcourut environ la moitié d'un bloc, puis s'arrêta sous une marquise rouge, blanc et vert et disparut derrière une porte de bois ornée de larges clous de cuivre.

L'inscription portée sur l'auvent indiquait que l'établissement auquel il donnait accès était le *Ristorante Bonatti.* Se sentant de plus en plus dans la peau du Popeye Doyle de *French Connection,* Meyer courba les épaules sous les rafales de pluie et de vent et se mit à espérer, contre toute logique, qu'Endicott prenait ses repas à la même vitesse qu'il faisait ses promenades.

L'ennui qu'éprouvait Carella était d'un ordre très différent. Même s'il estime avoir raison de le faire, un policier qui prend en filature la petite amie de son équipier ne se sent jamais tout à fait à l'aise, et l'idée qu'il est en train de commettre un acte méprisable lui vient facilement à l'esprit. Il avait commencé à surveiller Marilyn Hollis à dix heures trente, lorsqu'elle avait quitté la maison de Harborside Lane pour se rendre dans un salon de coiffure. Quand elle en était ressortie, à midi vingt, il l'avait suivie à pied jusqu'au Stem, où elle avait hélé un taxi. Il avait arrêté le taxi suivant, exhibé sa plaque de police et demandé au conducteur de ne pas perdre de vue le véhicule précédent. Le chauffeur n'avait visiblement pas apprécié d'être réquisitionné de cette manière, et des idées de mitraillades sanglantes, dans lesquelles il jouait le rôle du mort, lui avaient apparemment traversé l'esprit pendant tout le trajet.

Le taxi de Marilyn se dirigea vers le centre-ville, d'abord sur le Stem et Culver puis, après Van Buren Circle, prit la direction plein sud sur Grover Park West jusqu'à Hall Avenue. Il tourna alors à droite dans une petite rue, parcourut trois blocs puis s'engagea à gauche dans une ruelle transversale et s'arrêta devant un bâtiment orné d'une marquise rouge, blanc et vert. Marilyn jaillit du taxi, régla rapidement le chauffeur et se précipita en courant vers une porte de bois ornée de clous de cuivre. La voiture de Carella se gara le long du trottoir, deux véhicules plus loin. A la grande surprise du chauffeur, l'inspecteur lui laissa un généreux pourboire avant de s'éloigner lui-même sous la pluie.

L'enseigne affichée sur l'auvent indiquait : *Ristorante Bonatti.*

Meyer Meyer se tenait devant la vitrine du restaurant, l'œil collé à la glace, les mains en coupe autour de son visage pour essayer de voir à l'intérieur.

Carella s'approcha de lui et lui tapa sur l'épaule.

— Tiens, tiens ! dit Meyer en se retournant.
— Tu apprécies le beau temps ?
— Oh oui, beaucoup ! Merci du cadeau !
— Endicott est à l'intérieur ?
— Avec une belle blonde qui vient tout juste d'arriver.

A seize heures quinze ce lundi après-midi, Arthur Brown vint relever Carella devant la maison de Harborside. Carella lui raconta l'histoire du pénis noir. Brown éclata de rire, puis se demanda aussitôt s'il s'agissait d'une blague raciste. Connaissant bien son homme, il se remit à rire sans retenue.

— Il faudra que j'en fasse profiter Caroline quand je rentrerai, dit-il. Qui doit me remplacer ?

— Delgado.

— J'espère qu'il sera à l'heure. Ça ne m'enchante pas beaucoup de mariner sous la pluie.

Carella ne répondit pas. A l'exception d'environ une heure passée dans divers taxis à suivre Marilyn, il était resté sous l'averse depuis pratiquement dix heures du matin.

— Si tu me mettais au parfum ? demanda Brown.

— Une Blanche de vingt-quatre ans. Yeux bleus, cheveux blonds. Environ un mètre soixante-dix. Soixante kilos. Elle s'appelle Marilyn Hollis.

— Qu'est-ce qu'on lui reproche ?

— On la soupçonne d'avoir tué trois hommes. Elle va peut-être tenter d'en assassiner un quatrième.

— Charmant, commenta sobrement Brown.

— On en reparlera demain matin, lança Carella en s'éloignant sous la pluie.

Brown alla paisiblement s'installer sous un des arbres du parc. Il eut sa première surprise de la soirée à seize heures trente, lorsqu'une voiture vint se garer le long du trottoir opposé. Un homme en descendit, verrouilla la portière, puis se dirigea tranquillement vers le n° 1211. Parvenu devant la porte, il sortit une clé de sa poche, l'inséra sans hésiter dans la serrure, puis disparut à l'intérieur du bâtiment.

Brown en demeura bouche bée.

S'il n'avait pas rêvé, il venait de voir son collègue Hal Willis. Ou son jumeau. Mais Hal n'avait pas de jumeau. Et il était absolument certain de ne pas avoir rêvé.

Que venait faire Willis dans cette histoire ? Carella ne

l'avait pas prévenu qu'il faisait partie de l'équipe de surveillance. Par ailleurs, la clé qu'il avait sortie de sa poche n'était pas un passe, il ne l'avait pas choisie dans un trousseau. Il s'en était servi le plus naturellement du monde, comme un locataire rentrant chez lui. Sauf qu'il ne rentrait pas chez lui, mais dans la maison d'une femme que Carella soupçonnait d'être une meurtrière.

La seconde surprise de Brown survint à sept heures vingt, quand la porte du n° 1211 s'ouvrit à nouveau. La blonde que Carella avait décrite sortit la première, attendit que Willis ait repoussé le battant derrière eux, puis elle lui prit le bras et ils descendirent la rue en bavardant gaiement, tournant à droite au premier croisement pour se diriger vers le Stem.

Brown était littéralement médusé.

La pluie était de plus en plus fine, voilant à peine maintenant la lueur des néons. Les pneus des voitures crissaient sur l'asphalte noir. Lorsque Willis et la femme prirent la direction du sud, Brown les suivit du plus loin qu'il pouvait le faire sans les perdre de vue. Si Willis *n'était pas* en service, il ne tenait pas à sc faire repérer par un policier qui savait sans doute renifler une filature à cent mètres à la ronde. Mais *si* Willis n'avait pas été chargé de la surveiller, comment pouvait-il se trouver en compagnie d'une suspecte reconnue et la traiter de cette manière ?

Le couple finit par s'arrêter devant un restaurant chinois nommé *La Fête de Bouddha,* Willis poussa la porte et s'effaça pour laisser passer sa compagne.

Brown se précipita aussitôt pour coller son visage à la vitre embuée d'une des fenêtres. Ce fut à cet instant qu'il encaissa sa troisième surprise.

Car, assis à une des tables du restaurant, il reconnut un homme qui ressemblait comme un frère jumeau à Bert Kling, qui *était* effectivement Bert Kling. Et la femme qui lui parlait n'était autre qu'Eileen Burke, sa compagne habituelle, qui travaillait également dans la police ! Willis et Marilyn Hollis s'approchèrent tranquillement de leur table, Brown eut l'impression que Willis faisait les présentations, puis ils s'assirent ou se rassirent tous et Willis appela le garçon.

Je veux bien être pendu si j'ai déjà vu une filature aussi importante ! pensa Brown en se reculant instinctivement. Mais pourquoi faut-il que *moi* je les surveille de l'extérieur ?

Eileen Burke essayait discrètement de dissimuler sa joue gauche. De l'avis de Willis, le chirurgien esthétique qui s'était occupé d'elle avait fait de l'excellent travail. Même une personne qui savait qu'elle avait été sévèrement tailladée peu de temps auparavant avait du mal à distinguer la trace de la cicatrice sur son visage. Pourtant la jeune femme, sans doute par un réflexe acquis, profitait de toutes les occasions pour lever sa main gauche et en couvrir le souvenir de sa blessure.

— Eileen travaille souvent avec la brigade des viols, expliqua Willis à Marilyn.

— Vraiment ? dit-elle.

— Nous l'utilisons comme appât, précisa Willis.

Marilyn roula les yeux au ciel.

— Je ne crois pas que c'est un emploi qui me plairait beaucoup, fit-elle remarquer en souriant à Eileen.

Willis et Kling étaient assis d'un côté de la table, les deux femmes leur faisant face. Willis trouvait qu'elles étaient toutes les deux très belles, chacune dans son genre. Eileen avec sa chevelure rousse et son regard vert, Marilyn avec sa toison dorée et ses yeux d'azur, l'une solidement bâtie, avec une poitrine généreuse, l'autre mince et pâle, en apparence fragile comme une porcelaine. Les voir côte à côte lui réjouissait le cœur.

Il avait souhaité que cette soirée soit spéciale. L'introduction de Marilyn dans son monde, en quelque sorte. Il était heureux de lui présenter deux des personnes qu'il aimait et admirait le plus au monde, et qui faisaient le même métier que lui. Mais il était peut-être encore plus ravi de la présenter, *elle*, à deux amis dont l'opinion lui importait. Il connaissait suffisamment Carella pour être certain que celui-ci n'avait rien révélé à ses collègues du passé de Marilyn. Il en avait sûrement parlé au lieutenant, parce que son devoir de policier lui imposait de signaler que son équipier vivait avec une ancienne prostituée soupçonnée de meurtre. Mais ses révélations s'étaient arrêtées là. Carella était un inspecteur conscient de ses responsabilités, pas un colporteur de ragots. Carella était son ami.

Il y avait des secrets autour de la table.

Celui de Marilyn était qu'elle avait vendu son corps pour de l'argent pendant de nombreuses années.

Celui d'Eileen était qu'elle avait été violée et pratiquement défigurée dans l'accomplissement d'une de ses missions.

Willis se demandait si deux enquêteurs entraînés, habitués à juger leurs clients au premier coup d'œil, n'allaient pas deviner d'instinct que Marilyn s'était trouvée un jour de l'autre côté de la barrière.

Kling se demandait si Marilyn allait se mettre à questionner Eileen sur la nuit qui avait été de très loin la plus horrible de toute sa carrière — et de toute sa vie.

Willis espérait que personne ne songerait à demander à Marilyn quels étaient ses moyens d'existence.

— Dans quelle branche travaillez-vous ? s'enquit poliment Eileen.

— J'ai assez d'argent pour ne pas être obligée de travailler, répondit Marilyn sans s'émouvoir. Que pensez-vous du poulet à l'orange ?

Eileen se tourna vers Kling.

— Je croyais que ces choses-là n'existaient que dans les films, fit-elle remarquer avec bonne humeur.

— Mon père est très riche, expliqua Marilyn avec un sourire entendu.

Kling réfléchissait. Il avait été une fois marié à une femme qui gagnait des mille et des cents de plus que lui. Il se demandait si Willis envisageait sérieusement de partager sa vie avec cette belle blonde évanescente. Si oui, avait-elle une idée de ce que représentait le traitement d'un inspecteur de troisième classe ?

— Comment cela se passe-t-il ? demanda Marilyn. On se contente de vous lâcher dans les rues ?

— En quelque sorte, approuva Eileen. Quelqu'un est-il intéressé par les beignets de poisson ?

— Je serais morte de peur, commenta Marilyn.

Je *suis* morte de peur, pensa Eileen. Depuis cette nuit fatale, la terreur ne m'a plus quittée.

— On finit par prendre l'habitude, dit-elle en portant inconsciemment sa main à sa joue.

— Pourquoi ne commanderions-nous pas le menu spécial ? proposa Kling. Vous craignez de ne pas avoir assez faim pour ça ?

— Je suis littéralement affamée, déclara Marilyn.

— D'accord, dit Willis en faisant signe au garçon.

Le serveur s'approcha de leur table.

— Quatre menus spéciaux, commanda Willis. Et vous renouvelez d'abord les apéritifs.

— Pas pour moi, protesta Kling. Je prends mon service à minuit.

— Oublie ton travail, pour une fois, lui suggéra Eileen.

— Non. — Il posa la main sur son verre. — Sérieusement.

— Le tour de nuit est le meilleur pour la ronflette, insista Eileen. Prends un autre verre avec nous !

— Qu'est-ce que c'est, la ronflette ? demanda Marilyn.

— Une occasion de dormir pendant le travail, expliqua Willis.

— Quatre menus spéciaux, dit le garçon en s'éloignant. Et quatre apéritifs à venir.

— Pourquoi les serveurs chinois sont-ils toujours aussi agressifs ? s'enquit Marilyn. Est-ce une impression personnelle, ou avez-vous eu le même sentiment ?

— Ils sont agressifs de naissance, répliqua Kling.

— C'est une réponse raciste, rétorqua Eileen.

— De ma part ? Tu sais bien que j'adore les Chinetoques !

— Sauf quand ils te baisent la gueule !

Marilyn se demandait s'ils allaient parler métier pendant toute la soirée. Eileen se demandait si Marilyn avait compris que l'emploi du mot « chinetoques » par Kling était une forme personnelle d'humour.

— Il l'a fait exprès, dit-elle.

— Quoi ? dit Marilyn.

— D'utiliser un mot péjoratif.

— En réalité, j'aime beaucoup les Chinetoques, affirma Kling. Les Japs aussi, d'ailleurs. Nous en avons un dans la brigade.

— Et voilà, conclut Eileen. C'est son sens de l'humour à lui. On finit par s'y habituer.

— Je n'ai aucun sens de l'humour, se défendit Kling, profondément vexé par le tour que prenait la conversation.

— Vous êtes-vous demandé pourquoi les Chinois n'ont jamais les yeux bleus ? intervint diplomatiquement Willis.

— C'est à cause de la loi de Mendel, rétorqua catégoriquement Marilyn. Si vous accouplez un chat noir et un chat blanc, vous aurez une portée comprenant un chat noir, un chat blanc et deux chats gris.

— Je ne vois pas ce que cela a à voir avec les yeux des Chinois, répondit Willis malgré lui.

— Le marron est dominant, expliqua Marilyn. Le bleu est récessif. Si tous les habitants d'un pays ont les yeux marron, tous leurs enfants auront des yeux marron. C'est du moins la règle générale. Elle est plus compliquée pour les humains que pour les chats ou les moucherons, sauf si tout le monde a des gènes dominants au départ. Par exemple, ma mère avait des yeux bleus et mon père des yeux marron, mais certains de ses ascendants devaient avoir des yeux bleus. Quand des caractères récessifs se rencontrent, ils peuvent devenir dominants chez un individu, ce qui est mon cas.

— Où as-tu appris tout ça ? demanda Willis.

— Dans un article que j'ai trouvé dans un journal.

Sa réponse ramena Willis à la question qui lui torturait l'esprit depuis le matin. Pourquoi avait-elle découpé et conservé dans ses archives un encart publicitaire sur un distillateur électrique ? Lorsqu'il l'avait rejointe, vers le milieu de l'après-midi, elle lui avait immédiatement annoncé qu'elle avait déjeuné avec Endicott et qu'elle lui avait clairement signifié que leur liaison était terminée. Il ne s'était pas senti le courage de l'interroger sur le distillateur — tout en sachant par ailleurs que Carella avait signalé dans son dernier rapport qu'on pouvait aisément produire de la nicotine chez soi en distillant du tabac.

— Vos parents sont morts tous les deux ? demanda Kling d'un ton innocent.

Willis se raidit. Par habitude professionnelle, Kling avait immédiatement repéré l'incohérence apparente de son discours. Elle avait dit « Mon père *est* très riche », puis « il *avait* les yeux marron ». Kling cherchait à savoir où était la vérité, pas par esprit de suspicion, mais simplement pour s'y reconnaître entre deux déclarations contradictoires.

— Oui, dit Marilyn.

— Lorsque vous en avez parlé tout à l'heure, insista Eileen, j'ai eu l'impression qu'il était encore en vie.

Un second pavé dans la mare, pensa Willis.

— Non, répondit Marilyn en baissant les yeux. Il est mort il y a plusieurs années. Il m'a laissé une fortune considérable.

— Comme dans les contes de fées... suggéra Eileen.

— La réalité s'en rapproche parfois, répliqua Marilyn.

— Il y a eu une époque où j'adorais lire les contes de Grimm, dit Eileen d'une voix rêveuse, comme si elle parlait d'une innocence depuis longtemps perdue.

— Savez-vous que Jacob Grimm, celui qui a écrit les contes, a été aussi l'inventeur de la loi de Grimm ?

Excellent, pensa Willis. Imposer le contre-pied. Changer le sujet de la conversation. Du bon travail, Marilyn.

— Qu'est-ce que la loi de Grimm ? s'enquit Kling.

— Section 314.76, intervint Eileen en souriant. S'accoupler avec les fées et les nymphes.

— Remarque sexiste, trancha Kling.

— C'est une loi qui explique la transformation des P en B et des V en W, ou l'inverse, je ne me souviens jamais, expliqua Marilyn. C'était dans un article que j'ai découpé. En allemand.

— L'article était en allemand ? demanda Eileen.

— Non. La loi s'appliquait à la langue allemande. Parce que Grimm était allemand.

— Pourquoi met-il aussi longtemps à nous servir ? lança Willis en faisant signe au garçon.

— Les boissons arrivent, dit celui-ci en disparaissant dans la cuisine.

— Tu vois ? fit remarquer Kling. Aussi gracieux qu'une porte de prison...

— Peut-être ne comprend-il pas l'anglais ? suggéra Eileen.

— Est-ce que l'un d'entre nous parle le chinois ? demanda Kling.

— Marilyn parle couramment l'espagnol, répondit Willis sans réfléchir, en se traitant aussitôt de parfait imbécile pour n'avoir pas su retenir sa langue.

— J'aimerais être dans son cas, commenta Kling. C'est presque la langue de base du commissariat.

— Tu connais quand même quelques mots, protesta Eileen.

— Bien sûr, avec la pratique. Mais je ne le parle pas vraiment. — Il se tourna vers Marilyn. — Vous l'avez appris à l'école ?

— Oui, répondit-elle sans hésiter.

— Ici ? demanda Eileen.

— Non. A Los Angeles.

Elle s'enfonce dans le mensonge, pensa Willis. Mais je ne lui ai pas laissé le choix.

— A l'université ?

— Au lycée.

Elle est prisonnière, songea Willis. Elle ne peut pas leur échapper.

— De toute manière, l'espagnol est une langue beaucoup plus facile que l'anglais, poursuivit Marilyn avec assurance, sans laisser le temps à ses interlocuteurs de lui poser des questions plus précises. Je n'aimerais pas être un étranger obligé d'apprendre l'anglais. Tous ces mots qui s'écrivent de la même manière et se prononcent différemment, ou au contraire qui s'écrivent différemment et se prononcent de la même manière... Il y a parfois de quoi se taper la tête contre les murs, vous ne trouvez pas ?

— Dis-nous quelque chose en espagnol, suggéra Willis.

— *Yo te adoro,* murmura-t-elle en lui souriant.

Le silence embarrassé qui suivit fut interrompu par l'arrivée du repas et de la seconde tournée d'apéritifs.

— Bien calculé, marmonna Willis.

En réalité, il était plutôt soulagé par cette diversion. Depuis quelques minutes, il avait l'impression que la tactique employée par Marilyn pour contourner les questions gênantes devenait trop évidente, trop transparente, tellement elle avait peur de révéler où et comment elle avait appris l'espagnol. Deux policiers expérimentés, habitués à détecter chez les autres le moindre changement de ton ou d'attitude, pouvaient-ils se laisser prendre longtemps à ce jeu ? Il en doutait de plus en plus sérieusement.

Pourtant il n'y eut qu'un seul moment de réelle tension pendant tout le repas, un accrochage classique policier/citoyen, opposant la manière de voir des représentants de l'ordre à une réaction différente — peut-être celle d'une ancienne prostituée ? Kling racontait une affaire dont il avait eu à s'occuper récemment : un homme violait régulièrement sa voisine de palier depuis des semaines, et la victime n'osait pas en parler à son mari par crainte qu'il la batte.

— Je les aurais tués tous les deux sans hésiter, déclara soudain Marilyn avec une telle véhémence qu'un silence pesant s'abattit brusquement sur la table.

Eileen lui lança un regard intrigué.

Au bout de quelques instants, Kling haussa les épaules.

— C'est d'ailleurs ce qui a failli se produire, expliqua-t-il. La femme a attaqué le voisin avec un hachoir à viande. Quelqu'un a entendu le vacarme et a prévenu police secours.

Mais le mari est rentré entre-temps. Elle avait déjà coupé la main du violeur et s'apprêtait à lui couper la tête quand il l'a surprise. Elle s'est jetée sur lui en brandissant son hachoir juste au moment où les agents arrivaient. Ils ont dû s'y mettre à quatre pour le dégager.

— Le mari ? demanda Eileen.

— Bien sûr. L'autre gars était déjà dans les pommes, en train de saigner comme un bœuf dans la cuisine.

— Qu'est-ce qui va lui arriver, maintenant ? s'enquit Marilyn.

— A la femme ? Nous l'avons inculpée de double tentative de meurtre.

— Son avocat tentera probablement de négocier une accusation d'agression à main armée, dit Willis.

— Je ne pense pas, rétorqua Eileen. Je crois qu'il essaiera plutôt la légitime défense.

— Avec le voisin, sans doute, approuva Kling. Mais le mari ne lui avait rien fait.

— D'une manière ou d'une autre, elle sera condamnée ? demanda Marilyn.

— Même si elle ne les a pas tués, expliqua Kling, elle a quand même salement arrangé les deux bonshommes.

— Ils l'avaient terrifiée ! protesta violemment Marilyn. Ils méritaient qu'elle les tue !

— Il y a des lois dans ce pays qui interdisent de découper les gens en tranches, fit doucement remarquer Eileen.

— Excusez-moi, mais je n'ai aucune envie de plaisanter sur un sujet pareil !

Un nouveau silence s'installa autour de la table. Ne sachant que faire, Willis ouvrit son biscuit-surprise et lut à haute voix :

— Vous allez porter de nouveaux vêtements.

— Ça signifie peut-être que tu vas avoir une promotion, dit Kling avec un sourire contraint.

Il ne regardait plus Marilyn. D'un geste sec, elle fit jaillir une cigarette de son paquet de Virginia Slims, l'alluma d'une main tremblante, puis souffla dédaigneusement un épais nuage de fumée.

Eileen jeta un coup d'œil à sa montre.

— Tu assures vraiment le service des morts ? demanda-t-elle à Kling.

— Tu crois que je plaisanterais sur un sujet pareil ?

— Dans ce cas, on y va. Je t'offre le retour en taxi.

Dans la voiture, Kling se tourna vers Eileen.
— Qu'est-ce que tu en penses ?
— De qui ? De l'encyclopédie vivante ? demanda-t-elle en se mettant aussitôt à imiter la voix de Marilyn. As-tu lu cet article dans le journal sur la loi de Mendel, les chats noirs et les chats blancs, les Chinois albinos, les yeux bruns et les yeux bleus, les caractères dominants qui se laissent gentiment dominer de temps à autre ? Sais-tu qu'il y a *tant* de mots dans la langue anglaise qui refusent de se prononcer comme ils s'écrivent ou de s'écrire comme ils se prononcent ? Sais-tu que la loi de Grimm permet de changer les lutins bleus en lutins verts ? Savais-tu que *yo te adoro* signifie je t'adore en espagnol ?
— C'est vrai ?
— Non, ça veut dire « Est-ce que tu veux donner du mou à ma chatte ! » Cette fille est dure comme de l'acier, Bert, et ses ongles polis ne doivent pas seulement lui servir à se gratter la tête, tu peux me croire ! As-tu remarqué la lueur meurtrière qu'il y avait dans ses grands yeux innocents quand elle a déclaré qu'elle aurait *tué* ces deux hommes ? Elle ne blaguait pas, je t'assure. La dernière fois que j'ai vu un regard de ce genre, c'était celui d'un gars qui venait de descendre toute sa famille à la mitraillette.
— Peut-être devient-on ainsi quand on a hérité une fortune considérable ? suggéra Kling.
— Parlons-en, de sa fortune considérable ! Est-ce que je l'ai rêvé, ou est-ce qu'elle a dit « J'*ai* un père très riche » ?
— J'ai entendu la même chose que toi.
— Et cinq minutes après elle était orpheline ?
— La langue lui a fourché, non ?
— Bien sûr ! La langue anglaise est si *compliquée !* Hal a une liaison sérieuse avec elle ?
— Je crois qu'ils vivent ensemble.
— J'espère qu'il s'en tirera sans trop de dégâts, dit fermement Eileen.
— Je crois comprendre que tu ne la portes pas dans ton cœur...
— C'est le moins qu'on puisse dire.
— C'est curieux. Elle ne m'a pas fait si mauvaise impression...
— Evidemment. — Eileen haussa les épaules. — Ailleurs, l'herbe est toujours plus verte...

— Qu'est-ce que tu en dis ? demanda Willis.
— Ils sont intéressants.
Ils remontaient à pied en direction de Harborside. La pluie avait cessé, mais la nuit d'avril était glaciale, comme souvent dans cette ville, où même le temps n'était jamais sûr. Marilyn s'accrochait au bras de Willis, la tête courbée pour se protéger du vent qui montait de la rivière.
— Seulement intéressants ?
— Un peu bornés, dit-elle. Pourquoi Eileen a-t-elle pris le parti de ces deux ordures ?
— Elle n'a pas pris leur parti. Elle s'est placée du point de vue de la loi. C'est un *flic*, ne l'oublie pas. Et la femme ne s'était pas contentée de *menacer* les deux hommes avec son hachoir...
— Ça lui suffit pour vouloir l'expédier en prison, sans même tenir compte des circonstances ? Elle devrait aller faire un petit tour en cellule, à mon avis. Ça lui enlèverait l'envie de plaisanter sur les gens qui découpent les autres en tranches !
— Eileen a vécu des choses terribles, expliqua Willis. Pour moi, elle a gagné le droit de faire de l'humour si elle en ressent le besoin.
— La vie est dure pour tout le monde, rétorqua sèchement Marilyn.
— Peut-être plus pour Eileen que pour beaucoup d'autres. Elle a été violée et pratiquement défigurée dans une affaire sur laquelle elle travaillait. C'est une chose qui ne s'oublie pas facilement. Surtout quand il faut reprendre ensuite le même genre de travail.
Marilyn demeura un long moment silencieuse.
— Tu aurais dû m'en parler avant, dit-elle finalement.
— Tu sais, c'est comme une histoire de famille...
— Je croyais que j'en faisais un peu partie, maintenant.
Willis secoua la tête.
— Ce n'est pas ça. Nous... nous ne discutons jamais de ce qui est arrivé à Eileen.
— Nous ?
— La brigade.
Elle hocha la tête. Ils marchèrent en silence jusqu'au coin de Harborside.
— Je suis désolée d'avoir réagi comme ça avec elle.

— Ça n'a aucune importance. N'y pense plus.
— Je suis quand même désolée.
— Je te dis que ce n'était pas grave.

Ils approchaient maintenant de la maison, et Willis redoutait le moment où il allait devoir l'interroger sur le distillateur électrique. Pourquoi avait-elle découpé cet article ? Avait-elle acheté l'appareil ? Dans quel but ? S'en était-elle servie ? Se trouvait-il quelque part dans une de ses pièces-débarras ? Trop de questions. Trop de réponses qui pouvaient tout changer entre eux...

Il laissa échapper un long soupir.

— Qu'est-ce que tu as ? demanda-t-elle.
— Rien, dit-il. Je dois déplacer ma voiture.
— Pourquoi ?
— La rue est à stationnement alterné. Je ne serai plus en règle à partir de minuit.
— Qu'est-ce que ça peut faire ? Tu es policier. Tu dois bien avoir une plaque ou quelque chose...
— Bien sûr. Mais je déteste abuser de mes privilèges. — Il lui sourit tendrement. — Va devant. Je te rejoins dans une minute.
— Ne tarde pas trop, dit-elle en se tournant vers la porte d'entrée.

Willis remonta rapidement la rue en direction de sa voiture.

Brown les avait suivis depuis le restaurant chinois, en demeurant à bonne distance sans risquer de les perdre dans les artères pratiquement désertes à cette heure de la nuit. Du gâteau. La fille rentrait sagement chez elle à onze heures trente. Dans un quart d'heure, Delgado viendrait prendre la relève. Il se demanda ce que Willis allait faire maintenant. S'envoyer en l'air avec la poupée ? Cela faisait-il *aussi* partie de la filature ?

Il tournait à peine le coin de la rue quand il vit l'inspecteur revenir dans sa direction. Battant précipitamment en retraite, il se dissimula dans l'entrée de l'immeuble le plus proche et attendit avec curiosité la suite des événements. La première partie le déçut d'une certaine manière. Willis déverrouillait la portière de sa voiture, ce qui signifiait que la surveillance du siècle avait quand même des limites, et que la femme Hollis n'était tout de même pas suivie jusque dans son lit. Mais la seconde partie alla nettement au-delà de ses prévisions.

Deux coups de feu éclatèrent dans l'air paisible de la nuit.

Deux détonations presque simultanées, venues du petit parc qui faisait face à la maison.

Willis s'aplatit aussitôt sur le sol.

Deux autres coups suivirent, les balles ricochant sur la voiture au-dessus de la tête de l'inspecteur.

Brown jaillit de son couloir, l'arme à la main, et se mit à courir en direction du parc.

— C'est moi, Hal ! hurla-t-il par-dessus son épaule pour éviter toute confusion. Artie Brown !

Willis s'était maintenant redressé, avait dégainé son propre pistolet et traversait rapidement la chaussée pour rejoindre l'allée où Brown avait disparu. Il entendait les pas du policier devant lui et d'autres pas plus lointains, suivis d'un grand bruit de broussailles heurtées de plein fouet. Sans cesser de courir, il se demanda ce que *Brown* pouvait bien fabriquer à cette heure dans Harborside. La réponse lui apparut immédiatement, presque sans surprise : ils avaient mis Marilyn sous surveillance !

— Police ! hurla Brown. Arrêtez-vous immédiatement ou je tire !

Il y eut deux détonations, deux éclairs dans la nuit. Lorsqu'il le rejoignit, Brown était arrêté à l'extrémité de l'allée, le souffle court, son arme pointée devant lui, les yeux fixés sur les buissons.

— Tu l'as eu ?

— Non.

— Tu crois qu'il est encore là ?

— Non. Mais on peut toujours aller voir.

Ils s'enfoncèrent dans le sous-bois à cinq, six mètres l'un de l'autre, en progressant lentement, balayant systématiquement le terrain, jusqu'à ce qu'ils atteignent la limite du parc, près de la berge de la rivière.

— L'oiseau s'est envolé, dit Brown avec philosophie.

— Tu as pu l'apercevoir ?

— Non. Mais il est clair qu'il voulait ta peau.

Ils firent demi-tour à travers les broussailles pour rejoindre l'allée.

— Tu es sur une filature ? demanda Willis.

— Ouais, dit Brown. Toi aussi, non ?

— Non. Qui l'a ordonnée ?
— Le lieutenant.
Ce qui signifiait qu'il avait agi à la demande de Carella.
— On devrait essayer de voir si on retrouve les douilles, suggéra Brown.
— On n'a aucune chance dans l'obscurité, répondit Willis. J'appelle le poste pour qu'on nous envoie des projecteurs.
Il sortit du parc et se dirigeait vers sa voiture lorsque la porte de l'immeuble de Marilyn s'ouvrit. Elle apparut en robe de chambre sur le seuil.
— C'étaient des coups de feu ?
— Oui.
— Qui a tiré ?
— Je ne sais pas, il nous a échappé.
— Il te visait, toi ?
— Oui.
Elle le suivit jusqu'à la voiture. La porte ouverte de la maison dessinait un carré de lumière crue sur le trottoir. Il ouvrit la boîte à gants d'une pression du pouce et sortit son walkie-talkie.
— Quatre-vingt-septième ? dit-il dans l'appareil. Ici Willis.
— Message reçu, Hal. A vous.
— Qui est à la radio ?
— Ici Murchison.
— Dave, je me trouve actuellement au 1211 Harborside Lane. Quelqu'un vient d'essayer de me faire la peau. Brown et moi avons besoin de projecteurs pour fouiller le coin.
— Vous les aurez dans cinq minutes.
— Qui est de service en haut ?
— Kling et Fujiwara viennent juste d'arriver.
— Demande-leur d'aller jeter un œil du côté de chez Charles Endicott Jr. Son adresse se trouve dans le dossier McKennon. Je veux savoir s'il est chez lui, et depuis quand. S'il n'y est pas, qu'ils l'attendent jusqu'à son retour. D'accord ?
— D'accord, dit Murchison.
— Merci.
Willis prit une lampe-torche dans la boîte à gants, sortit de la voiture, accrocha le walkie-talkie à sa ceinture et reverrouilla la portière du véhicule.
— Je crois que je n'ai plus besoin de la déplacer, maintenant, fit-il remarquer avec un sourire forcé.

— Tu penses que c'est Chip, c'est ça ? demanda Marilyn.
— Je n'en ai pas la moindre idée.
— Alors pourquoi envoies-tu des policiers chez lui ?
— Parce que tu l'as plaqué il y a quelques heures seulement.
— Pourquoi avez-vous besoin de projecteurs ?
— S'il s'est servi d'un automatique, il aura forcément laissé des douilles derrière lui dans le parc. Tu devrais rentrer, maintenant. Les recherches risquent de prendre un bout de temps.

Il alluma sa lampe, promena le faisceau de lumière sur la portière avant de la voiture.

— Le salopard a réussi à en placer deux dans le mille, juste au-dessus de ma tête.

Marilyn regarda les deux trous circulaires dans la tôle. L'un se trouvait à une cinquantaine de centimètres du sol, l'autre une dizaine de centimètres plus haut. Willis vit son air stupéfait et éclata de rire.

— Je ne suis quand même pas *si* petit que ça ! J'étais à plat ventre quand ces deux coups-là ont été tirés !

Il se mit à examiner le trottoir à la lueur de sa torche.

— Qu'est-ce que tu cherches ? demanda Marilyn.
— Les balles. Il est possible qu'elles aient ricoché.
— A quoi te serviront-elles ?
— A déterminer quelle sorte d'arme il a employée.

Elle se jeta dans ses bras et l'étreignit avec passion.

— Tu vois ? murmura-t-elle. J'essaye de faire partie de la famille.

Les projecteurs balayèrent le parc jusqu'à deux heures du matin. De nombreux habitants de la rue étaient sortis de chez eux pour regarder les policiers battre les buissons. Aucun ne savait ce qu'ils cherchaient. Si l'un d'eux avait entendu les coups de feu tirés avant minuit, il les avait certainement pris pour les explosions d'un pot d'échappement défectueux. Quand les lumières finirent par s'éteindre, les voisins rentrèrent chez eux, convaincus qu'ils avaient assisté à un événement exceptionnel, mais incapables de dire lequel. La fourgonnette qui transportait l'équipement mobile de la police récupéra les projecteurs et se fondit dans la nuit. L'une après l'autre, les voitures de patrouille garées en épi le long du trottoir démarrèrent et disparurent.

Demeuré seul, Willis traversa la rue et ouvrit la porte de la maison avec sa propre clé.

Marilyn était déjà couchée. Il se déshabilla en silence, puis se glissa sous les draps à côté d'elle. Elle se serra aussitôt contre lui.

— Vous avez trouvé quelque chose ?

— Trois balles et les quatre douilles.

— C'est une bonne nouvelle ?

— Ça peut en être une si nous identifions l'arme qui les a tirées.

— Tu as les pieds glacés, dit-elle en l'emprisonnant dans la tiédeur de ses jambes. Tu as envie de faire l'amour ?

— Non. Je préfère parler.

— De ce qui s'est passé cette nuit ?

— De ce qui s'est passé aujourd'hui. Pendant que tu déjeunais avec Endicott.

— Je te l'ai déjà raconté ! protesta-t-elle. Il a été très gentil, très compréhensif. Mais Chip est toujours comme ça. Il m'a souhaité tout le bonheur...

— Marilyn, la coupa-t-il brusquement, pendant que tu étais sortie j'ai été faire un tour dans ton débarras. J'ai lu les articles que tu gardes dans tes cartons. J'ai trouvé une publicité pour un distillateur électrique qui coûte 395 dollars...

— Tu comptes me l'offrir ? s'enquit-elle en souriant, sans comprendre apparemment où il voulait en venir.

— Non. Je veux savoir si tu l'as acheté.

— Moi ? Pour quoi faire ?

— C'est à toi de me le dire. Pourquoi as-tu conservé cette réclame ?

— Je ne sais pas. J'ai dû penser à un moment quelconque que ça me plairait de fabriquer mon propre parfum...

— Ou ton propre poison.

Elle demeura silencieuse pendant un long moment.

— Je vois, dit-elle finalement. Qu'est-ce que tu comptes faire ? Fouiller la maison ?

— Est-ce que c'est nécessaire ? demanda-t-il.

— Si tu penses vraiment que j'ai distillé du poison...

— Réponds à ma question.

— ... alors ton devoir t'oblige à procéder à une perquisition en règle.

— Dis-moi seulement si tu as acheté cet appareil.

— Non.

Il hocha la tête.

— Cette réponse te suffit ? hasarda-t-elle, à nouveau incertaine de leur avenir.

— Oui, murmura-t-il dans un souffle avant de l'embrasser avec une fougue renouvelée.

Ils parlèrent et firent l'amour jusqu'à l'aube, comme lorsqu'il était resté chez elle la première nuit, mais cette fois-ci la fenêtre de la chambre était ouverte, l'odeur d'un feu de bois allumé dans le voisinage emplissait la pièce, et quand Marilyn connut l'orgasme, elle essaya d'étouffer ses cris afin d'éviter que les policiers patrouillant dans la rue viennent frapper à sa porte en demandant qui était assassiné dans la maison. Personne n'était assassiné. Les petites morts qu'ils connaissaient l'un et l'autre n'étaient pas des meurtres, seulement l'expression de la vie.

Mais si l'histoire universelle des conspirations retient comme un moment crucial celui où les mains se joignent irrévocablement, celui où les serments s'échangent pour toujours, ils étaient à ce moment lady Macbeth et son roi, échangeant des paroles sacrées et sacrilèges, se jurant dans l'innocence de l'aurore que ce métal et cet autre avaient été fondus dans un alliage indivisible, qu'ils étaient liés désormais par la même force indestructible qui unit le fer et le charbon pour donner la puissance de l'acier.

— Je t'aime, murmura-t-il. Jamais tu ne sauras comme je t'aime.

— Je t'aime aussi, répondit-elle.

Des larmes de bonheur coulaient sur ses joues.

16

Dans la matinée du mardi 15 avril, Willis et Carella se retrouvèrent dans le bureau de Byrnes. Dans le reste de la ville, un grand nombre de citoyens étaient préoccupés ce matin-là par le problème de leurs déclarations d'impôts. Mais la mort est aussi inévitable que les impôts, à ceci près que les arriérés ne sont pas exactement les mêmes, et les hommes réunis dans la pièce discutaient de trois cadavres, ainsi que de la tentative de meurtre qui avait failli coûter la vie à Willis.

— On a des nouvelles du service balistique ? demanda Byrnes.

— On espère en avoir dans le courant de la journée, répondit Willis.

— Il a tiré quatre fois ?

— On a retrouvé trois des balles et les quatre douilles.

— Si c'est le même assassin, il n'a pas bien l'air de savoir ce qu'il veut, fit remarquer sèchement Byrnes.

— A moins qu'il soit désespéré, intervint Carella.

— Où en est-on avec Endicott ?

— Il était chez lui, en train de dormir. Kling a appelé Hawes, dont j'ignorais par ailleurs qu'il filait Endicott, répondit Willis d'une voix tendue. Hawes a frappé à sa porte au plus tard cinq minutes après la fusillade. Il lui aurait été impossible de rentrer et de se coucher dans un laps de temps aussi court. Il était en pyjama quand il a accueilli Hawes.

— Nous pouvons donc éliminer l'avocat, soupira Byrnes. Et la femme ?

Willis serra les poings.

— Elle était aussi chez elle.
— Du côté de ta voiture ?
— Oui.
— Et les coups de feu sont venus du parc ?
— Oui.
— Nous pouvons donc l'éliminer elle aussi.
— A moins qu'elle ou Endicott aient engagé un tueur, suggéra Carella.
— Steve ! protesta Willis, le visage rouge de colère.
— C'est effectivement une possibilité, dit Byrnes d'une voix apaisante, mais elle ne me paraît guère vraisemblable. Ce qui me semble le plus certain, c'est que nous venons de perdre deux suspects.
— J'espère que nos pertes s'arrêteront là ! lança Willis.
— Que veux-tu dire ?
— Je demande que tous les deux soient à nouveau placés sous notre protection, expliqua-t-il en insistant sur le dernier mot.
— J'en parlerai à Frick.
— Le plus tôt sera le mieux !
— J'ai cru comprendre que tu vis avec cette femme, dit posément Byrnes.
— C'est exact, lieutenant, et je tiens à faire savoir que je n'apprécie *pas du tout* de ne pas avoir été informé qu'elle et Endicott étaient filés !
— C'était pourtant...
— Non, lieutenant ! Je tiens à élever une protestation formelle. Pour autant que je sache, je n'ai pas été déchargé de cette affaire. Tout renseignement qui la concerne doit m'être immédiatement communiqué, au même titre...
— D'accord, soupira Byrnes, je t'accorde ce point. Mais nous avions pensé...
— Qui, nous ?
— Moi et Steve...
— La prochaine fois, faites-moi le plaisir de me tenir au courant de ce que vous pensez, et surtout de ce que vous *décidez*, d'accord ?
— Je t'ai dit que ce point était réglé ! aboya Byrnes. Passons aux choses sérieuses. De quoi disposons-nous pour l'instant ?
— Nous aurons peut-être des tuyaux sur l'automatique avant ce soir, expliqua Carella. Nous n'avons rien à attendre, en revanche, du côté de l'arme qui a servi à tuer Hol-

lander. Quant à la nicotine, elle peut soit avoir été extraite d'un pesticide, soit avoir été distillée à partir d'un moût de tabac.

— Ce qui dans les deux cas implique l'utilisation d'un matériel particulier ?

— Oui, lieutenant.

— Qui peut se trouver n'importe où dans cette ville ?

— Oui, lieutenant.

— En possession de n'importe qui ?

— Oui, lieutenant.

— Et c'est tout ce que vous pouvez me dire ? Cette enquête date maintenant de trois semaines, et vous n'avez même pas un point de départ ?

— Lieutenant, reprit Carella, ce qui s'est produit cette nuit...

— Cessez tous les deux de me donner du « lieutenant » à tout bout de champ ! explosa soudain Byrnes. Quand un de mes hommes se met à me parler de cette manière, cela signifie presque toujours qu'il est en train de saboter son boulot !

— Désolé, s'excusa Carella en ravalant le « lieutenant » qui lui venait automatiquement aux lèvres.

— Que voulais-tu dire au sujet de la nuit dernière ?

— Jusqu'à hier soir, nous envisagions deux hypothèses. Une affaire de cœur, ou une affaire *construite* pour ressembler à une affaire de cœur. Un écran de fumée. Quelqu'un tuant par jalousie les amants de Marilyn Hollis — un homme refusant le partage, un amoureux éconduit, une femme écartée, un ancien ami, le choix était vaste... Ou alors la femme Hollis assassinant elle-même un de ses « chers amis » et liquidant les autres dans la foulée pour nous faire croire à un règlement de compte sentimental. Or cette nuit la victime visée était Hal, et le meurtrier présumé n'est ni la femme ni Endicott. A moins d'en revenir à l'idée du tueur à gages...

— Je crois que nous pouvons l'écarter définitivement, affirma Byrnes.

— Pas définitivement, protesta Carella. De même que l'affaire de cœur. Seulement il y a un nouveau problème...

— Je *sais* quel est le problème ! le coupa impatiemment Byrnes. Nous n'avons plus aucun suspect.

— Ou au contraire nous en avons *beaucoup trop,* dit doucement Carella. Cela dépend de la femme.

— Qu'est-ce que tu sous-entends ? demanda Willis, aussitôt sur la défensive.
— De l'étendue de ses amitiés.
Le regard de Byrnes passa de Carella à Willis.
— Depuis combien de temps se trouve-t-elle dans cette ville ?
— Un peu plus d'un an, dit Willis à contrecœur.
— Je veux une liste complète de toutes les personnes qu'elle a eu l'occasion de fréquenter, hommes et femmes compris, ordonna Byrnes. Tous les gens dont elle a fait la connaissance d'une façon ou d'une autre, même si elle ne les a vus qu'une fois.
— Il nous faut mieux que ça, Pete, insista Carella. Nous devons avoir les noms de tous ceux qui *la* connaissent, même s'ils ne la fréquentent pas. Son coiffeur, son médecin, son épicier... Tout le monde. L'affaire de cœur n'est pas la seule hypothèse possible. Il peut s'agir aussi de quelqu'un qui cherche à se venger d'elle pour une autre raison.
— Je suis d'accord, approuva Byrnes en se tournant à nouveau vers Willis. Peux-tu nous obtenir ça rapidement ?
— Je vais essayer.
— Je ne te demande pas d'*essayer*. Je *veux* cette liste. De mon côté, je vais négocier avec Frick pour qu'il remette en place un système de protection permanente autour d'elle et d'Endicott. Désires-tu être protégé, toi aussi ?
— Est-ce une question rhétorique ?
— Je ne sais pas ce que ça veut dire, répondit Byrnes avec colère. Oui ou non ?
— Non.

— Tous les gens que je connais ? s'exclama Marilyn. C'est ridicule...
— Absolument tout le monde, insista Willis. Tous les noms, sans faire aucune exception.
— Je suis sûre que mon blanchisseur n'a jamais tué personne...
— Tu ne t'es pas disputée un jour avec lui ?
— Pas que je me souvienne.
— Il ne t'est pas arrivé au moins une fois de lui reprocher d'avoir mal nettoyé une de tes robes ?
— Peut-être, mais...
— C'est justement la question. Si nous avons affaire à un dingue...

— Une tache sur un vêtement n'est pas une raison suffisante pour assassiner des gens !

— Pour *toi* ce n'est pas une raison, pour *moi* ce n'est pas une raison, mais pour un détraqué ça peut fort bien en être une !

— Dans ce cas, tous les habitants de cette ville sont des suspects.

— Pourquoi ? Tu les connais tous ?

— Non, mais ce sont tous des détraqués.

Willis ne put réprimer un sourire.

— Je veux seulement les noms des gens que tu connais. Commence par les hommes que tu as fréquentés d'une manière ou d'une autre et les femmes que tu considères comme tes amies. Ensuite tu dresseras la liste de toutes les personnes avec lesquelles tu as, ou tu as eu, des rapports professionnels. Ton médecin, ton gynécologue, ton dentiste...

— L'ancien ou le nouveau ?

— Les deux. Ton dermatologue...

— Je n'en ai pas.

— Ton chiropracteur, ton avocat, ton agent de change...

— Tu le connais déjà.

— Note-le quand même. Ton comptable...

— Tu le connais aussi.

— Ça ne fait rien. L'agent immobilier qui t'a vendu la maison...

— Je l'ai achetée à son propriétaire.

— Inscris-le également.

— C'est une femme.

— Ton banquier, ton plombier, ton électricien, ton boucher, ton boulanger...

— L'homme à qui j'achète mes bougeoirs...

— Tu commences à comprendre ?

— Je commence surtout à avoir la migraine.

— Ce n'est rien en comparaison de celle que nous aurons, *nous*.

Marilyn poussa un soupir.

— D'accord ? demanda Willis.

— Il me faudra au moins une rame de papier.

L'homme du service balistique appela à trois heures, ce même mardi après-midi.

L'examen des balles et des douilles récupérées sur les lieux indiquait que le tireur inconnu avait utilisé un pistolet automatique Colt Super .38.

Il expliqua à Carella — qui le savait déjà mais se faisait une règle de ne jamais interrompre un expert parlant de sa spécialité — que le mécanisme relativement complexe d'un pistolet automatique permettait de reconnaître sans trop de peine un projectile tiré par une arme de ce genre. Un automatique comprenait en effet des parties mobiles en acier, et comme les douilles étaient fondues dans un métal plus malléable — le cuivre ou le laiton —, leur frottement contre l'acier laissait des traces révélatrices, puisque aucun pistolet n'était exactement semblable à un autre. De la même manière, une balle retrouvée, à condition qu'elle ne soit pas trop écrasée, portait inévitablement des marques spécifiques, à partir desquelles un spécialiste en balistique pouvait déterminer la marque et le modèle de l'arme utilisée. Carella désirait-il d'autres renseignements pour l'instant ?

Carella répondit qu'il était amplement satisfait, raccrocha le combiné, puis jeta un regard sur l'horloge murale. Pourquoi Willis mettait-il tant de temps à obtenir cette liste ?

— Je crois que c'est tout, dit Marilyn en reposant son stylo. De toute manière, j'ai la crampe de l'écrivain.

Willis jeta un regard rapide sur les feuilles posées devant elle.

— Ça doit bien faire soixante noms, dit-il.

— J'ai l'impression d'en avoir écrit *cent* soixante.

Il se pencha vers elle et l'embrassa sur le front.

— Merci beaucoup.

— *De nada*, répondit-elle.

— Il faut que je porte ça sans tarder à la brigade. Je t'appellerai plus tard, pour savoir ce que nous faisons ce soir. De toute façon, nous ne serons pas seuls. Tu es à nouveau sous la protection de la police.

— Splendide.

Il se dirigeait vers la porte lorsqu'elle murmura :

— Hal ?

— Oui ?

— Tu penses réellement qu'il peut s'agir de quelqu'un qui cherche à se venger ?

— C'est une possibilité. — Il hésita une seconde avant de poursuivre. — Pourquoi ?

Elle haussa les épaules.

— Pour rien. Je demandais ça comme ça.

Il revint vers elle, l'air intrigué, en cherchant son regard.

— Tu penses à une personne en particulier ?

— Non. Je veux dire, la raison de cette vengeance pourrait être n'importe quoi, n'est-ce pas ? Comme une tache sur une robe, par exemple...

— Ou quelque chose de plus grave.

Il continuait à l'observer attentivement. Leurs regards se croisèrent.

— Hal, dit-elle en pesant soigneusement ses mots, supposons qu'autrefois, il y a très longtemps, j'aie fait quelque chose... quelque chose que quelqu'un... voudrait aujourd'hui me faire payer...

— Qu'est-ce que tu as fait ? demanda-t-il abruptement.

— J'ai dit que c'était une supposition.

— D'accord. *Supposons* que tu aies fait quelque chose. Quoi ?

— Un acte qui... si quelqu'un le découvrait... il pourrait désirer me tuer. Ou commencer par tuer mes amis. Comme une sorte d'avertissement, tu comprends ? Pour me faire savoir que mon tour viendra ensuite...

— Qui, Marilyn ? De qui as-tu peur ?

— J'ai connu beaucoup de gens qui pourraient être des assassins, Hal.

— Tu veux parler des maquereaux ? Tu penses que Seward pourrait s'en prendre à toi, pour te punir de l'avoir laissé tomber à Houston ?

— Non. Je t'ai déjà dit que ce n'était pas son genre.

— Qui alors ? Ton haltérophile sadique de Los Angeles ? C'est plutôt de l'histoire ancienne, non ?

— Je ne pense pas à lui non plus. Plutôt à quelqu'un de Buenos Aires...

— Hidalgo, le mac qui t'a sortie de la Forteresse ?

— Certainement pas. Mais si quelqu'un de là-bas *pensait* que j'ai fait quelque chose...

— Quelle chose, Marilyn ?

— Je ne sais pas. Je dis simplement que quelqu'un pourrait s'être mis dans la tête que je méritais d'être punie.

— Qui ? Pour quelle raison ?

— Les gens se font souvent des idées.

— Quelles idées ? Quelles gens ?

— Des gens. J'en rencontrais beaucoup dans mon... métier. Hidalgo avait de nombreux amis.

— Hidalgo t'a laissée partir. Il t'a rendu ton passeport et ta liberté. Pourquoi ses amis t'en voudraient-ils pour ça ?

— Tu sais comment sont les Espagnols...

— Non. Je l'ignore totalement. Comment sont-ils ?

— Des machos. La tête bourrée d'idées simplistes. La haine de la femme. Les frères de sang. La vengeance pour laver l'honneur.

— La vengeance pour quoi, Marilyn ?

— Est-ce que je sais, moi ? Pour quelque chose qu'ils pensent que quelqu'un a peut-être fait...

Willis poussa un long soupir.

— Qu'est-ce que tu as *fait*, Marilyn ?

Elle demeura un long moment silencieuse, puis dit dans un souffle :

— Cette fois, je vais te perdre.

— Aucune chance. Raconte-moi.

— Tu ne voudras plus de moi lorsque tu sauras.

— Marilyn, si un tueur est à tes trousses...

— D'accord, finit-elle par admettre. Hidalgo ne m'a jamais rendu mon passeport. Je le lui ai repris.

— Tu...

— Je le lui ai volé.

— Et c'est tout ce qui t'inquiète ? — Willis sentit un soulagement intense dans tous les muscles de son corps. — Ma chérie, si c'est seulement ça...

— Ce n'est pas seulement ça.

Il s'assit à côté d'elle.

— Très bien, dit-il. Je t'écoute.

Hidalgo était un homme important, possédant une modeste écurie de prostituées, mais sachant la mettre au service d'une clientèle influente. Né à Caracas, il avait choisi de vivre à Buenos Aires parce que les possibilités de s'y enrichir y étaient incomparablement plus alléchantes. Comme tous ceux qui ont à la fois beaucoup à perdre et à gagner dans leur commerce, il avait des tendances paranoïaques nettement marquées. Même en sachant que Marilyn était à sa merci, il la faisait constamment surveiller, par peur qu'elle disparaisse ou qu'elle aille demander la protection de l'ambassade américaine. Elle aurait pu faire l'un ou l'autre, si elle avait été mieux informée de sa situation. La citoyenne américaine nommée Mary Ann Hollis n'existait en effet plus, ni pour les autorités mexicaines ni pour l'ambassade. Tous les dossiers la concernant avaient été détruits, elle avait effectivement été *vendue* à Hidalgo. Restait que sa demande de passeport, enregistrée à Houston, existait toujours. Mais elle l'ignorait. Elle était persuadée qu'en cas de désobéissance majeure sa liberté, toute conditionnelle qu'elle fût, pourrait être révoquée et qu'elle se retrouverait immanquablement internée à *La Fortaleza*. Hidalgo, de son côté, entretenait sciemment son ignorance. Il ne cessait de lui répéter — ce qui était exact — qu'il possédait son passeport, et que toute tentative de sa part de faire reconnaître ses droits se solderait inévitablement — ce qui était faux — par la confirmation de sa condamnation et de sa prise en charge « humanitaire » par le señor Alberto Hidalgo, un homme qui disposait de solides appuis politiques en Argentine.

— L'argent et le pouvoir, disait-elle. Vous avez la puissance des grands maquereaux.

— C'est exact, rappelait-il de sa voix veloutée, presque amicale. Tu as été placée sous ma tutelle jusqu'à la fin de ta peine. Après cela, évidemment, tu seras libre de faire ce que tu voudras. Mais tu n'as vécu que quatre mois à la Forteresse. Il te reste à accomplir onze ans et huit mois avant que la société estime que tu as payé ta dette. Lorsque ce délai sera écoulé, tu pourras t'adresser au Département d'Etat. D'ici là, j'ai le regret de te le dire, Mariucha, tu n'es pas une femme libre. Essaye de ne jamais l'oublier.

Il y avait six autres prostituées dans le cheptel d'Hidalgo, des chevaux de race comme il disait, qu'il louait à un tarif minimum de cent dollars l'heure. La plupart venaient des prisons d'Amérique latine, d'autres prétendaient avoir été victimes de la traite des Blanches, comme l'affirmait une blonde plantureuse originaire de Munich. Chacune des filles, *las muchachitas*, comme Hidalgo se plaisait à les nommer, avait conscience qu'il avait un contrôle absolu sur sa vie et son destin. Lorsque l'une d'elles se plaignait d'un mauvais traitement ou d'une pratique qui la rebutait, il ne manquait pas de lui rappeler qu'elle n'était pas libre de choisir, et qu'elle devait accepter ce qui lui était imposé.

— Je n'irai pas, lui dit-elle un jour.

— Bien sûr que tu iras, répondit-il.
— Non. Je ne suis pas votre esclave.
— C'est certain. Ce n'est pas à moi que tu appartiens, mais au système pénitentiaire mexicain. Je ne suis que ton tuteur légal, Mariucha, mais si tu me causes trop d'ennuis, rien ne m'empêche de te rendre aux autorités qui t'ont confiée à moi.
— Vous ne ferez jamais ça, répliqua-t-elle. Vous avez dépensé trop d'argent pour m'acheter.
— Un homme d'affaires doit savoir reconnaître quand il a fait un mauvais placement, dit-il en haussant les épaules. Je pourrais expliquer à la justice mexicaine que j'ai perdu tout espoir de te rééduquer.
— Vous n'êtes qu'un maquereau. Ils ne vous croiront pas.
— Et tu penses qu'ils te croiront, *toi*, une femme qui a été condamnée pour trafic de stupéfiants...
— Je ne trafiquais pas !
— Une putain avérée...
— Je ne suis pas une putain ! protesta Marilyn en se mettant soudain à pleurer, autant de rage que de désespoir.
Il la prit dans ses bras.
— Là, là, *muchachita*, calme-toi. Nous n'avons pas besoin de nous disputer comme ça. Tu crois que ça me fait plaisir d'être obligé de te menacer ?
— Oui, répondit-elle entre deux sanglots.
— Tu te trompes, Mariucha. Maintenant, tu vas essuyer tes larmes. Tu vas te rendre chez cet homme et faire tout ce qu'il te demandera. Il sera très gentil avec toi, je te le promets.
— Non, s'obstina-t-elle. Je vais m'enfuir et vous ne me retrouverez jamais. J'irai jusqu'à Santa Cruz et...
— Tu oublies que tu n'as pas de passeport.
— Je n'en ai pas besoin si je reste en Argentine. Je parle couramment l'espagnol. Tout le monde croira...
— Bien sûr, la coupa-t-il en souriant. Avec tes cheveux blonds, tout le monde croira que tu es née ici.
— Je me ferai teindre en brune.
— Et tes yeux ? Tu les feras teindre aussi ? Crois-moi, Mariucha, le premier policier qui te verra devinera aussitôt que tu es américaine et te demandera ton passeport.
— Je m'en moque. Vous ne pouvez pas me garder ici contre ma volonté.

— Sais-tu ce qui t'arrivera si tu t'enfuis ? Supposons que tu réussisses à gagner une autre ville. Supposons même l'impossible, que tu parviennes à passer au Chili, en Bolivie ou au Paraguay. Sais-tu ce que tu deviendras, seule, sans argent, sans passeport ? Une putain qui racole les touristes dans la rue. Presque une mendiante. C'est ce que tu souhaites ?

— Oui !

— Mariucha, Mariucha...

— Je ne vous appartiens pas, répéta-t-elle.

Mais elle savait qu'il avait raison.

Elle était entièrement à sa merci. Lorsqu'elle devait se rendre chez un client, il lui donnait l'argent pour payer le taxi juste avant qu'elle quitte l'appartement où elle vivait avec lui et les autres filles. Il payait leurs repas, qu'elles prenaient généralement ensemble dans un petit restaurant au coin de la rue. Il achetait lui-même tous leurs vêtements. Lorsque Marilyn désirait aller au cinéma, il lui donnait de quoi payer sa place et lui réclamait souvent la monnaie lorsqu'elle rentrait. Chaque fois qu'elle se montrait réticente ou qu'elle contestait ses ordres, il la punissait en l'envoyant chez des clients dont il savait que les exigences la rebutaient particulièrement.

— Pourquoi refuses-tu *ça ?* demandait-il, apparemment sincèrement surpris. C'est moi qui t'ai sortie de la Forteresse. Crois-tu que j'ignore ce qu'ils t'ont fait là-bas ?

— J'ai peur, répondait-elle.

— Tu sais bien que je ne laisserai jamais personne te faire du mal. Les hommes de la prison étaient des brutes. Ceux dont je te parle sont des *gentlemen.*

— Vraiment ?

— Oui, vraiment. Et ils t'ont demandée toi, personnellement.

— Envoyez une des autres filles à ma place.

— Je ne peux pas faire ça.

— Je vous en supplie, Alberto, soyez gentil pour une fois...

— Mais je le suis toujours, Mariucha.

— Alors choisissez une des autres. Par pitié, *querido...*

— Tu vas finir par me mettre en colère. Tu as rendez-vous à quatre heures, il est déjà trois heures et demie. Dépêche-toi. Fais tout ce qu'on te demande et fais-le *bien.* Sinon je te promets qu'un de ces jours je te ferai regretter ton ingratitude.

— Un de ces jours, menaçait-elle, je vous en donnerai réellement l'occasion.

Mais elle ne le faisait jamais.

Et la poigne d'acier se refermait inexorablement sur elle.

— Mariucha, qu'est-ce que j'entends aujourd'hui ? Encore quelque chose qui te déplaît ? J'avoue que je ne te comprends pas. J'ai parfois l'impression que tu es totalement inconsciente. Qu'est-ce qui t'arrive, cette fois ?

— *Papa* — elle avait pris l'habitude de l'appeler ainsi, à l'exemple des autres filles —, je ne veux pas y aller. Je préfère retourner en prison. Appelez les gens qui s'occupent de ça. Dites-leur de venir me chercher le plus tôt possible. Je refuse de continuer.

— D'accord, disait-il en se dirigeant vers le téléphone. Comme tu voudras. Je préviens l'ambassade du Mexique. Mais tu pourrais peut-être quand même m'expliquer...

— Avec plaisir. Si vous continuez à me livrer à ces malades — le mot en espagnol était *patanes* — je serai plus heureuse à *La Fortaleza*. Allez-y, donnez votre coup de fil !

— Malades ? De qui parles-tu ainsi ?

— De l'homme auquel Arabella a rendu visite la semaine dernière, de l'homme chez qui vous m'envoyez aujourd'hui, du dingue qui...

— C'est un homme respectable, Mariucha.

— Sûrement. Demandez à Arabella ce qu'elle en pense !

— Un homme issu d'une des meilleures familles de notre pays...

— C'est sans doute pour ça qu'il ne peut jouir qu'en chiant dans la bouche des autres !

— Tu sais que je n'aime pas quand tu t'exprimes de cette manière !

— Et moi je n'aime pas...

— Excuse-moi, Mariucha, mais je commence à croire que la Forteresse te manque vraiment. Tu me brises le cœur, mais je vais réellement donner ce coup de téléphone.

— Allez-y. Ne vous gênez pas. Mais ne me parlez pas de votre cœur. Vous vous moquez totalement de ce qui peut nous arriver.

— Ce n'est pas vrai, Mariucha. Je tiens beaucoup à toi. Mes *muchachitas* sont tout pour moi. Mais je ne peux plus supporter tes plaintes continuelles. Cette fois, je vais être obligé de réagir, disait-il en décrochant le téléphone.

— Pourquoi ne lui envoyez-vous pas Constantia, l'Allemande ? Elle accepte n'importe quoi, elle !

— Il est exact que Constantia n'est pas une ingrate. Je l'enverrai peut-être à ta place. Mais d'abord je vais te renvoyer d'où tu viens. Si tu as des affaires que tu désires emporter avec toi, rassemble-les tout de suite. Tu sais comment les choses se passent en prison. Tu peux même prendre les cadeaux que je t'ai faits quand j'avais confiance en toi. Pour moi, ce qui est donné est donné...

— *Papa,* suppliait-elle, ne m'envoyez pas chez cet homme ! Je ferai tout ce que vous voudrez, mais ne m'envoyez pas chez cet homme !

— Je ne t'envoie pas chez lui. — Il commençait à composer un numéro. — Je te renvoie en prison.

— *Por favor,* gémissait-elle, *por favor...*

Il reposait alors brutalement le combiné.

— Est-ce que tout ceci va finir un jour ? hurlait-il. Ou est-ce que je vais devoir supporter ça jusqu'à la fin des temps ?

— Je...

— Oui ? Tu as quelque chose à ajouter ?

— Rien. Donnez-moi l'adresse.

— Il te faut de l'argent pour le taxi.

— Oui, murmurait-elle en détournant la tête pour qu'il ne voie pas ses larmes. Donnez-moi de l'argent pour le taxi.

Au cours de la cinquième année de son esclavage, et malgré toutes les précautions qu'elle prenait, elle finit par se retrouver enceinte d'un des clients d'Hidalgo. Le maquereau offrit généreusement de payer l'avortement, mais ne l'informa pas des arrangements qu'il avait pris avec *el medico,* l'homme qui pratiqua l'opération dans l'arrière-salle crasseuse d'une boutique d'un des quartiers les plus misérables de la ville. Elle s'évanouit pendant qu'il la charcutait. Lorsqu'elle se réveilla, le sang continuait de couler abondamment entre ses jambes. Hidalgo lui apprit alors que le « docteur » — il s'obstinait à l'appeler ainsi — avait profité de l'occasion pour lui enlever l'utérus.

Horrifiée, elle frappa les deux hommes à coups de poing, puis se précipita dans la salle de bains et vomit dans le lavabo où le fœtus flottait encore dans une mare de sang. Elle perdit à nouveau conscience. A son réveil, elle se retrouva dans l'appartement commun et hurla, hurla toute la nuit, comme lorsque les rats avaient envahi son cachot, jusqu'à ce qu'une des filles la gifle à plusieurs reprises en lui ordonnant de se taire. Dès qu'elle fut capable de marcher, alors qu'elle était encore loin d'être remise de la boucherie qu'elle avait subie, Hidalgo la remit au travail.

Ce fut alors qu'elle décida de le tuer.

— Non ! protesta Willis. Marilyn, tu n'as pas fait ça, je t'en supplie...

— Je l'ai fait. Je l'ai assassiné.

— Je ne veux pas en entendre plus ! Je ne veux pas le savoir !

— Je croyais que tu voulais connaître la vérité...

— Je suis un flic ! hurla-t-il. Si tu as tué un homme...

— Je n'ai pas tué un *homme !* J'ai tué un *monstre !* Il m'avait livrée à un boucher ! Est-ce que tu peux comprendre ça ? Je ne pourrai jamais avoir d'enfant ! Il m'a volé...

— Je t'en prie, Marilyn ! dit-il en secouant violemment la tête. Je t'en prie !

— Je le referais à la minute même s'il le fallait, dit-elle d'une voix ferme. Sans la moindre hésitation.

Il continuait de secouer la tête, avec l'impression qu'il ne pourrait jamais s'arrêter. Craignant de fondre en larmes, il se couvrit le visage de ses mains.

— Je l'ai empoisonné, poursuivit calmement Marilyn.

Secouant la tête, encore et encore.

— Avec du cyanure, un produit pour tuer les rats.

Secouant la tête, refoulant ses larmes, aspirant de larges goulées d'air pour ne pas suffoquer.

— Après sa mort, je suis allée dans sa chambre et j'ai cherché la combinaison de son coffre, parce que je savais que c'était là qu'il gardait mon passeport. Je l'ai trouvée. J'ai ouvert le coffre. A côté de mon passeport, il y avait l'équivalent de deux millions de dollars en monnaie argentine.

Willis poussa un profond soupir et écarta ses mains de son visage.

— Et maintenant ? demanda-t-elle. Tu vas me dénoncer ?

Ses larmes jaillirent enfin. Il sortit son mouchoir de sa poche et les essuya, sans cesser de secouer la tête.

Il ne savait pas quoi dire.

Il était flic.

Il l'aimait.

Il était flic de profession.

Il l'aimait plus que sa vie.

Sanglotant de désespoir, il se dirigea vers la porte, trouva la poignée à l'aveuglette, repoussa le battant.

— Hal ?

Il franchit la deuxième porte et se retrouva dans la rue, assailli par les senteurs nouvelles du printemps.

17

Ses yeux étaient rouges et gonflés. Carella savait qu'il avait pleuré, mais il ne lui posa pas de questions. Les deux hommes étaient assis côte à côte derrière le bureau de Carella, Willis ayant amené sa propre chaise, et ils examinaient ensemble la liste des noms que Marilyn leur avait fournie. Dans d'autres circonstances, ce travail de routine de la vie d'un policier les aurait profondément ennuyés. Mais il y avait dans la détresse de Willis, dans le poids qui semblait soudain s'être abattu sur ses épaules, quelque chose qui rendait leur tâche encore plus sinistre qu'à l'ordinaire, une sorte de nuage lourd, invisible, planant sur le bureau comme la menace d'un orage imminent. Plusieurs fois, Carella avait été tenté de demander : « Qu'est-ce qui ne va pas, Hal ? », de se tourner vers lui et de lui dire : « Raconte-moi. » Au lieu de cela, il s'était plongé sans un mot dans leur travail en feignant de croire que tout était normal, alors que tous ses réflexes, toute son expérience, toute son amitié pour Willis lui criaient qu'il n'en était rien.

Ils commencèrent par la première page, celle sur laquelle Marilyn avait noté les noms de tous les hommes qu'elle avait fréquentés, ne fût-ce qu'un soir, depuis son arrivée en ville un an plus tôt. La liste n'était pas très longue. Carella estima au premier coup d'œil qu'elle ne comportait pas plus de vingt-cinq noms.

— Il n'y a pas beaucoup d'adresses, fit-il remarquer.

— Elle a oublié les autres, répondit Willis d'une voix sans timbre.

Il ne regardait pas Carella. Ses yeux restaient rivés sur

la feuille, sur l'écriture appliquée de la jeune femme. Carella ne pouvait même pas deviner quelles images cruelles lui torturaient l'esprit.

— Ce qui signifie qu'on va devoir les chercher dans les annuaires.

— Oui.

La même voix désespérée.

— Elle t'a dit tout ce qu'elle savait sur ces gens ?

— Tout ce dont elle pouvait se souvenir. La plupart d'entre eux n'ont pas eu plus d'un ou deux rendez-vous avec elle.

— Aucun nom ne t'a particulièrement frappé ?

— Aucun.

Carella poussa un soupir.

— Très bien, dit-il. On y va tout de suite.

Ils descendirent le couloir jusqu'au secrétariat et firent une photocopie des feuillets manuscrits. La liste semblait maintenant beaucoup plus impressionnante, bien que le nombre de noms qu'elle présentait demeurât le même. Carella choisit l'annuaire d'Isola, Willis celui de Calm's Point. Ils s'installèrent l'un à côté de l'autre, travaillant en silence, comme deux comptables penchés sur leurs livres dont l'un aurait été frappé d'un deuil terrible et mystérieux. Ils relevaient les adresses et les numéros de téléphone qu'ils trouvaient, inscrivant un point d'interrogation en face des noms qui n'étaient pas enregistrés dans l'annuaire, avec l'intention de demander plus tard leurs coordonnées à la Compagnie des téléphones. Il leur fallut près d'une heure pour éplucher les cinq annuaires de la ville et obtenir un répertoire presque complet des amants et rencontres de Marilyn. La seconde liste, celle de ses amies, était nettement plus courte et leur travail de recherche ne leur prit pas plus de quarante minutes.

Il était presque six heures du soir lorsqu'ils abordèrent la troisième et dernière liste, celle des fournisseurs de la jeune femme. Ils en avaient parcouru moins de la moitié lorsque Carella releva brusquement la tête.

— Hal ! On a déjà vérifié celui-là ou j'ai des visions ?

— Quoi ?

Willis était perdu dans un rêve, le regard vide, lisant sans les voir les noms qu'il avait sous les yeux.

— Celui-là, insista Carella.

— Lequel ?

Carella lui indiqua la ligne. Willis ne jeta qu'un regard distrait sur le nom et hocha la tête.

— C'est son dentiste.

— Tu en es certain ? Je suis sûr que je l'ai vu...

— Son premier dentiste, en tout cas. Depuis elle a...

— Je suis certain qu'il était sur l'autre liste ! s'exclama Carella en reprenant le premier feuillet et en relisant la suite des noms. Là ! Ronald Ellsworth ! Un des hommes avec lesquels elle est sortie ! — Il relut le nom en fronçant les sourcils. — Ellsworth... Ellsworth, est-ce que par hasard... — Son froncement de sourcils s'accentua. — Est-ce qu'il n'était pas... — Il se leva brusquement, le visage tendu, en se tournant vers Willis. — Hal !

— Tu as trouvé quelque chose ? demanda Willis d'une voix un peu moins éteinte.

— Ellsworth était le dentiste de McKennon ! Où diable ont-ils fourré ce dossier ? — Il repoussa violemment son siège et se dirigea vers les classeurs métalliques en lançant par-dessus son épaule : — Tu es sûr qu'elle l'a vraiment connu ? Qu'il ne s'agit pas d'une erreur ? Qu'elle ne s'est pas trompée en inscrivant son nom sur la première liste ?

— Sûr et certain. Elle est sortie avec lui pendant presque un mois.

Carella ouvrit un tiroir, en sortit le dossier McKennon, revint s'asseoir à son bureau et se mit à feuilleter fébrilement les rapports.

— Là, annonça-t-il. Je l'ai interrogé juste après la mort de Hollander. Le 2 avril. Voilà le compte rendu. Il m'a reçu dans son appartement. L'adresse est ici.

Les deux hommes se lancèrent un long regard.

— Appelle immédiatement Marilyn, dit Carella. Demande-lui *quand* elle a commencé à le fréquenter, *quand* elle a cessé, et pourquoi. Où est ce relevé dentaire que Blaney nous a envoyé ?

Willis composait déjà le numéro de Harborside. Carella jeta un rapide coup d'œil sur le relevé dentaire de McKennon et commença à composer le numéro du médecin légiste.

— Marilyn ? dit Willis dans l'appareil. C'est moi. J'aimerais que tu me parles de ce type, Ellsworth...

— Bonjour, lança Carella au même instant. Pouvez-vous me passer Paul Blaney, s'il vous plaît ?

— Quand ? demanda Willis. Pendant combien de temps ? Je vois. Et pourquoi as-tu rompu avec lui ?

— Paul ? Ici Steve Carella. Je ne te dérange pas ? J'aurais quelques questions à te poser sur le relevé dentaire de McKennon.

Ayant à traverser toute la ville pour atteindre Front Street, ils ne sonnèrent à la porte d'Ellsworth qu'aux environs de sept heures trente. Le dentiste et son épouse venaient apparemment de terminer leur repas. Mme Ellsworth — que son mari leur présenta sous le nom de Claire — était une belle femme d'une quarantaine d'années, selon l'estimation de Carella, dotée de splendides yeux marron.

— Nous nous apprêtions à servir le café, dit-elle. Voulez-vous vous joindre à nous ?

— Non merci, répondit Carella. Nous désirons seulement avoir un court entretien avec votre mari.

— Vous pouvez au moins vous asseoir...

— Un entretien privé, insista Carella en observant la réaction d'Ellsworth.

Pas un trait de son visage ne frémit. Mme Ellsworth eut l'air surpris, lança un regard intrigué à son époux, un regard inquiet aux deux policiers, puis haussa les épaules.

— Dans ce cas, je vous laisse...

Elle regarda une dernière fois son mari, puis disparut dans une pièce que Carella supposa être leur chambre. Une seconde plus tard, le son d'une émission de télévision se fit entendre.

— Eh bien ? demanda Ellsworth. Votre enquête progresse-t-elle ?

Il portait un jean et un sweater ample, aux manches relevées, dont la couleur se mariait parfaitement avec le bleu de ses yeux. Derrière ses lunettes aux montures sombres, son regard était des plus aimables. Sa bouche souriait également, sous sa moustache brun clair, comme s'il s'apprêtait à annoncer à un patient que toutes ses dents étaient parfaitement saines.

— Docteur Ellsworth, commença Carella en ouvrant son carnet de notes, lorsque je vous ai rendu visite le 2 avril, je vous ai posé un certain nombre de questions...

— Oui ? dit Ellsworth.

— Je vous ai demandé si M. McKennon avait prononcé devant vous les noms suivants : Marilyn Hollis, Nelson

Riley, Charles Endicott et Basil Hollander. Vous m'avez répondu qu'il ne l'avait jamais fait.

— C'est exact.

— Vous voulez dire que c'est bien ce que vous m'avez répondu alors, n'est-ce pas ?

— Si vous l'avez inscrit dans votre rapport...

— C'est effectivement ce que j'ai relevé, répliqua Carella en refermant brusquement son carnet. Docteur Ellsworth, Marilyn Hollis a-t-elle été votre patiente ?

— Marilyn... comment dites-vous ?

— Hollis. H-O-L-L-I-S.

— Ce nom ne me dit strictement rien.

— N'a-t-elle pas été votre patiente de décembre dernier jusqu'au début du mois de février de cette année ?

— Pas que je me souvienne.

— N'est-ce pas elle, en réalité, qui vous a envoyé Jérôme McKennon comme client ?

— Je ne pense pas que M. McKennon m'ait été recommandé par qui que ce soit.

Il choisit la ligne la plus dure, songea Carella. Nous l'avons cueilli à froid. Il n'a pas d'autre solution.

— Docteur Ellsworth, intervint Willis, est-il exact que dans le courant de décembre, alors qu'elle était encore votre patiente, vous avez invité Mlle Hollis à sortir avec vous ?

— Non, c'est faux ! protesta violemment Ellsworth en lançant un regard affolé vers la porte de la chambre.

— Vous niez également l'avoir rencontrée en privé à six reprises avant qu'elle...

— Je ne l'ai jamais rencontrée *du tout !* riposta Ellsworth avec colère. Je ne comprends rien à ce que vous racontez !

Carella poussa un soupir. Ils disent toujours la même chose. Je ne comprends rien... jusqu'à ce que le refrain change.

— Docteur Ellsworth, insista patiemment Willis, nous avons de bonnes raisons de croire que vous avez fréquenté Mlle Hollis, que vous avez même eu des relations intimes avec elle jusqu'en février, lorsqu'elle a découvert...

Ellsworth se raidit.

— J'en ai assez supporté comme ça ! Je vous prie maintenant de sortir avant que...

Cette phrase aussi, Carella l'avait déjà entendue des milliers de fois.

— Docteur Ellsworth, coupa-t-il, j'ai dans ma poche un mandat de perquisition, délivré ce soir-même par un juge de la Cour suprême de l'Etat, qui m'autorise à vous fouiller, ainsi que cet appartement et votre cabinet de Carrington Street. Désirez-vous le voir avant que nous procédions aux recherches ?

— Une perquisition ? balbutia Ellsworth. Qu'est-ce que vous cherchez ?

— Très précisément, un pistolet automatique Colt Super .38. Possédez-vous une arme de ce genre, docteur Ellsworth ?

— Elle se trouve dans le tiroir supérieur de la commode, annonça calmement Mme Ellsworth.

Les inspecteurs firent volte-face. Elle se tenait debout sur le seuil de la pièce, la porte de la chambre ouverte derrière elle.

— Fumier, dit-elle sans hausser la voix.

Ce fut ce moment que choisit Ellsworth pour bondir en direction de la porte d'entrée. L'arme de service de Willis se retrouva dans sa main sans qu'il ait eu la sensation de dégainer.

— Stop ! hurla-t-il.

Ellsworth ne ralentit pas.

— Arrêtez ou je tire !

L'arme tremblait dans la main de Willis. Son canon était pointé entre les omoplates d'Ellsworth.

— Ne m'obligez pas à faire ça !

Ellsworth se figea sur place.

Puis il se retourna lentement.

Ignorant les inspecteurs, il jeta un regard navré à sa femme, toujours debout entre les deux pièces, une émission comique faisant résonner des rires en boîte dans son dos.

— Je suis désolé, dit-il.

Encore une phrase, songea Carella, qui n'entrera pas dans les annales des déclarations inattendues.

Le premier interrogatoire eut lieu le soir même, à neuf heures quarante-cinq, dans le bureau du lieutenant Byrnes. Y étaient présents le chef du 87e district, le lieutenant Peter R. Byrnes, l'inspecteur de seconde classe Stephen L. Carella, l'inspecteur de troisième classe Harold O. Willis, un assistant du district attorney nommé Martin J. Liebowitz, ainsi que l'homme qui devait répondre devant eux de trois accusations de meurtre et d'une accusation de tentative de meurtre, le Dr Ronald B. Ellsworth.

Du fait que Willis avait recueilli les déclarations de Marilyn Hollis sur ses relations personnelles avec l'assassin, les premières questions lui échurent naturellement. Lorsqu'il eut terminé, le relais fut pris par Carella, qui disposait des observations de Paul Blaney sur le relevé dentaire de McKennon.

Q. Pouvez-vous nous dire à quelle date Marilyn Hollis s'est rendue pour la première fois à votre cabinet ?

R. A la fin de l'année dernière. En décembre.

Q. Mlle Hollis affirme qu'il s'agissait du 4 décembre, un mercredi. Le rendez-vous était noté dans son agenda.

R. Je ne me souviens pas de la date exacte. Mais si elle l'a inscrite elle-même...

Q. Avez-vous commencé à la traiter régulièrement à partir de cette date ?

R. Oui. Elle avait réellement besoin de soins. Ses dents étaient en très mauvais état. Je ne comprends pas comment elle avait pu les laisser s'abîmer pendant si longtemps sans penser à consulter un dentiste.

Q. Selon Mlle Hollis, vous l'avez invitée pour la première fois à sortir avec vous un peu avant Noël. Est-ce exact ?

R. C'est exact.

Q. Et vous avez continué à la voir plus ou moins régulièrement par la suite ?

R. Je l'ai vue six fois.

Q. Vous l'avez vue au total six fois entre décembre et février, lorsqu'elle a décidé de rompre avec vous.

R. Exactement.

Q. Avez-vous eu pendant cette période des relations intimes avec Mlle Hollis ?

R. Oui.

Q. Pouvez-vous nous dire pourquoi Mlle Hollis a décidé de cesser de vous voir ? Excusez-moi : j'aimerais d'abord savoir si elle a simultanément renoncé à recourir à vos soins.

R. C'est ce qu'elle a fait.

Q. Et cela se passait au début du mois de février ?

R. Oui.

Q. Pourquoi a-t-elle brusquement rompu avec vous, docteur Ellsworth ?

R. Parce que j'ai commis une erreur.

Q. Je vous demande pardon ?

R. Elle n'avait qu'un mot à la bouche : l'honnêteté. J'ai voulu être honnête avec elle.

Q. De quelle manière ?

R. En lui avouant que j'étais marié.

Q. Comment a-t-elle réagi ?

R. Elle m'a dit qu'elle ne voulait plus me revoir. Qu'elle ne sortait jamais par principe avec des hommes mariés.

Q. Et quelle a été votre réaction à ce moment-là ?

R. Qu'est-ce que vous croyez ? J'étais hors de moi.

Q. Mais votre colère ne l'a pas impressionnée, n'est-ce pas ? Elle n'a nullement modifié son point de vue ?

R. Non.

Q. Maintenant, docteur Ellsworth, quand avez-vous commencé à soigner M. McKennon ?

R. Vers la fin du mois de janvier.

Q. Il est venu vous voir sur la recommandation de Mlle Hollis ?

R. Oui. Elle lui avait dit que j'étais un excellent dentiste. C'était avant notre rupture, bien sûr. Je présume qu'après je n'étais plus du tout un *bon* dentiste.

Q. Il vous a précisé que vous lui aviez été recommandé par quelqu'un ?

R. Il m'a parlé d'une amie proche, mais je ne suis pas certain qu'il ait cité son nom. Il est probable que je ne l'ai appris que plus tard.

Q. Il n'a pas mentionné le nom de Mlle Hollis lors de sa première visite ?

R. Je vous répète que je ne m'en souviens plus. De toute manière, s'il l'a fait, il n'en a parlé que comme d'une amie. Ce n'est que plus tard que j'ai découvert qu'ils couchaient ensemble.

Q. A quelle époque ?

R. Dans le courant du mois de février.

Q. De quelle manière ?

R. Je l'avais déjà vu un certain nombre de fois, alors. Pour une extraction, je me souviens, ainsi que plusieurs plombages. Je voulais lui placer une couronne, avec dévitalisation, sur la première molaire inférieure droite. Nous avions fini par sympathiser — dans le cadre de nos rapports professionnels, bien entendu. Je crois que c'est pendant une de ces séances qu'il m'a parlé de Marilyn.

Q. Il vous a dit qu'il avait des relations intimes avec elle ?

R. Pas de cette façon. Vous savez comment les hommes se racontent ces choses-là entre eux.

Q. Que vous a-t-il dit exactement, docteur Ellsworth ?

R. Qu'il baisait une femme fantastique. Une femme comme il n'en avait jamais connu de sa vie.

Q. Marilyn Hollis ?

R. Oui, mais je l'ignorais à ce moment-là. Ce n'est que plus tard qu'il m'a révélé...

Q. Vous voulez dire plus tard au cours de la même séance ?

R. C'est exact. Je crois que c'était pendant qu'il se rinçait la bouche. Il m'a demandé si je me souvenais de l'amie qui l'avait envoyé chez moi. Il m'a dit que c'était avec elle qu'il faisait l'amour.

Q. Quelle a été votre réaction à cette nouvelle ?

R. J'étais très en colère.

Q. Pourquoi ?

R. Parce qu'elle m'avait abandonné, moi, un médecin, un homme cultivé, pour un crétin qui vendait des systèmes d'alarme !

Q. Lui avez-vous dit alors que vous aviez été vous-même l'amant de Mlle Hollis ?

R. Bien sûr que non ! Je suis un homme marié !

Q. Il n'a donc jamais su que vous aviez eu des relations personnelles avec elle ?

R. Jamais.

Q. Et cette colère que vous avez ressentie...

R. C'était plus que de la colère. C'était de la *rage !*

Q. Cette rage, l'avez-vous exprimée devant lui ? S'est-il rendu compte...

R. Non, bien sûr que non. Il ne s'est pas douté une seule seconde...

Q. De quoi ne s'est-il pas douté, docteur Ellsworth ?

R. Que j'allais le tuer, évidemment.

Q. Et vous l'avez effectivement tué ?

R. Oui.

Q. Avez-vous également tué Basil Hollander ?

R. Oui.

Q. Pour quelle raison ?

R. La même que McKennon. C'était un comptable, un minable gratte-papier ! Vous comprenez, après avoir éliminé McKennon, je me suis demandé s'il n'y en avait pas d'*autres.* Alors je me suis mis à la suivre. Et j'ai découvert les autres, *tous* les autres. Elle n'était pas gênée de ce côté-là, cette petite pute, je peux vous le garantir !

Q. Avez-vous tué M. Hollander avec un couteau ?

R. Avec un des scalpels de mon cabinet.

Q. Avez-vous également assassiné Nelson Riley ?

R. Bien sûr. Il faisait également partie de la bande. Elle voyait quatre hommes à cette époque. Il ne me restait plus ensuite qu'à exécuter Endicott, mais...

Q. Mais quoi, docteur Ellsworth ?

R. Cela n'avait rien de personnel, croyez-moi.

Q. Je ne comprends pas. Expliquez-vous, s'il vous plaît.

R. Elle... elle a commencé à vous fréquenter aussi. J'étais en train d'essayer d'atteindre Endicott, comme je l'avais fait pour Riley, mais pénétrer dans son loft n'était pas une partie de plaisir, je vous assure. Alors que vous représentiez une cible facile. Vous viviez avec elle, je suppose ? C'est du moins ce que j'ai cru observer. Partant de là, il m'était relativement facile de vous suivre. Je possédais cet automatique depuis longtemps, j'avais même un permis de port d'arme, parce que j'avais réussi à convaincre la police que je devais parfois transporter de l'or pour les couronnes. J'avais un peu exagéré, bien sûr, mais ils m'avaient quand même accordé le permis.

Q. Vous avez donc essayé de me tuer — je décline mon identité pour l'enregistrement. Je suis l'inspecteur de troisième classe Harold O. Willis, affecté au 87e district. Vous avez effectué cette tentative avec l'arme que je vous montre actuellement, un pistolet automatique Colt Super .38 enregistré sous le numéro 3478-842-106. Tout cela est-il exact ?

R. Parfaitement exact.

Q. De quelle manière avez-vous assassiné Nelson Riley ?

R. En versant de la nicotine dans une vieille bouteille de scotch que j'avais répérée sur une de ses étagères.

Q. Comment avez-vous tué Jérôme McKennon ?

R. A l'aide de la nicotine également. J'aurais volontiers utilisé le même procédé avec Hollander, mais je n'y suis pas parvenu. Alors j'ai décidé de me servir du scalpel.

Q. Comment vous êtes-vous introduit chez lui ?

R. En poussant la porte, tout simplement.

Q. C'est lui qui vous a fait entrer ?

R. Pas du tout ! J'ai essayé la poignée, et la porte était *ouverte !* Vous vous rendez compte, dans cette ville, un homme qui ne se verrouille pas dans son appartement ? Je suis donc entré. Il était assis dans son salon, en train de lire. Il ne m'a même pas vu arriver.

Q. Qu'auriez-vous fait si la porte avait été fermée ?

R. J'aurais sonné et je l'aurais tué au moment où il m'aurait ouvert.

Q. Parce que vous lui en vouliez à lui aussi, c'est exact ?

R. Je le haïssais autant que les autres.

Q. Parce que Marilyn Hollis vous avait abandonné ?

R. Oui.

Q. Et qu'elle continuait à les voir, c'est ça ?

R. Je l'aimais.

C'était maintenant à Carella.

Q. Docteur Ellsworth, voici le relevé dentaire effectué par le Dr Paul Blaney, du bureau du médecin légiste. Il représente l'état des dents de Jérôme McKennon au moment de l'autopsie. Pouvez-vous l'examiner et me dire si ce qu'il montre est exact de votre point de vue ?

R. Je pense que oui. Je reconnais l'extraction en particulier, et les différents plombages. Les autres soins avaient été effectués à une époque antérieure.

Q. Et la couronne ?

R. Oui. La dent numéro 30. La première molaire inférieure droite.

Q. Vous avez pratiqué l'opération vous-même, n'est-ce pas ?

R. Entièrement.

Q. Vous avez enlevé le nerf, si je me souviens de vos propos, lorsque M. McKennon est venu vous voir en février...

R. C'est à cette date-là, en effet.

Q. Puis vous avez obturé le canal. Vous l'avez scellé.

R. Exactement.

Q. Et le 8 mars, vous avez placé une couronne provisoire...

R. Une couronne provisoire en plastique, oui.

Q. Lorsque M. McKennon est revenu vous voir, une semaine plus tard, vous avez pris l'empreinte pour la couronne définitive et vous avez également, selon vos propres dires, consolidé la couronne provisoire.

R. C'est ce que j'ai fait.

Q. Le Dr Blaney, du bureau du médecin légiste, suggère que vous avez fait autre chose pendant cette séance. Est-ce exact ?

R. Oui.

Q. Qu'avez-vous fait d'autre, docteur Ellsworth ?

R. J'ai creusé l'intérieur de la dent, pour obtenir un vide au-dessus de la pulpe.

Q. Et ensuite ?

R. J'ai introduit une capsule de gélatine de calibre cinq à l'intérieur de la dent. Cette molaire est la plus grosse de la bouche, vous savez, et les capsules cinq sont les plus petites que l'on puisse trouver. Même dans ces conditions, je reconnais que j'ai eu du mal à la mettre en place.

Q. Qu'avez-vous fait alors ?

R. J'ai fixé la couronne provisoire.

Q. Par-dessus la capsule ?

R. Evidemment.

Q. Que contenait la capsule, docteur Ellsworth ?

R. De la nicotine.

Q. Le Dr Blaney a indiqué sur le relevé dentaire — vous pouvez voir ici le cercle dont il a entouré la dent numéro 30 — qu'il y avait une fissure, une cavité, dans la couronne provisoire. Il a son idée sur la manière dont cette cavité est apparue, mais j'aimerais avoir votre propre explication de ce phénomène.

R. La vérité est que j'avais réduit l'épaisseur de la surface de mastication de la couronne avant de la mettre en place. Et que j'avais conseillé à M. McKennon de ne pas hésiter à se servir de sa dent comme si elle était parfaitement normale jusqu'à la prochaine séance...

Q. Qui devait avoir lieu le 29 mars, deux semaines après la fausse consolidation de la couronne ?

R. Oui.

Q. Qu'espériez-vous obtenir ainsi, docteur Ellsworth ?

R. Que le contact normal, lors de la mastication des molaires inférieures et supérieures, délogerait la couronne.

Q. Et ensuite ?

R. Que la capsule se dissoudrait et libérerait le poison.

Q. Et tuerait M. McKennon en l'espace de quelques minutes ?

R. Une capsule cinq contient entre soixante-cinq et cent

trente milligrammes de liquide, selon le produit utilisé. C'était largement plus qu'il ne m'en fallait.

Q. La dose mortelle de nicotine est de quarante milligrammes. Est-ce votre opinion ?

R. C'est mon opinion.

Q. Comment avez-vous réussi à concentrer le poison ? Vous l'avez distillé à partir d'une décoction de tabac ?

R. Non. Je me suis servi d'un insecticide que j'ai acheté librement dans un autre Etat. Il contenait quarante pour cent de nicotine.

Q. Comment avez-vous fait pour isoler la nicotine ?

R. Je suis chirurgien-dentiste. J'ai accès quand je le veux à l'équipement nécessaire.

Q. Dans votre cabinet ?

R. Non. Dans un laboratoire de recherches. J'ai prétendu que je faisais des travaux sur l'influence du fluor sur l'élimination de la nicotine dans la destruction de l'appareil dentaire. Ils ont été tellement intéressés qu'ils m'ont même autorisé à utiliser leurs appareils chromographiques.

Q. Si je comprends ce que vous dites, vous avez introduit un de ces vaporisateurs d'insecticide dans le laboratoire ?

R. Non. J'en ai emmené plusieurs. Et je les ai entièrement vidés dans des bocaux spéciaux.

Q. Et vous les avez titrés jusqu'à ce que vous obteniez la nicotine pure dont vous aviez besoin ?

R. Oui.

Q. Combien de temps cela vous a-t-il pris ?

R. Pas très longtemps. Mes collaborateurs dans ce domaine étaient très enthousiastes, d'autant qu'ils ne se doutaient de rien. J'avais décidé de tuer McKennon le jour même où il m'avait annoncé sa liaison avec Marilyn Hollis. Le 8 mars, j'étais prêt. Le poison aussi.

Q. Hal ?

R. Je n'ai rien à ajouter.

Q. Monsieur Liebowitz ?

R. Aucun commentaire.

Q. Y a-t-il quelque chose que vous désiriez modifier dans votre témoignage, docteur Ellsworth ? Quelque chose que vous aimeriez changer ?

R. Absolument rien. Sauf que...

Q. Oui ?

R. Sauf que j'ai toujours cru qu'elle me reviendrait. Les

autres disparus, j'espérais qu'il y avait une chance qu'elle penserait à moi de nouveau.

Q. C'est une réaction compréhensible.

R. C'était la mienne, en tout cas.

Q. Vous n'avez rien d'autre à dire, docteur Ellsworth ?

R. Je ne crois pas. Juste...

Q. Oui ?

R. J'aimerais réécouter l'enregistrement. Vous croyez que c'est possible ?

Ils sortirent du commissariat et gagnèrent ensemble le garage situé à l'arrière du bâtiment où les policiers rangeaient habituellement leurs voitures. La nuit était douce et odorante. Le printemps, cette fois, était définitivement au rendez-vous.

— J'ai eu tort, dit Carella.

— Nous nous sommes tous trompés, répondit Willis. Notre base de départ n'était pas correcte. Au lieu de penser à l'élargir, nous nous sommes contentés de ce que nous avions sous le nez.

— Ce n'est pas ce que je veux dire, insista Carella. J'ai réellement eu tort.

— Peut-être.

Carella lui tendit la main.

— Bonne nuit ?

Willis la serra.

— Bonne nuit, Steve.

Ils montèrent dans leurs voitures, sortirent du parking et s'éloignèrent dans des directions opposées, Carella rejoignant sa famille à Riverhead, Willis la maison de Harborside Lane.

Il était un peu moins de minuit lorsqu'il l'atteignit. Marilyn l'attendait dans un des fauteuils du salon, un verre de brandy à portée de la main. Elle était vêtue d'un caftan blanc, peut-être celui qu'elle avait porté des années auparavant, lorsqu'on la surnommait l'Arabe d'Or dans une prison mexicaine appelée La Forteresse. Elle n'était pas maquillée. Ses yeux étaient rouges et gonflés.

Il se dirigea vers le bar et se servit un cognac.

Il lui raconta l'histoire d'Ellsworth, lui apprit qu'il avait signé ses aveux.

L'horloge de la cheminée égrena les douze coups de minuit.

Douze coups sourds, étouffés, dans le silence pesant de la pièce.

Il s'approcha de son fauteuil.

— Tu as pleuré ? demanda-t-il.

Elle ne répondit pas.

— Pourquoi ?

— Parce que je sais que je t'ai perdu.

— Marilyn...

— Tu n'as rien à m'expliquer, Hal. C'est inutile.

— Marilyn, je suis laid et petit...

— Tu es magnifique.

— Alors que tu es grande et belle...

— Surtout avec les yeux rouges et le nez qui coule !

— Je n'ai pas dû coucher avec plus de six femmes durant ma vie entière...

— Les autres ne savent pas ce qu'elles ont perdu.

— Alors que tu as connu au moins dix mille hommes...

— Tu es le seul que j'aie vraiment connu.

— Marilyn, tu es une prostituée...

— *Je l'ai été.*

— Une voleuse...

— C'est exact.

— Une meurtrière...

— Parfaitement... J'ai tué le salopard qui détruisait ma vie.

— Marilyn...

— Et je l'ai fait avec *plaisir !* Le même plaisir que *toi* lorsque tu as descendu ce gosse devant le magasin. Sauf que *moi* j'avais de meilleures raisons !

— Marilyn...

— Qu'est-ce que tu cherches à me dire, à la fin ? Que tu es un flic ? D'accord, tu es un flic ! Tu peux me faire arrêter quand tu veux !

— Est-ce qu'ils savent que tu l'as tué ?

— Qui ça ? Les flics argentins ? Ils n'ont rien à foutre de la mort d'un maquereau ! D'un autre côté, je suis la seule à m'être enfuie du harem, son coffre était ouvert et l'argent s'était envolé. Aussi je suppose qu'ils doivent me considérer comme le suspect numéro un, comme on dit dans ton métier.

— Est-ce qu'ils ont lancé un mandat d'arrêt contre toi ?

— Je l'ignore.

Il y eut un long silence.

— Qu'est-ce que tu vas faire ? demanda-t-elle enfin à travers ses larmes. Appeler Buenos Aires pour savoir s'ils recherchent toujours une certaine Mary Ann Hollis, une femme qui n'a plus rien à voir avec *moi* depuis longtemps ? Qu'est-ce que tu penses, Hal ? Je t'aime, pour l'amour du ciel, je t'aime plus que tout au monde, je veux vivre avec toi pour toujours, qu'est-ce que tu vas *faire ?*

— Je l'ignore, dit-il.

CHEZ LE MÊME ÉDITEUR

Warren Adler, *la Guerre des Rose*
Iain Banks, *le Seigneur des guêpes*
Michael Bishops, *la Machine infernale*
William Blankenship, *Mon ennemi, mon frère*
William Diehl, *Coup fourré*
Loren D. Estleman, *le Pro*
John Farris, *le Fils de la nuit éternelle*
John Farris, *l'Intrus*
Frank de Felitta, *Golgotha*
Frank de Felitta, *le Jugement de la mer*
Candace Flynt, *Péchés par omission*
Norman Garbo, *l'Apôtre*
Joe Gash, *Classé X*
Joe Gash, *le Confessionnal*
Joe Gash, *Meurtre à la une*
Kenneth Goddard, *l'Alchimiste*
Kenneth Goddard, *Boutefeu*
John Godey, *Beauté écarlate*
James Grady, *le Feu du rasoir*
Stephen Greenleaf, *Idées noires*
Stephen Greenleaf, *Sale bled*
Stephen Greenleaf, *Témoin à charge*
Adam Hall, *Opération Etoile polaire*
G. Hart - W. S. Cohen, *Une taupe au Kremlin*
William Katz, *Fête fatale*
William Katz, *Violation de domicile*
Stephen Laws, *Train fantôme*
Stan Lee, *Puzzle*
Elmore Leonard, *Gold Coast*

Elmore Leonard, *la Brava*
Elmore Leonard, *le Jeu de la mort*
Elmore Leonard, *la Loi de la cité*
Elmore Leonard, *Paiement cash*
Elmore Leonard, *Stick*
Elmore Leonard, *Un drôle de pèlerin*
Robert Littell, *les Sœurs*
Jack Livingston, *Enquête en sourdine*
Dick Lochte, *Coup de chien*
Charles MacLean, *le Guetteur*
John Maxim, *Abel, Baker, Charlie*
John Maxim, *Temps morts*
A. E. Maxwell, *A chacun son paradis*
Ed McBain, *Huit Chevaux noirs*
Ed McBain, *Lightning*
Ed McBain, *Manhattan Blues*
William P. McGivern, *la Nuit de l'égorgeur*
Ben Mochan, *Poings d'acier*
David Osborn, *le Sang à la tête*
Michael Palmer, *les Infirmières de la mort*
T. J. Parker, *Un été d'enfer*
Vincent Patrick, *la Valse des malfrats*
Willliam Pearson, *Nom de code : joueur d'échecs*
Thomas Perry, *le Garçon boucher*
Bob Randall, *l'Appel de l'au-delà*
Bob Randall, *le Fan*
Alan Ryan, *la Mort blanche*
Lawrence Sanders, *l'Homme au divan noir*
Lawrence Sanders, *Péchés mortels*
John Saul, *Corps étranger*
John Saul, *le Projet Dieu*
Benjamin Schutz, *Eaux troubles*
Michael Slade, *Chasseur de têtes*
Jerry Sohl, *Sommeil de mort*
Dorothy Uhnak, *Victimes*
Andrew Vachss, *Flood*
Paul Wilson, *le Donjon*
David Wiltse, *le Baiser du serpent*
David Wiltse, *le Cinquième Ange*
David Wise, *le Cirque des espions*

ACHEVÉ D'IMPRIMER
SUR LES PRESSES
DE L'IMPRIMERIE S.E.G.
33, RUE BÉRANGER
CHATILLON-SOUS-BAGNEUX

Numéro d'impression : 3881
N° d'éditeur : 5505
Dépôt légal : décembre 1987